Aqui estão os sonhadores

Imbolo Mbue

Aqui estão os sonhadores

Tradução: George Schlesinger

GLOBOLIVROS

Texto fixado conforme as regras do Acordo Ortográfico da Língua Portuguesa (Decreto Legislativo nº 54, de 1995).

Título original: *Behold the dreamers*

Editora responsável: Amanda Orlando
Editora assistente: Elisa Martins
Preparação de texto: Erika Nogueira
Revisão: Juliana de Araujo Rodrigues
Diagramação: Crayon Editorial
Design de capa: Jaya Miceli
Imagem de capa: Looking Glass/Getty Images
Adaptação de capa: Diego Lima

1ª edição, 2016 – 2ª reimpressão, 2021

CIP-BRASIL. CATALOGAÇÃO NA PUBLICAÇÃO
SINDICATO NACIONAL DOS EDITORES DE LIVROS, RJ

M429
Mbue, Imbolo
Aqui estão os sonhadores / Imbolo Mbue ; tradução George Schlesinger. – 1. ed. – São Paulo: Globo, 2016.

Tradução de: Behold the dreamers
ISBN 978-85-250-6217-8

1. Romance camaronês (Estados Unidos). 2. Imigrantes – Estados Unidos – Ficção. 3. I. Schlesinger, George. II. Título.

16-35737 CDD: 813
CDU: 821.111(73)-3

Direitos de edição em língua portuguesa para o Brasil
adquiridos por Editora Globo S. A.
Rua Marquês de Pombal, 25 - 20230-240
Rio de Janeiro – RJ
www.globolivros.com.br

Para meu belo AMR
com gratidão
por caminhar comigo para dentro do Mistério

Porque o Senhor, teu Deus, vai conduzir-te a uma terra excelente, cheia de torrentes, de fontes e de águas profundas que brotam nos vales e nos montes; uma terra de trigo e de cevada, de vinhas, de figueiras, de romãzeiras, uma terra de óleo de oliva e de mel, uma terra onde não será racionado o pão que comeres, e onde nada faltará; terra cujas pedras são de ferro e de cujas montanhas extrairás o bronze.

Deuteronômio 8,7-9

Um

Nunca tinham pedido que vestisse um terno numa entrevista de emprego. Nunca tinham dito para que levasse uma cópia de seu currículo. Nem sequer tinha um currículo até a semana anterior, quando fora até a biblioteca na Trinta e Quatro com a Madison e um consultor de carreiras voluntário redigira um para ele, detalhando seu histórico profissional para sugerir que era um homem de grandes realizações: agricultor responsável por lavrar a terra e cultivar safras saudáveis; limpador de ruas responsável por assegurar que a cidade de Limbe tivesse uma bela e pura aparência; lavador de pratos em restaurante de Manhattan, encarregado de garantir que os cidadãos comessem em pratos limpos e livres de germes; motorista de táxi de luxo no Bronx, responsável por levar passageiros de um lugar a outro em segurança.

Nunca tivera de se preocupar se sua experiência seria apropriada, se seu inglês seria perfeito, se teria êxito em parecer inteligente o bastante. Mas hoje, trajando o terno verde risca de giz trespassado que vestia no dia em que chegara à América, só conseguia pensar na sua capacidade de impressionar um homem que nunca tinha visto. Por mais que tentasse, nada podia fazer a não ser pensar nas perguntas que fariam, nas respostas que teria de dar, na maneira como teria de andar, falar e se sentar, nas vezes em que precisaria falar ou escutar e assentir, nas coisas que teria de dizer ou não dizer, na resposta que precisaria dar se perguntassem sobre sua situação legal no país.

Sua garganta estava seca. As palmas das mãos, úmidas. Sem poder alcançar o lenço no metrô lotado para o centro, enxugou as mãos nas calças.

— Bom dia, por favor — disse ao segurança no saguão de entrada quando chegou ao Lehman Brothers. — Meu nome é Jende Jonga. Estou aqui para falar com o sr. Edwards. Sr. Clark Edwards.

O segurança, de sardas e cavanhaque, pediu sua identidade, a qual ele rapidamente tirou da carteira marrom. O homem pegou o documento, examinou frente e verso, observou seu rosto, baixou os olhos para o seu terno, sorriu e perguntou se ele pretendia se tornar um corretor de valores ou algo do tipo.

Jende sacudiu a cabeça.

— Não — respondeu sem retribuir o sorriso. — Chofer.

— Tudo bem — disse o segurança ao entregar o crachá de visitante. — Boa sorte com isso.

Desta vez Jende sorriu.

— Obrigado, meu irmão — disse ele. — Hoje vou mesmo precisar de toda essa boa sorte.

Sozinho no elevador que subia até o vigésimo quarto andar, inspecionou suas unhas (nada de sujeira, felizmente). Ajeitou a gravata de nó pronto, presa à camisa por presilha, usando o espelho de segurança sobre sua cabeça; examinou mais uma vez os dentes e não achou nenhum resquício visível da banana-da-terra frita com feijão que comera no café da manhã. Limpou a garganta e removeu qualquer sinal de saliva que pudesse ter ficado nos cantos dos lábios. Quando a porta do elevador se abriu, endireitou os ombros e se apresentou à recepcionista que, depois de responder com um aceno de cabeça e uma exibição de dentes extraordinariamente brancos, fez uma ligação e pediu que a acompanhasse. Atravessaram um espaço amplo onde jovens de camisas azuis estavam sentados em cubículos com múltiplas telas, depois um corredor, ainda outro espaço amplo atulhado de cubículos até chegarem a um escritório ensolarado com um janela de vidro formada por quatro vidraças que ia de uma parede à outra, do chão até o teto, com as milhares de árvores de outono desfolhadas e as soberbas torres de Manhattan do lado de fora. Por um segundo seu queixo caiu diante da vista do lado de fora — ele nunca vira algo parecido — e do requinte do interior. Havia uma área informal (um sofá e duas poltronas de couro preto, uma mesa de centro de vidro) à sua direita, uma mesa (oval, cerejeira, cadeira reclinável de couro preto para o executivo, duas poltronas de couro verde para os visitantes) no centro, e uma estante (cerejeira, portas de vidro, pastas brancas organizadas em fileiras) à sua esquerda, diante da qual Clark Edwards, num terno escuro, alimentava de pé uma fragmentadora com folhas de papel.

— Por favor, senhor, bom dia — disse Jende, voltando-se para ele numa meia reverência.

— Queira se sentar — Clark respondeu sem tirar os olhos da trituradora.

Jende dirigiu-se depressa para a poltrona à esquerda. Tirou um currículo da pasta e colocou-o diante do assento de Clark, cuidando para não desorganizar as camadas de papéis brancos e exemplares do *Wall Street Journal* espalhados desordenadamente pela mesa. Uma das páginas do *Journal*, despontando sob folhas de números e gráficos, exibia a manchete: GRANDE ESPERANÇA DOS BRANCOS? BARACK OBAMA E O SONHO DE UM PAÍS DALTÔNICO. Jende inclinou-se para a frente para ler o artigo, fascinado como estava pelo senador jovem e ambicioso, mas imediatamente se endireitou ao se lembrar de onde estava, por que estava ali, o que estava prestes a acontecer.

— Você tem algum caso de multa grave que precisa resolver? — Clark perguntou ao se sentar.

— Não, senhor — respondeu Jende.

— E não esteve envolvido em nenhum acidente sério, certo?

— Não, sr. Edwards.

Clark pegou o currículo da mesa, amarrotado e úmido como o homem cujo histórico ele portava. Seus olhos fixaram-se no papel por vários segundos enquanto os de Jende zanzavam de um lado para o outro, das copas das árvores do Central Park além da janela para as paredes da sala cobertas de quadros abstratos e retratos de homens brancos de gravata borboleta. Podia sentir gotas de suor se formando na testa.

— Bem, Jende — disse Clark, devolvendo o currículo à mesa e recostando-se na cadeira. — Fale-me de você.

Jende empertigou-se. Essa era a pergunta que ele e sua esposa, Neni, haviam discutido na noite anterior; a pergunta sobre a qual tinham lido quando pesquisaram no Google "a pergunta que sempre fazem em toda entrevista de emprego". Tinham passado uma hora debruçados sobre o computador precário, buscando a melhor resposta, lendo conselhos parecidos demais nos dez primeiros sites indicados pelo Google, antes de decidirem que o melhor seria Jende falar de seu caráter sólido e de sua confiabilidade, e de como tinha tudo que um executivo ocupado como o sr. Edwards precisava num chofer. Neni havia sugerido que ele também destacasse seu admirável senso de humor, talvez com alguma piada. Afinal, dissera ela, que executivo de Wall Street, depois de passar horas quebrando a cabeça sobre como ganhar mais dinheiro, não apreciaria entrar no carro e encontrar seu chofer pronto com uma boa piada? Jende tinha concordado e preparado uma resposta, um breve monólogo que concluía com uma piada sobre uma vaca num supermercado. Com certeza funcionaria muito bem, dissera Neni. E ele também acreditava que sim. Mas quando começou a falar, esqueceu a resposta preparada.

— Muito bem, senhor — disse ele, em vez disso. — Moro no Harlem com a minha esposa e com o meu filho de seis anos. Sou de Camarões, na África Central, ou África Ocidental. Depende para quem perguntar, senhor. Sou de uma cidadezinha na costa do oceano Atlântico chamada Limbe.

— Percebo.

— Obrigado, sr. Edwards — continuou ele, com a voz trêmula, incerto pelo que estava agradecido.

— E que tipo de documentos você tem neste país?

— Eu tenho documentos, senhor — despejou depressa, inclinando-se para a frente com repetidos acenos de cabeça, calafrios disparando por seu corpo como minúsculas balas saindo de um canhão.

— Eu disse *que tipo* de documentos?

— Ah, desculpe, senhor. Eu tenho um DAT. Um DAT, senhor... é o que eu tenho neste momento.

— E o que isso... — O BlackBerry sobre a mesa tocou. Clark pegou-o rapidamente. — O que isso significa? — indagou, olhando para o telefone.

— Significa Documento de Autorização de Trabalho, senhor — respondeu Jende, ajeitando-se no assento. Clark não reagiu nem fez nenhum gesto. Manteve a cabeça baixa, os olhos no smartphone, os dedos de aspecto delicado saltitando pelo teclado, ágeis e velozes, para cima, para a esquerda, para a direita, para baixo.

— É uma permissão de trabalho, senhor — Jende acrescentou. Observou os dedos de Clark, depois a fronte, novamente os dedos, incerto de como fazer para obedecer as regras de contato visual quando os olhos não estavam disponíveis para contato. — Significa que tenho permissão para trabalhar, senhor. Até receber o meu *green card*.

Clark assentiu brevemente, ainda digitando.

Jende olhou pela janela, esperando não estar transpirando além da conta.

— E quanto tempo vai levar para conseguir esse *green card*? — Clark perguntou ao colocar o BlackBerry sobre a mesa.

— Realmente não sei, senhor. A Imigração é lenta, senhor; é muito estranho como trabalham.

— Mas está no país legalmente a longo prazo, correto?

— Ah, sim, senhor — disse Jende. E voltou a fazer repetidos acenos, um sorriso dolorido na face, sem piscar. — Estou em situação muito na lei, senhor. Só estou ainda esperando o meu *green card*.

Durante um longo instante Clark encarou Jende, seus vagos olhos verdes sem dar nenhuma pista de seus pensamentos. Um suor quente escorria pelas costas de Jende, ensopando a camisa branca que Neni comprara de um vendedor ambulante na rua Cento e Vinte e Cinco. O telefone da mesa tocou.

— Muito bem, então — disse Clark, pegando o telefone. — Contanto que você esteja em situação legal.

Jende Jonga soltou o ar.

O terror que tinha apertado seu peito quando Clark Edwards mencionou a palavra "documentos" foi aos poucos soltando as garras. Fechou os olhos e deu graças ao Ser misericordioso, grato por uma meia verdade ser suficiente. O que teria dito se o sr. Edwards tivesse feito mais perguntas? Como teria explicado que sua autorização de trabalho e sua carteira de motorista eram válidas somente enquanto seu pedido de asilo estivesse pendente ou fosse aprovado, e que se seu pedido fosse negado, todos os documentos se tornariam inválidos e não haveria nenhum *green card*?

Como poderia ter explicado seu pedido de asilo? Teria havido algum jeito de convencer o sr. Edwards de que era um homem honesto, um homem muito honesto, de fato, mas que agora estava contando mil histórias para a Imigração só para poder se tornar algum dia um cidadão americano e viver para sempre naquela grande nação?

— E há quanto tempo você está aqui? — perguntou Clark depois de desligar o telefone.

— Três anos, senhor. Eu vim em 2004, no mês de... — Fez uma pausa, perplexo com um retumbante espirro de Clark. — Que Deus o abençoe, senhor — disse enquanto o executivo colocava o punho sob o nariz e soltava outro espirro, mais forte que o primeiro. — *Ashia*, senhor — acrescentou. — Que Deus o abençoe novamente.

Clark inclinou-se para a frente e pegou uma garrafa de água do lado direito da mesa. Atrás dele, bem além da imaculada vidraça, um helicóptero vermelho voava sobre o parque, indo de oeste a leste sob o céu da manhã, totalmente sem nuvens. Jende voltou o olhar para Clark e o observou tomar alguns goles da garrafa. Ele também ansiava por um gole, para eliminar a secura na garganta, mas não se atrevia a mudar a trajetória da entrevista pedindo um pouco de água. Não, não podia se atrever. Com certeza não neste momento. Sua garganta podia ser o local mais seco do Kalahari e não importaria agora — ele estava se saindo bem. O.k., talvez não tão bem assim. Mas tampouco estava se saindo mal.

— Muito bem — disse Clark, apoiando a garrafa. — Deixe-me dizer a você o que eu quero num motorista. — Jende engoliu em seco e assentiu. — Exijo lealdade. Exijo confiabilidade. Exijo pontualidade e exijo que você faça o que mando sem fazer perguntas. Serve para você?

— Sim, senhor, é claro, sr. Edwards.

— Você vai assinar um contrato se comprometendo a nunca dizer nada sobre o que me ouvir dizer ou me vir fazer. Nunca. Para ninguém. Absolutamente ninguém. Está entendendo?

— Estou entendendo muito claramente, senhor.

— Ótimo. Eu o tratarei direito, mas você precisa me tratar direito antes. Eu serei sua principal prioridade, e quando eu não precisar de você,

você cuidará da minha família. Sou um homem ocupado, então não espere que eu o supervisione. Você chegou a mim altamente recomendado.

— Eu dou a minha palavra, senhor. Prometo. Toda a minha palavra.

— Muito bem, Jende — Clark disse. Deu um sorriso afetado, meneou a cabeça e disse novamente: — Muito bem.

Jende puxou o lenço do bolso da calça e pressionou contra a testa. Respirou fundo e esperou que Clark examinasse seu currículo mais uma vez.

— Você tem alguma pergunta para me fazer? — indagou Clark, transferindo o currículo para uma pilha de papéis do lado esquerdo da mesa.

— Não, sr. Edwards. O senhor me disse muito bem o que eu preciso saber, senhor.

— Tenho outra entrevista amanhã de manhã, depois vou tomar a minha decisão. Você vai ter uma resposta, talvez amanhã mesmo, um pouco mais tarde. Minha secretária ligará para você.

— Muito, muito obrigado, senhor. É muita gentileza.

Clark levantou-se.

Jende rapidamente empurrou a cadeira para trás e também se levantou. Ajeitou a gravata, que no decorrer da entrevista tinha entortado como um salgueiro durante uma tempestade.

— Aliás — disse Clark, fitando a gravata —, se você espera progredir na sua carreira, arranje um terno melhor. Preto, azul ou cinza. E uma gravata de verdade.

— Isso não é absolutamente um problema, senhor — retrucou Jende. — Posso arranjar um terno novo, senhor. Com certeza posso.

Acenou e sorriu embaraçado, revelando seus dentes encavalados e fechando a boca imediatamente. Clark, sem retribuir o sorriso, estendeu a mão, que Jende tomou com as duas e apertou com grande cuidado, de cabeça baixa. Agradeço tanto desde já, senhor, ele quis dizer de novo. Serei o melhor chofer do mundo se o senhor me der esse emprego, ele quase chegou a dizer.

Mas não disse; precisava impedir que seu desespero explodisse através da fina camada de dignidade na qual estivera envolvido ao longo da entrevista. Clark sorriu e deu um tapinha em seu braço.

Dois

— Um ano e meio hoje — disse Neni a Fatou enquanto caminhavam por Chinatown à procura de imitações de bolsas Gucci e Versace. — É esse o tempo que faz do dia que vim pros Estados Unidos.

— Um ano e meio? — repetiu Fatou, sacudindo a cabeça e revirando os olhos. — E também conta a metade do ano? E fala isso sem um tico de vergonha. — Ela riu. — Deixa eu falar uma coisa. Quando você tá no Estados Unidos *vingt-quatre ans*, e ainda é pobre, larga de contar. Você nem fala mais nada. Não. Você pega vergonha de tudo de falar, tô dizendo.

Neni soltou uma risadinha enquanto pegava uma bolsa Gucci tão determinada a passar por verdadeira que até reluzia. — Você tem vergonha de contar pras pessoas que já tá aqui faz vinte e quatro anos?

— Não, eu não tenho vergonha nenhuma. Pra que eu ia ter vergonha? Eu falo pras pessoas que acabei de chegar. Elas me ouvem falar. Dizem ah, ela não conhece inglês. Deve ter acabado de vim da África.

O chinês dono da loja se adiantou na direção delas. Leva a bolsa sessenta dólares, ele disse a Neni. Por quê? Neni perguntou, retorcendo a face. Dou vinte. O homem sacudiu a cabeça. Neni e Fatou começaram a ir embora. Quarenta, quarenta, o homem berrou enquanto elas abriam caminho em meio a uma multidão de turistas europeus. Tudo bem, vem levar por trinta, berrou ele de novo. Elas voltaram e compraram por vinte e cinco.

— Agora você parece a Angeli Joeli — disse Fatou enquanto Neni andava com a bolsa no braço, o aplique cacheado esvoaçando atrás dela.

— É mesmo? — disse Neni, balançando o cabelo.

— Quer dizer o que com é mesmo? Quer parecer com a Angeli Joeli, não quer?

Neni jogou a cabeça para trás e deu um risinho.

Como adorava Nova York! Ainda não podia acreditar que estava ali. Não podia acreditar que estava passeando e comprando Gucci, não mais uma mãe solteira, sem emprego, sentada na casa do pai em Limbe, do nascer ao por do sol, estação seca a estação chuvosa, esperando que Jende a salvasse.

Não parecia que já fazia dezoito meses, talvez porque ela ainda se lembrasse muito daquele dia em que ela e Liomi chegaram no aeroporto JFK. Ainda se lembrava de como Jende estava de pé no terminal à sua espera, vestindo uma camisa vermelha e uma gravata de presilha, um buquê de hortênsias amarelas nas mãos. Ainda se lembrava de como haviam se abraçado e se apertado um contra o outro por quase um minuto, em silêncio, os olhos fechados com força para banir a agonia dos últimos dois anos durante os quais ele trabalhara em três empregos para economizar o dinheiro necessário para o visto de estudante dela, o visto de visitante para Liomi, e as passagens aéreas. Lembrava-se de como Liomi juntara-se a eles no abraço, agarrando as pernas de ambos antes de Jende parar de apertá-la para levantá-lo. Lembrava-se de como o apartamento — que Jende achara havia pouco, após quase dois anos dividindo um apartamento de dois quartos num subsolo no Bronx com seis porto-riquenhos — encheu-se naquela noite com o riso de Jende e a voz dela regalando-o com histórias de casa, junto com os guinchos de Liomi enquanto pai e filho faziam algazarra e cócegas um no outro rolando sobre o tapete. Lembrava-se de como no meio da noite tinham tirado Liomi da cama de casal e o levado para sua cama para poderem deitar-se lado a lado, fazer todas as coisas que haviam prometido em e-mails e telefonemas e mensagens de texto. E ainda lembrava-se claramente de estar deitada junto a Jende depois que terminaram, escutando os sons da América do lado de fora da janela, a conversa e os risos de homens e mulheres afro-americanos nas ruas do Harlem, e dizendo a si mesma: estou na América, realmente estou na América.

Jamais poderia se esquecer daquele dia.

Ou do dia, duas semanas depois de sua chegada, quando se casaram na prefeitura com Liomi segurando as alianças e o primo de Jende, Winston, como testemunha. Naquele dia em maio de 2006, ela finalmente se tornou uma mulher respeitável, uma mulher declarada digna de amor e proteção.

Limbe era agora uma cidade distante, um lugar que ela amara menos a cada dia que Jende não estava lá. Sem ele para dar um passeio juntos na praia, sair para dançar, ou sentar-se num barzinho e curtir uma Malta Guinness gelada numa tarde quente de domingo, a cidade não era mais sua cidade natal amada, e sim um lugar desolado do qual ela não podia mais esperar para sair. Em cada telefonema durante o tempo em que ficaram separados ela o lembrara disso, de sua incapacidade de parar de sonhar com o dia em que deixaria Limbe para estar com ele na América.

— Eu também sonho, *bébé* — ele sempre dizia. — Dia e noite eu sonho todo tipo de sonhos.

No dia em que ela e Liomi conseguiram seus vistos, ela foi para a cama com os passaportes debaixo do travesseiro. Na noite em que deixaram Camarões, ela não sentiu nada. Quando o ônibus que seu pai alugara para levá-los — junto com duas dúzias de familiares e amigas que tinham ido para acompanhá-los — partiu da frente de sua casa para começar a viagem de duas horas até o Aeroporto Internacional de Duala, ela sorrira e acenara para os vizinhos e membros mais distantes da família que haviam se reunido no gramado da entrada para invejosamente dizer adeus. Ela tinha guardado uma imagem panorâmica de todos, sabendo que não sentiria falta deles por muito tempo, desejando a eles a mesma felicidade que sabia que encontraria na América.

Agora, um ano e meio depois, Nova York era seu lar, um lugar com todos os prazeres que desejava. Acordava ao lado do homem que amava e virava o rosto para ver seu filho. Pela primeira vez na vida, tinha um emprego, como auxiliar doméstica de saúde por meio de uma agência que pagava em dinheiro vivo, já que ela não tinha permissão de trabalho. Era uma estudante matriculada pela primeira vez em dezesseis anos, cursando química no Borough of Manhattan Community College, sem precisar se preocupar com a anuidade, pois sabia que Jende sempre pagaria os três mil dólares por semestre sem reclamar, ao contrário de seu pai, que se queixava incessantemente de suas dores de cabeça financeiras e fazia um discurso dizendo que os francos camaroneses não cresciam em mangueiras sempre que um de seus oito filhos pedia dinheiro para as mensalidades escolares ou para uniformes novos. Pela primeira vez em tanto tempo ela não acordava de manhã sem planos exceto limpar a casa, ir ao mercado, cozinhar para os pais e irmãos, cuidar de Liomi, se encontrar com as amigas e ouvi-las falar mal das sogras, ir para a cama e esperar mais do mesmo no dia seguinte porque sua vida não ia para a frente nem para trás. E pela primeiríssima vez na vida, tinha um sonho além do casamento e da maternidade: tornar-se farmacêutica como aquelas respeitadas em Limbe por oferecer saúde e felicidade em frascos de comprimidos. Para realizar esse sonho, precisava ir bem nos estudos, e ela estava indo bem — mantendo uma média de B+. Três dias por semana ia à escola e, depois das aulas, caminhava pelos saguões carregando seus grossos livros didáticos de álgebra, química, biologia e filosofia, radiante porque estava crescendo para se tornar uma mulher culta. Sempre que podia, sentava-se na biblioteca para fazer os deveres de casa, ou ia à sala dos professores em busca de conselhos sobre o que precisaria fazer para conseguir notas melhores e entrar numa boa faculdade de farmácia. Ela teria orgulho de si mesma, faria Jende ter orgulho de sua esposa e Liomi ter orgulho de sua mãe. Havia esperado demais para se tornar alguma coisa, e agora, aos trinta e três anos, finalmente tinha, ou estava perto de ter, tudo que sempre desejara na vida.

Três

Ele estava na White Plains Road quando recebeu a chamada. Quatro minutos mais tarde, fechou o celular e riu. Bateu no volante e riu ainda mais alto: radiante, perplexo, incrédulo. Se estivesse guiando em New Town, Limbe, teria saído do carro e abraçado alguém na rua, dizendo, *bo*, você não vai acreditar na notícia que acabei de receber. Em New Town, teria conhecido pelo menos uma pessoa na rua com quem compartilhar suas boas-novas, mas aqui, nestas ruas de velhas casas de tijolos e gramados desbotados no Bronx, não conhecia ninguém para quem pudesse correr e repetir o que a secretária de Clark acabara de lhe dizer. Havia um rapaz negro andando com fones de ouvido, balançando a cabeça no ritmo de alguma boa música; três adolescentes asiáticas cobrindo a boca e dando risinhos, nenhuma com uma mochila de escola; uma mulher indo apressada para algum lugar, empurrando um bebê gordo num carrinho cor-de-rosa dobrável. Havia também um africano, mas a julgar por sua face angular escura e túnica esvoaçante *grand boubou*, devia ser senegalês ou burquiense ou de algum outro país francófono da África Ocidental. Jende não podia sair correndo até ele só porque ambos eram africanos ocidentais — precisava regozijar-se com alguém que soubesse seu nome e sua história.

— Ah, Deus Pai, Jends — Neni disse quando ele telefonou dando a notícia. — Não consigo acreditar! Você consegue?

Ele sorriu e sacudiu a cabeça, sabendo que a pergunta não exigia resposta — ela só estava tão feliz quanto ele. Pelos sons que acompanhavam sua voz, soube que ela estava dançando, pulando, saltando pelo apartamento como uma criança com um punhado de doces.

— Ela disse exatamente quanto vão pagar?

— Trinta e cinco mil.

— Mamami, eh! Deus Pai, oh! Estou dançando neste instante, Jends. Estou fazendo ginástica, ah!

Ela queria ficar ao telefone, rejubilar-se junto pelo menos por mais dez minutos, mas precisava sair para sua aula de química. Ele continuou sorrindo depois que ela desligou, feliz pela alegria dela, que fluía com mais força que as cataratas de Vitória.

Em seguida ligou para seu primo Winston.

— Parabéns, meu caro — Winston disse. — Prodígios nunca têm fim.

— Estou dizendo — insistiu Jende.

— Então, você, esse garoto do mato vindo de New Town, Limbe, vai guiar para um executivo de Wall Street, hein? Agora vai dirigir um Lexus reluzente, em vez desse Hyundai *chakara*?

Jende deu risada.

— Eu não sei como agradecer — disse. — Não consigo nem começar a...

Seu passageiro no banco de trás disse alguma coisa.

— Espera aí, *bo* — ele disse a Winston. Virou-se e percebeu que a mulher também estava no celular, falando uma língua que ele nunca tinha ouvido enquanto ele falava inglês pidgin intercalado com francês e bakweri — nenhum dos dois se entendendo, criando inadvertidamente uma quase-Babel num táxi de luxo de Nova York.

— O que você disse a essa gente sobre mim? — ele perguntou a Winston. — O homem disse que eu cheguei a ele altamente recomendado.

— Nada — respondeu Winston. — Só disse ao Frank que às vezes você dirige uma limusine, e que já tinha sido chofer de uma família em Nova Jersey.

— O quê?

— Minto, sinto — Winston disse, contendo o riso. — Você acha que um negro consegue um bom emprego neste país sentado na frente dos brancos dizendo a verdade? Por favor, não me faça rir. Eu só não quis contar antes para não deixar você ainda mais nervoso.

— *Bo*, está falando sério? Mas eu não pus nada disso no meu currículo! Como é que...?

— Ah, você e seus choques. O homem é um cara ocupado. Eu sabia que ele não ia ficar ali fazendo todo tipo de pergunta. Frank é o melhor amigo dele. O quê? Você não está contente que eu tenha dito a ele?

— Contente? — Jende disse quase num grito, sacudindo a cabeça e jogando-a para trás. — Eu quero é sair deste carro agora e beijar seus pés!

— Não, obrigado — disse Winston. — Estou entrevistando umas *ngahs* para fazer isso para mim.

— Sei que está! — Jende disse gargalhando. — Não vou ficar com ciúmes, porque a Neni vai me matar.

Winston riu tanto que chegou a roncar.

— Aquela da noite passada, *bo*, deixa eu te dizer...

— Mas o que a gente vai fazer com essa história de irem checar meu passado? — Jende quis saber. — A secretária disse que eu tenho que dar aquela coisa, rev... en... reve... reverências?

— Não se preocupe com isso. Nós vamos preencher os formulários juntos quando eu passar na sua casa. Tenho algumas pessoas para as referências.

— Eu te devo essa, *bo*... Resumindo, nem sei como vou conseguir te agradecer.

— Pare já com esse negócio de agradecer, certo? — ordenou Winston. — Você é meu irmão. Se eu não fizer isso por você, vou fazer por quem? Diga a Neni para preparar para mim a receita especial de sopa de pimentão, aquela com mocotó e moela de galinha. É só isso que eu quero. Vou passar amanhã à noite.

— Não precisa nem pedir. A comida vai estar esperando você, mais vinho de palma gelado e *soya* fresco.

Winston o parabenizou mais uma vez e disse que precisava voltar a um relatório no qual estava trabalhando. Jende seguiu guiando pelo Bronx, pegando passageiros, deixando-os nos seus destinos, escutando a Lite FM, incapaz de tirar o sorriso do rosto. Seu celular soltou um bipe anunciando uma nova mensagem de texto. Agora é só conseguir os documentos, escreveu Neni, e estaremos em ordem!

Não é que é verdade, pensou ele. Primeiro um bom emprego. Depois os documentos. Seria uma sensação ótima, não?

Ele suspirou.

Três anos. Esse era o tempo que vinha lutando por documentos nos Estados Unidos. Estava no país havia apenas quatro semanas quando Winston o levou para se encontrar com um advogado especialista em imigração — precisavam achar um jeito de ele ficar no país permanentemente depois que seu visto de turista expirasse. Esse tinha sido o plano o tempo todo, apesar de não ser isso o que Jende dissera quando fora à embaixada americana em Iaundê para requisitar o visto.

— Quanto tempo planeja ficar em Nova York? — o encarregado consular lhe perguntara.

— Só três meses, senhor — fora sua resposta. — Só três meses, e prometo que vou voltar.

E havia apresentado evidências para atestar sua alegação: a carta de seu supervisor no trabalho descrevendo-o como um funcionário diligente que adorava tanto o emprego que jamais o abandonaria para vagar sem rumo nos Estados Unidos; a certidão de nascimento do seu filho, para mostrar que nunca ficaria nos Estados Unidos e desertaria a criança; a escritura de um terreno que seu pai lhe dera, para mostrar que pretendia retornar e construir naquela terra; uma carta do escritório municipal de planejamento, que pagara a um tio distante que trabalhava ali para que conseguisse, declarando que havia solicitado permissão para construir uma casa; uma carta de um amigo que declarou sob juramento que Jende não permaneceria nos Estados Unidos porque pretendiam abrir uma bar juntos quando ele voltasse.

O encarregado consular se convencera.

No dia seguinte Jende saíra do escritório consular com seu visto. Sim, ele ia para os Estados Unidos. Ele, Jende Dikaki Jonga, filho de Ikola Jonga, neto de Dikaki Manyaka ma Jonga, ia para os Estados Unidos! Saltou da embaixada para as ruas poeirentas de Iaundê, de punho erguido e um sorriso tão largo que uma mulher ewondo, carregando uma cesta de bananas-da--terra na cabeça, parou no meio da passada para observá-lo. *Quel est son problème?* Ele a ouviu dizer a uma amiga. Ele riu. Não tinha problema nenhum. Em um mês estaria indo embora de Camarões! Indo embora para certamente não voltar depois de três meses. Quem é que viajava para a América só para retornar três meses depois para um futuro de inutilidade em Camarões? Não jovens como ele, não gente se defrontando com um futuro de pobreza e prostração em seu próprio país. Não, gente como ele não visitava a América. Ia para lá e lá ficava, até conseguir voltar para casa como um vitorioso com os bolsos cheios de dólares e fotos de uma vida feliz. Foi por isso que no dia em que embarcou no voo da Air France de Duala para Newark com conexão em Paris, tinha certeza de que não veria Camarões novamente até ter reivindicado sua parcela de leite, mel e liberdade que corria no paraíso-para-batalhadores chamado Estados Unidos!

— Asilo é o melhor jeito de conseguir um *papier* e permanecer no país — Winston lhe dissera depois que ele tinha superado seu *jet lag* e passado metade do dia passeando embasbacado pela Times Square. — Ou isso ou você se casa com uma velha branca desdentada no Mississippi.

— Por favor, Deus me livre de coisas ruins — ele retrucara. É melhor me dar uma garrafa de querosene para beber e morrer já. — Asilo era sua única alternativa, concluiu. Winston concordou. Podia levar anos, disse, mas valia a pena.

Winston contratou um advogado para ele, um nigeriano persuasivo em Flatbush, Brooklyn, chamado Bubakar, que era tão baixo quanto sua fala era rápida. Bubakar, haviam dito a Winston, não era só um grande advogado de imigração com centenas de clientes africanos em todo o país, mas também um perito na arte de dar aos clientes as melhores histórias de perseguição para obter asilo.

— Como você acha que fazem todas essas pessoas que conseguem asilo? — o advogado perguntou aos primos quando se reuniram para uma consulta gratuita. — Acham que todos estão realmente fugindo de algo? Por favooor. Deixe-me dizer uma coisa: acabei de conseguir no mês passado asilo para a filha do primeiro-ministro de um país da África Oriental.

— É mesmo? — indagou Winston.

— É mesmo, sim senhor — Bubakar respondeu, cinicamente. — O que está querendo dizer com "é mesmo"?

— Só estou surpreso. Que país?

— Prefiro não mencionar, o.k.? Realmente não importa. Meu ponto é que o pai dessa moça é primeiro-ministro, hein? Ela tem três pessoas limpando sua bunda depois de que ela caga e mais três pessoas tirando o ranho do seu nariz. E aqui está ela, dizendo que está com medo da sua vida lá no país dela. — Zombou. — Todos fazemos o que temos de fazer para nos tornarmos americanos, *abi*?

Jende assentiu.

Winston deu de ombros; fora um amigo seu em Atlanta quem recomendara Bubakar, falando muito bem do homem. O amigo não tinha dúvida de que Bubakar era a razão de ele ainda estar nos Estados Unidos, de ele agora ter um *green card* e de estar a apenas dois anos de se tornar elegível para pleitear cidadania. Ainda assim, vendo Winston com ar desconfiado, Jende percebeu que o primo estava tendo dificuldade de acreditar que o homenzinho de pelos extralongos saindo pelas narinas perpetuamente dilatadas fosse perito em alguma coisa, quanto mais no complexo campo legal da imigração baseada em asilo. O diploma na parede dizia que ele frequentara alguma faculdade de direito em Alabama, mas para Winston seu maneirismo devia significar que adquirira sua verdadeira educação via fóruns sobre imigração on-line, os sites onde muitas aspirações por passaportes americanos se reuniam para descobrir maneiras de triunfar sobre o sistema americano de imigração.

— Meu irmão — Bubakar disse a Jende, o encarando do outro lado da mesa vazia em seu escritório ultralimpo e perfeitamente organizado —, por que não começamos por você me contando mais sobre si para eu poder ver como posso ajudá-lo?

Jende endireitou-se na cadeira, juntou as palmas das mãos sobre colo e começou a contar sua história. Falou de seu pai, agricultor, de sua mãe, mercadora e criadora de porcos, de seus quatro irmãos e de sua casa simples em New Town, Limbe. Falou de ter frequentado o fundamental na Escola

Principal de CBC, e da interrupção do ensino médio na Escola Secundária Abrangente Nacional depois de ter engravidado Neni.

— Hein? Você parou porque engravidou uma garota? — Bubakar perguntou, anotando alguma coisa.

— Sim — respondeu Jende. — O pai dela me meteu na cadeia por causa disso.

— Bum! É isso aí! — Bubakar disse enquanto erguia o rosto do bloco de notas, os olhos brilhando de empolgação.

— O que é isso aí? — indagou Winston.

— O asilo dele. A história que vamos contar para a Imigração.

Winston e Jende se entreolharam. Jende achou que Bubakar devia saber o que estava dizendo. Winston parecia achar que Bubakar não devia saber nada do que estava dizendo.

— Do quê está falando? — perguntou Winston. — A prisão aconteceu em 1990, há catorze anos. Você vai convencer um juiz de que meu primo está com medo de perseguição lá em Camarões por ter engravidado uma moça e ter sido preso muito tempo atrás? Veja bem, no nosso país, e talvez até mesmo no seu país, está perfeitamente dentro da lei um pai mandar prender um rapaz por complicar o futuro da filha.

Bubakar olhou para Winston com desdém, um canto do lábio arqueado para baixo.

— Sr. Winston — disse após uma longa pausa, durante a qual anotou alguma coisa e deliberadamente pousou a caneta sobre o bloco de notas.

— Sim?

— Entendo que ambos somos advogados, e o senhor é especialista em Wall Street. Não está correto?

Winston não respondeu.

— Deixe-me garantir-lhe uma coisa, meu amigo — prosseguiu Bubakar. — O senhor não saberia o que fazer primeiro se fosse posto diante de um juiz da Imigração e solicitado a lutar por pessoas como o seu primo. Certo? Então, por que não me deixa fazer o que eu sei, e se algum dia eu precisar de um advogado para me ajudar a achar um jeito de omitir impostos do governo, eu o deixarei fazer o que sabe fazer.

— Minha função não é ajudar as pessoas a encontrar maneiras de omitir impostos — rebateu Winston, mantendo a voz baixa, mesmo que Jende pudesse perceber pelos seus olhos que não piscavam que o primo ansiava por jogar-se por cima da mesa e arrancar com um soco todos os dentes de Bubakar.

— Não faz isso, é? — Bubakar perguntou com falso interesse. — Então, diga-me, o que é que o senhor faz em Wall Street?

Winston engoliu em seco. Jende não disse nada, tão zangado quanto seu primo.

Talvez receando ter ido longe demais, Bubakar tentou conter seus comentários e apaziguar os primos.

— Meus irmãos, não vamos aborrecer — disse, mudando para uma mistura de inglês pidgin camaronês e nigeriano. — Nada de hora de aborrecer. Tem trabalho de fazer, *abi*? Agora hora de ir pra frente. Não é maneira?

— Maneira — respondeu Winston. — Vamos nos ater ao assunto em questão.

Jende suspirou e esperou a conversa voltar ao seu pedido de asilo.

— Mas só para você saber — acrescentou Winston —, minha função como advogado corporativo não envolve mentira nem manipulação.

— É claro — replicou Bubakar. — Sinto muito, irmão. Devo ter confundido com outro tipo de especialidade em direito.

Os dois riram.

— O que aconteceu com a senhorita que você engravidou? — perguntou Bubakar, voltando-se para Jende.

— Ela está em Limbe.

— E a criança que teve com ela?

— Morreu.

— Ah, sinto muito, meu irmão. Sinto muito mesmo.

Jende evitou seu olhar. Não precisava de compaixão. E com certeza não precisava de condolências vindo catorze anos depois.

— Você foi para a cadeia antes ou depois de ela morrer?

— Antes de ela nascer, quando os pais da minha garota descobriram que havia sido eu quem a tinha engravidado.

— É assim que geralmente isso funciona — disse Winston. — Os pais chamam a polícia, o namorado vai preso.

Bubakar aquiesceu, sublinhando mais uma vez uma palavra em seu bloco.

— Fiquei na prisão durante quatro meses. Saí, o bebê tinha um mês de idade. Três meses depois ela morreu de febre amarela.

— Ah, sinto muito, irmão — Bubakar disse outra vez. — Realmente sinto muito.

Jende deu um gole no copo de água sobre a mesa e limpou a garganta. — Mas tenho outro filho em Camarões — disse. — Tenho um filho de três anos.

— Com a mesma mulher com quem você teve a filha?

— Sim. Ela é a mãe do meu filho. Ainda é minha namorada. Estaríamos casados agora e seríamos uma família se o pai dela me deixasse casar com ela.

— E qual é a razão de ele desaprovar o casamento?

— Ele diz que precisa de tempo para pensar, mas eu sei que é porque sou pobre.

— É uma coisa de classes — explicou Winston. — Jende vem de uma família pobre. A família dessa moça tem um pouco mais de dinheiro.

— Ou talvez seja porque o pai dessa moça não tenha superado o que aconteceu com a filha dele? — sugeriu Bubakar. — Quer dizer, como pai, ver sua jovem filha engravidar, largar a escola e aí perder a criança, tudo isso é muito duro, *abi*? Não creio que algum dia eu vá gostar da pessoa que fez isso com a minha filha, seja ele de família rica ou de família pobre.

Nenhum dos dois primos respondeu.

— Mas não importa realmente qual seja a razão dele — continuou Bubakar. — Penso que a história é a nossa melhor chance para o seu asilo. Alegamos perseguição baseada no fato de pertencer a um determinado grupo social. Tecemos uma história sobre como você tem medo de voltar para casa porque tem medo de que a família da sua namorada queira matá-lo para que vocês dois não se casem.

— Isso soa como algo que poderia acontecer na Índia — disse Winston. — Ninguém faz nada parecido com isso em Camarões.

— Está tentando dizer que Camarões é melhor que a Índia? — retorquiu Bubakar.

— Estou tentando dizer que Camarões não é como a Índia.

— Deixe isso comigo, meu irmão.

Winston suspirou.

— Quando podemos mandar o pedido? — perguntou Jende.

— Assim que você conseguir me fornecer todas as evidências.

— Evidências? Como o quê?

— Como o quê? Como seu registro da prisão. Certidões de nascimento de seus filhos. Dos dois. Certidão de óbito da menininha. Cartas. Montes de cartas, de gente dizendo que ouviu que esse homem diz que vai matar você se algum dia o vir novamente. Gente que ouviu os irmãos, os primos dele, qualquer um da família, falando que vai destruir você. Fotografias, também. Na verdade, tudo e qualquer coisa sobre você e essa garota e o pai dela. Você consegue arranjar isso para mim?

— Vou tentar — disse Jende, hesitante. — Mas e se eu não conseguir evidências suficientes?

Bubakar olhou para Jende com um ar de divertimento e balançou a cabeça.

— Ah, meu irmão — disse ele, pousando a caneta e inclinando-se para a frente. — Será que eu preciso explicar para você? Você tem que usar o seu bom senso e conseguir para mim alguma coisa que eu possa mostrar a essa gente. Hein? É como diz aquele cara Jerry Maguire, mostre-me o dinheiro. Essa gente do Serviço de Imigração vai dizer, mostre-me as evidências. Mostre-me as evidências! Está me entendendo?

E riu da própria piada. Winston bufou. Jende não reagiu — nunca tinha ouvido falar de um sujeito chamado Jerry Maguire.

— Temos que mostrar muita coisa para convencê-los, está me entendendo? De um jeito ou de outro, fabricamos um monte de evidências.

— Vamos ver o que podemos fazer — disse Winston.

Jende assentiu concordando, embora soubesse que seria difícil conseguir o tipo de carta que Bubakar queria. O pai de Neni não gostava dele — disto ele sabia havia anos —, mas o velho nunca ameaçara matá-lo.

Ninguém em Limbe podia atestar isso. Mas pedir asilo era sua melhor chance de permanecer no país, então precisava fazer alguma coisa. Teria de discutir o assunto com Winston e ver o que poderia ser feito; Winston teria ideias de como fazê-lo.

— E você tem certeza de que isso vai dar certo? — perguntou Winston.

— Vou formular um caso forte — respondeu Bubakar. — Seu primo vai conseguir os documentos, *Inshallah*.

Quatro

Ela não conseguiu ir para a cama até ele chegar em casa; precisava saber tudo sobre seu primeiro dia no emprego. Quando ela tinha ligado por volta do meio-dia para saber como estava indo, ele dissera apressadamente que ia bem, que não podia falar, mas que estava tudo bem. Então, ela não teve alternativa a não ser esperar, e agora, quase à meia-noite, enfim pôde ouvi-lo à porta, arfando depois de ter subido os cinco lances de escada necessários para chegar ao apartamento.

— E então? — ela perguntou, com um sorriso enquanto ele se sentava no surrado sofá da sala de estar.

— Não posso me queixar — disse ele, sorrindo. — Foi tudo bem.

Ela entrou na cozinha e pegou para ele um copo de água gelada, ajudou-o a tirar o paletó e, depois de ele descansar um minuto no sofá com a cabeça jogada para trás, trouxe seu jantar e puxou uma cadeira para ele ficar confortável na pequena mesa de refeições.

E aí começou a fazer perguntas: o que fez exatamente para a família? Aonde os levou? Como era o apartamento dos Edwards? A sra. Edwards era uma mulher simpática? O filho era bem comportado? Ele trabalharia até tão tarde todo dia?

Ele estava cansado, mas ela foi persistente, cobrindo-o de perguntas como confete sobre um guerreiro vitorioso. Precisava saber como gente rica vivia. Como se comportavam. O que diziam. Se podiam contratar alguém para levá-los de carro de um lugar a outro, então suas vidas deviam ser realmente especiais, não?

— Vamos lá — insistiu ela. — Me conte.

Então ele contou tudo que podia entre as garfadas do jantar. O apartamento dos Edwards era grande e bonito, disse ele, milhões de dólares mais bonito do que o apartamento de um quarto e sem sol dos dois. Dava para ver toda a cidade pela janela da sala de estar — seu queixo tinha caído ao ver aquilo.

— *Chai!* — ela exclamou. — Como deve ser ter um lugar como esse? Eu pulava e tocava o céu todo dia.

O lugar parecia um daqueles apartamentos de gente rica que você vê na televisão, ele prosseguiu. Tudo era branco ou prateado, muito limpo, muito brilhante. Ele passara apenas alguns minutos ali enquanto aguardava para levar Mighty à escola depois de ter deixado o sr. Edwards no trabalho. A sra. Edwards lhe pedira para subir porque Mighty, com seus nove anos, queria ser devidamente apresentado antes de ser conduzido à escola pelo chofer. — É um garoto muito simpático, e muito bem-educado também, esse Mighty — disse Jende.

— É bom ouvir isso — disse ela. — Uma criança rica que é bem-educada. — Ela quis perguntar se Mighty era tão bem-educado quanto seu Liomi, mas não perguntou; achou melhor seguir o conselho que sua mãe lhe dera anos atrás para se abster de comparar seu filho com o filho de outra mulher. — Eles têm só esse menino? — perguntou em vez disso.

Jende balançou a cabeça.

— Mighty me disse que tem um irmão mais velho. Ele mora longe do centro, em outro apartamento deles e estuda na Universidade de Columbia. Na Faculdade de Direito.

— Você também vai trabalhar para ele?

— Talvez, não sei. Se eu também tiver que trabalhar para ele, não é problema, mas pelo jeito que Mighty falou parece que o irmão não vem visitá-los com muita frequência, e a senhora Edwards não está nada contente com isso. Eu não perguntei mais nada sobre o assunto.

Ela encheu seu copo de água já pela metade, e o deixou comer em silêncio por alguns minutos antes de retomar as perguntas.

— E a sra. Edwards — Neni continuou —, como ela é?

— Bem bonita — respondeu Jende. — Exatamente com deve ser uma mulher com marido rico. Winston disse que ela é uma dessas pessoas de comida.

— Que pessoas de comida?

— Pessoas que ensinam aos outros como comer... para ficarem de um jeito e não de outro. — Ele pegou a lata de Mountain Dew que ela pusera na mesa, abriu e tomou um grande gole. — As pessoas neste país estão sempre se preocupando com o que comer, como comer, e pagam um bom dinheiro para que os outros digam: coma isto, não coma aquilo. Se você não sabe comer, o que mais você pode saber fazer neste mundo?

— Então ela deve ser magra e realmente bonita.

Ele assentiu distraidamente, suor escorrendo pelo rosto por causa do excesso de pimenta que ela pusera no frango e no molho de tomate. Ignorando o suor, ele pegou uma coxa, destrinchou a carne com os dentes e chupou o suco de dentro do osso.

— Mas como ela é exatamente? — Neni insistiu. — Ah, *bébé*, detalhes, por favor.

Ele deu um suspiro e disse que não conseguia se lembrar muito como ela era. A única coisa de que se lembrava, disse, foi que quando a viu pela primeira vez pensou que ela se parecia um pouco com a esposa em *Beleza americana* — um filme que ambos adoravam e assistiam sempre que queriam se lembrar de que a vida nos subúrbios americanos podia ser muito estranha, e talvez fosse melhor viver em cidades americanas pacíficas, como Nova York.

— Qual é mesmo o nome real daquela mulher? — ele perguntou com a boca cheia, molho de tomate escorrendo pelos dedos. — É você que sabe essas coisas.

— Annette Bening?

— Isso, isso mesmo. A sra. Edwards é parecida com ela.

— Com os mesmos olhos e tudo? Ela deve ser linda, hein?

Ele disse que não lembrava se Cindy Edwards tinha os olhos de Annette Bening.

— Não dá nem para saber como são os olhos dela de verdade — Neni disse. — Algumas usam lentes de contato coloridas; podem mudar os olhos sempre que têm vontade. Uma mulher como a sra. Edwards provavelmente nasceu numa família rica e começou a usar lentes coloridas já quando criança.

— Eu não sei...

— Pai rico, mãe rica, marido rico. Tenho certeza de que a vida inteira ela não soube o que é se preocupar com dinheiro.

Lambendo os lábios, Jende pegou do prato um pedaço de banana-da-terra; partiu-o com os dedos, mergulhou metade dentro da tigela de molho de tomate e logo o enfiou na boca.

Ela o observou, divertindo-se com a rapidez com que ele devorava a comida.

— E aí o que aconteceu depois que você deixou Mighty na escola? — indagou.

Ele voltou e pegou a sra. Edwards, relatou Jende, levou-a para seu escritório e depois para um compromisso no condomínio Battery Park City e depois para outro no Soho, antes de levá-la para casa e buscar Mighty na escola e levá-lo junto com a babá a um edifício no Upper West Side onde tomava aulas de piano. Depois da aula, levou Mighty e a babá de volta para casa e aí foi buscar o sr. Edwards no escritório para levá-lo a uma *steak house* em Long Island e de volta para a cidade por volta das dez horas. Reabasteceu a gasolina, estacionou o carro na garagem e pegou o ônibus para atravessar a cidade da zona leste para a zona oeste. Então pegou a linha 3 do metrô de volta para casa.

— *Êêêi!* — ela exclamou. — Não é muito trabalho para uma pessoa num dia?

Claro, pode ser, ele respondeu. Mas para a quantidade de dinheiro que estavam pagando, não era de se esperar? Ela não devia se esquecer, disse ele, de que duas semanas antes ele estava ganhando só metade do que o sr. Edwards lhe pagava, guiando o táxi de luxo doze horas por dia.

Ela aquiesceu concordando e disse:

— Só temos a agradecer a Deus.

Ele ergueu o copo de água e tomou um gole.

— Calculei o seu salário de trinta e cinco mil por ano, mais os meus dez mil — ela disse enquanto voltava a encher o copo dele. — Depois de você pagar os impostos, as minhas mensalidades escolares, o aluguel, mandar dinheiro lá para casa e todo o resto, ainda podemos economizar uns trezentos ou quatrocentos dólares por mês.

— Quatrocentos dólares por mês!

Ela fez que sim com a cabeça, também espantada de como as coisas podem mudar em tão pouco tempo.

— Economizamos assim, *bébé* — disse ela —, se fizermos um grande esforço, podemos economizar cinco mil por ano. Em dez anos, poderíamos ter dinheiro suficiente para dar entrada num apartamento de dois quartos em Mount Vernon ou Yonkers. — Ela aproximou sua mão da dele. — Ou até mesmo New Rochelle.

Ele balançou a cabeça.

— Algum dia vamos começar a pagar mais pelo aluguel. Quanto tempo você acha que vai demorar até o governo descobrir que o sr. Charles está se qualificando para moradia barata mesmo que esteja guiando um Hummer? Se descobrirem que estamos pagando a ele para morar aqui, nos expulsam...

— E daí?

— E daí? Algum dia vamos começar a pagar mais de quinhentos pelo aluguel, e quarenta e cinco mil para morar no Harlem não vai ser nada.

Ela deu de ombros: era bem típico dele pensar nas coisas ruins que podiam acontecer.

— Algum dia não é hoje — ela contestou. — Antes de eles descobrirem, já teríamos economizado algum dinheiro. — A essa altura já serei farmacêutica. — Ela sorriu de novo, os olhos se estreitando como se estivesse sonhando com esse dia. — Vamos ter o nosso próprio apartamento, dois quartos. Você vai ganhar mais dinheiro como chofer. Eu vou ter um bom salário de farmacêutica. Não vamos mais estar morando neste lugar cheio de baratas.

Jende olhou para ela e sorriu de volta, e ela imaginou que ele acreditava, também, que algum dia ela seria farmacêutica. Quem sabe em cinco anos, talvez sete, mas algum dia seria.

Ela o observou pegar o último pedaço de banana-da-terra do prato, usá-lo para limpar a tigela de molho de tomate, e enfiá-lo na boca, junto com o último pedaço de frango. Olhando para ele amorosamente, ela deu uma risadinha enquanto ele acabava com o Mountain Dew e arrotava.

— Você é uma potência! — ela disse, cutucando suas costelas.

Ele também deu uma risada, com ar exausto. Por mais cansado que ele estivesse, Neni podia ver como estava satisfeito. Nada lhe dava mais prazer do que um delicioso jantar depois de um longo dia de trabalho. Nada proporcionava mais prazer a ela do que saber que o tinha agradado.

Após uma longa pausa, durante a qual ele se recostou na cadeira e fitou a parede com um leve sorriso, Jende lavou as mãos na tigela de água que ela pusera sobre a mesa e se levantou.

— Liomi está na nossa cama ou na dele? — sussurrou do corredor.

— Na cama dele — ela disse, sorrindo, sabendo que seria uma felicidade para eles ter a cama para comemorar. Pegou os pratos vazios e levou-os para a pia. *E weni Lowa la manyaka*, cantou suavemente, ainda sorrindo e remexendo os quadris enquanto lavava a louça. *E weni Lowa la manyaka, Lowa la nginya, Na weta miseli, E weni Lowa la manyaka.*

Nesses dias ela cantava mais do que tinha cantado a vida inteira. Cantava quando passava as camisas de Jende e quando caminhava de volta para casa depois de deixar Liomi na escola. Cantava ao passar batom para ir a uma festa africana com Jende e Liomi: um batizado no Brooklyn; uma festa de casamento tradicional no Bronx; um funeral no Yonkers para alguém que morrera na África e que praticamente nenhum dos convidados conhecia; uma festa por um ou outro motivo para a qual fora convidada por uma amiga da escola ou do trabalho, alguém que conhecia o anfitrião e que lhe garantia que não havia problema aparecer, já que a maioria dos africanos não se incomodava com ideias extravagantes de gente branca como ir a uma festa só com convite. Cantava indo ao metrô e até cantava no supermercado Pathmark, sem se importar com os olhares das pessoas que não conseguiam entender por que alguém podia estar tão feliz comprando suprimentos. *God na helele, God na waya oh, God na helele, God na waya oh, nobody dey like am oh, nobody dey like am oh, ewoo nwanem, God na helele.*

Quando acabou de lavar a louça, pegou o paletó de Jende, o novo terno preto que ela comprara na T. J. Maxx por cento e vinte e cinco dólares, um terço de suas economias. Limpou-o com uma escova para tirar fiapos, aspergiu perfume e o dispôs sobre o sofá para o dia seguinte. Olhou o paletó e sorriu, contente por tê-lo comprado. Ela queria comprar um mais barato na ponta de estoque da rua Cento e Vinte e Cinco, mas Fatou a dissuadira. Por que vai comprar conjunto barato pra ele guiar homem grande, ela havia perguntado. Tem que ir em loja joia que nem T. J. Maxx. Levar conjunto bom para usar para rodar carro bonito para homem rico. E aí um dia, quando ele também for homem rico, você vai comprar de loja melhor. Vai comprar roupa dele, vai comprar todas roupas suas de loja melhor, loja melhor. Loja de gente branca chique que nem Target.

Cinco

Cindy Edwards não fora nada além de cordial com ele (respondendo prontamente ao seu cumprimento sempre que segurava a porta do carro aberta para ela; perguntando, ainda que desinteressadamente, como andava seu dia; dizendo por favor e obrigada sempre que fosse esperado que dissesse), e mesmo assim, sempre que ela estava no carro, ele ficava tenso. Estaria respirando alto demais? Andar a dez quilômetros por hora era rápido demais ou lento demais? Será que tinha limpado direito o banco traseiro para que nenhuma poeirinha insistente sujasse o terninho dela? Ele sabia que ela teria de ser uma mulher obcecada por detalhes com a sensibilidade de um cão de guarda de primeira para notar essas transgressões mínimas, mas aquilo não era suficiente para que relaxasse — ainda era novo no emprego e portanto precisava ser perfeito. Felizmente, a maior parte das vezes ela ficava ao celular, como na terça-feira duas semanas depois que ele começou a trabalhar para ela e sua família. Naquela tarde, depois de entrar no carro em frente a um restaurante perto do Union Square, ela imediatamente pegara o telefone.

— Vince não irá a Aspen — ela dissera devagar e com tristeza, quase em choque, como se estivesse lendo do jornal em voz alta a manchete de uma notícia bizarramente trágica.

Duas horas antes, uma Cindy muito mais feliz tinha descido do carro, e estava claro para Jende que o rapaz com quem estava se encontrando diante do restaurante era seu filho Vince — ele era uma réplica do pai, com a mesma estatura de um metro e oitenta, esguio, cabelo ondulado. Cindy praticamente saltara do carro para chegar a ele, abraçá-lo, afagar seu rosto e lhe dar três beijos. Parecia que ela não o via fazia meses, o que, com base no que Mighty dissera, era inteiramente provável. Durante alguns minutos ficaram parados na calçada conversando. Vince esfregando as mãos, enfiando e tirando de seu agasalho com capuz de Columbia, Cindy apontando para o Union Square Park com um largo sorriso, como que lembrando Vince de um momento especial que uma vez haviam tido lá.

— Acabei de almoçar com ele — ela continuou. — Ele não disse por quê... Não, diz que definitivamente não vai... Eu disse que ele disse que não vai!... Ele vai para um retiro de silêncio na Costa Rica, algo a ver com seu Espírito necessitando terrivelmente de fugir do barulho... O que você quer dizer com "tudo bem"? Não me diga que está tudo bem, Clark. O seu filho decide não passar o feriado com a família, e você vem me dizer que tudo bem?... Não, não espero que você faça nada. Sei que não há nada que você possa fazer, mas você não fica incomodado? Quer dizer, você não se importa de ele não ter noção de família? Ele não vem para o aniversário de Mighty, nem sequer se preocupa em me perguntar antes de resolver viajar no Natal... Não, não vou reprogramar nada... Claro, pode ser que seja tudo para o melhor. Agora você está livre para trabalhar na véspera de Natal e no Dia de Natal, e por que você não fica trabalhando sem parar até o ano que vem?... Não venha me dizer que estou sendo ridícula!... Se você se importasse mais, Clark, só um pouquinho mais, sobre como os meninos vão indo, se estão felizes... Não quero que você faça mais nada, porque você é incapaz de olhar além de si mesmo e botar as necessidades dos outros acima das suas... É isso mesmo, é claro, mas algum dia você vai ter de perceber que não pode continuar o que está fazendo e esperar que de alguma maneira, por puro acaso, os meninos estejam bem. Não é assim que funciona... *Nunca* vai funcionar assim.

Jende a ouviu jogar o telefone no assento. Por um minuto o carro ficou silencioso exceto pelo som da respiração forte dela.

— Você vem ao recital de Mighty? — ela disse depois de pegar o telefone e aparentemente ligar de novo para o marido. — Sim, por favor, me ligue em seguida... eu preciso saber o mais rápido possível.

Com as mãos segurando firme o volante nas posições nove e três horas — como lhe fora ensinado quando aprendeu a dirigir em Camarões — Jende fez uma conversão na Madison Avenue. O sol já deixara a cidade no frígido fim de tarde, mas Manhattan reluzia intensamente como sempre e, sob os postes e as luzes brancas derramando-se das lojas cintilantes, ele via rostos de muitas cores indo para o norte e para o sul em velocidades variadas. Alguns em meio à apinhada avenida pareciam felizes, alguns pareciam tristes, mas naquele momento ninguém parecia tão triste quanto Cindy Edwards. Sua voz estava tão encharcada de agonia que Jende desejou que alguém ligasse para ela com boas notícias, notícias engraçadas, qualquer tipo de notícia que a fizesse sorrir.

O telefone tocou, e ela prontamente atendeu.

— O que você quer dizer quando diz que vai compensá-lo? — ela berrou. — Você prometeu a ele que estaria no recital! Não pode continuar dizendo a uma criança... não me interessa o que está acontecendo no Lehman! Não me importa o quanto as coisas podem ficar horríveis se o Lehman não... E quanto ao Accordion Gala? Preciso confirmar presença até o fim da semana... Ah, não, por favor vá viajar, Clark. Só...

Ela voltou a jogar o telefone de lado, sentada com o cotovelo esquerdo apoiado contra a porta do carro, a cabeça pousada na mão. Ficou sentada assim por alguns minutos, e Jende julgou ter ouvido o fungar de uma mulher abatida lutando para conter as lágrimas.

Em algum ponto por volta da rua Quarenta-e-tanto Leste, ela pegou o telefone novamente.

— Oi, Cheri, sou eu — disse quando a ligação caiu na caixa postal, a voz plácida mas a angústia ainda evidente. — Só estou ligando, nada de especial. Finalmente consegui as entradas, então estamos numa boa. Me ligue de volta quando tiver tempo. Devo estar em casa em mais ou menos... Não importa, não precisa me ligar de volta. Estou bem, só estou tendo uma porcaria de dia. Provavelmente você ainda está fora com os seus clientes...

Tudo bem. Aliás, me avise se quiser companhia quando for visitar sua mãe na semana que vem, o.k.? Vou adorar ir com você.

Ela digitou outro número, e desta vez a pessoa pareceu atender.

— Você está em casa? — ela perguntou. — Ah, certo, eu esqueci... Sim, podemos falar mais tarde. Diga ao Mike que mandei um oi... Nada... Quer dizer, nada de novo, só as mesmas velhas coisas de sempre. Só estou chateada, e além de tudo que está acontecendo... Não, não, desculpe, pode ir... Não, não precisa me ligar de volta à noite... Sim, de verdade, estou bem... Vou ficar bem, June, juro. Vá. Divirta-se.

Durante os dez minutos de viagem restantes ela não deu mais nenhum telefonema. Ficou sentada, quieta, olhando pela janela, observando pessoas felizes subindo e descendo a Madison.

Seis

Já tinham atravessado a ponte do Delaware Memorial e percorrido mais da metade do caminho voltando de Washington, D. C., cruzando Nova Jersey com placas de pedágio surgindo a cada poucos quilômetros.

— Me conte sobre Limbe — disse Clark. — Quero saber um pouco sobre esse lugar onde você cresceu.

Jende sorriu.

— Ah, senhor — disse, a voz se erguendo com nostalgia. — Limbe é uma cidade tão bacana. O senhor tem de ir lá um dia. Na verdade, senhor, realmente precisa ir. Quando for, logo na entrada verá uma placa de boas-vindas. É uma placa especial, senhor. Nunca vi uma placa como aquela para dar as boas-vindas para alguém em nenhum outro lugar. O senhor a vê logo quando está descendo a estrada de Duala, depois de passar pela Mile Four. Ninguém deixa de ver a placa, bem em cima das nossas cabeças. Lá está ela, com letras enormes, sustentada por dois pilares de ferro vermelhos, indo de um lado a outro da estrada. A placa diz "Bem-vindo a Limbe, a Cidade da Amizade". Quando o senhor vê essa placa, senhor, ah! Não importa quem seja, se está vindo a Limbe só por um dia ou para ficar dez anos, se é grande ou pequeno, se sentirá feliz de ter chegado a Limbe. Vai sentir o cheiro da maresia vindo de quilômetros de distância para saudá-lo. Aquela doce brisa. Faz o senhor sentir, realmente, que não há lugar no mundo como aquela cidade junto ao mar chamada Limbe.

— Interessante — Clark disse, fechando o laptop.

— É sim, senhor — respondeu Jende, ansioso para contar mais. Sabia que o sr. Edwards estava aberto a escutar mais. Após três meses andando de carro juntos, já entendera que sempre que o patrão precisava de uma breve pausa do computador ou do telefone ou dos papéis espalhados no banco traseiro, fazia perguntas sobre sua infância, sua vida no Harlem, seus planos para o fim de semana com a esposa. — E aí, depois da placa de boas-vindas, senhor — Jende continuou —, ao passar pela Mile Two, verá as luzes da cidade à noite, acesas por todos os lados. As luzes não são muito fortes, nem são muitas. São só suficientes para dizer que é uma cidade feita de magia, uma cidade da OPEP, a refinaria nacional de um lado da margem, pescadores com suas redes do outro lado. Então, quando se entra na Mile One, senhor, começa a realmente sentir a Limbe propriamente dita. É algo diferente, senhor.

— Parece mesmo.

— Ah, sim, senhor. Limbe é muito especial, sr. Edwards. Em Limbe, vivemos vidas simples, mas aproveitamos bem essas nossas vidas. Vai ver quando visitar, senhor. Seguindo pela Mile One, a gente vê rapazes comprando milho na brasa nas esquinas e velhos jogando damas. As jovens têm todo tipo de aplique trançado no cabelo de verdade. Algumas delas parecem *mami wata*, aquelas sereias do mar. As mulheres mais velhas se envolvem em duas longas túnicas, uma em cima da outra. É assim que as mulheres maduras gostam de se vestir. Logo depois, chegamos no trevo da Half Mile. Ali, a gente precisa resolver se vira à direita, rumo a Bota e às plantações; à esquerda, para New Town, de onde eu venho; ou se continua em frente, para Down Beach, onde se vê o oceano Atlântico.

— Fascinante — disse Clark, reabrindo o laptop.

— Eu juro, senhor, é a melhor cidade da África. Até mesmo Vince diz que é o tipo de cidade onde ele quer morar.

— É claro que disse — concordou Clark. E olhou para Jende pelo retrovisor. — Quando foi que ele disse isso?

— Duas noites atrás, senhor. Quando eu estava levando Vince de volta para casa depois do jantar.

— Que jantar?

— Ele esteve em casa para jantar com Mighty e a sra. Edwards, senhor.

— Certo — disse Clark. Passou o laptop para sua esquerda e pegou uma pasta de documentos presos por enormes clipes de papel.

— Ele é um sujeito muito gozado, o Vince — Jende disse, rindo. — Ele acha que o Obama não vai fazer nada em relação a...

— Então por que você está aqui?

— Desculpe, senhor?

— Por que veio para os Estados Unidos se a sua cidade é tão linda?

Jende riu, uma risada breve, desconfortável.

— Mas, senhor — disse ele. — Os Estados Unidos são os Estados Unidos.

— Não sei o que isso quer dizer.

— Todo mundo quer vir para os Estados Unidos, senhor. Todo mundo. Estar aqui neste país, senhor. Viver neste país. Ah! É a melhor coisa do mundo, sr. Edwards.

— Isso ainda não me diz por que você está aqui.

Jende pensou por um segundo; pensou no que dizer sem dizer muito.

— É porque o meu país não presta, senhor — disse. — Não é nada parecido com os Estados Unidos. Se tivesse ficado no meu país, não teria me tornado nada. Teria continuado a não ser nada. Meu filho ia crescer e ficar pobre como eu, assim como eu era pobre como o meu pai. Mas nos Estados Unidos, senhor? Posso me tornar alguma coisa. Posso até me tornar um homem respeitável. Meu filho pode se tornar um homem respeitável.

— E isso nunca poderia ter acontecido no seu país?

— Nunca, sr. Edwards.

— Por quê? — indagou Clark, pegando seu telefone que zumbia. Jende esperou que ele terminasse a conversa, uma discussão de dez segundos durante a qual apenas dizia: — Sim... Não... Não, não creio que ele deva ser despedido por causa disso. — O telefone voltou a tocar e ele disse a quem estava na linha que ligasse para o RH e lhes dissesse que ele cuidaria do caso. Desligou e pediu a Jende para prosseguir.

— Porque... porque no meu país, senhor — Jende disse, a voz dez decibéis mais baixa, muito menos solto e animado do que estivera antes de ouvir que alguém corria perigo de ser despedido —, para a gente se tornar alguém, primeiro tem que ter nascido alguém. Se você não vem de uma família com dinheiro, pode esquecer. Se você não vem de uma família com nome, pode esquecer. É assim que as coisas são, senhor. Alguém como eu, o que é que eu posso algum dia vir a ser num país como Camarões? Eu vim do nada. Sem nome. Sem dinheiro. Meu pai é um homem pobre. Camarões não tem nada...

— E você acha que os Estados Unidos têm alguma coisa para você?

— Ah, sim, senhor, muita coisa, senhor! — respondeu Jende, a voz voltando se avolumar. — Os Estados Unidos têm alguma coisa para todo mundo, senhor. Veja o Obama, senhor. Quem é a mãe dele? Quem é o pai dele? Não são gente importante no governo. Não são governadores nem senadores. Na verdade, senhor, ouvi dizer que estão mortos. E veja o Obama hoje. O homem é um negro sem pai nem mãe, tentando ser presidente de um país!

Clark não respondeu, em vez disso pegou novamente o telefone que zumbia.

— Sim, eu vi o e-mail dele — disse para a pessoa na linha. — Por quê?... Não sei o que dizer. Não tenho certeza do que o raciocínio do Tom está... Não, Phil, não! Discordo totalmente. Não podemos continuar fazendo as mesmas coisas e esperar que os resultados sejam diferentes... Certo, vamos nos ater à estratégia, mesmo que por três anos tenhamos feito uma má escolha atrás da outra. Quer dizer, o nível de miopia aqui... — Adotou um tom irônico e balançou a cabeça. — Eu tenho me manifestado o quanto posso... Não, não vou... O que me deixa estarrecido é como ninguém mais, quero dizer, ninguém mesmo, exceto talvez Andy, vê como é ridículo que estejamos fazendo a mesma coisa repetidas vezes esperando de alguma forma sobreviver. Precisamos mudar de rumo. Agora. Repensar totalmente a nossa estratégia... A manobra Repo 105* não vai continuar nos empurrando

* "Repo 105" é um termo utilizado para designar uma jogada contábil na qual uma empresa classifica um empréstimo de curto prazo como venda e em seguida usa os rendimentos para reduzir seu passivo. (N. T.)

para sempre... Não acredito que isso vai, tampouco, e disse isso ao Tom... Todo mundo está com uma atitude de negação! Não entendo como ninguém pensa no fato de que remendos superficiais de curto prazo só vão voltar depois para nos assombrar... É claro que vão... Como? Você realmente está me perguntando isso? Já pensou por um segundo sobre o fato de que tudo está em jogo se essa merda explodir? Nossas vidas, nossas carreiras, nossas famílias, nossas reputações... Acredite, é isso mesmo. E eu posso garantir a você que os federais vão estar prontos para crucificar o Tom do mesmo jeito que crucificaram o Skilling, e o resto de nós...

Por alguns segundos ele não disse nada, escutando o colega.

— Você acha que vai ser tão limpo e bonitinho, hein? — disse por fim. — De algum modo todo mundo vai se safar e sair numa boa do prédio em chamas?... Não! Logo, logo não vai significar nada há quanto tempo nós estamos nisso. Diabos, já não significa nada agora, Phil. Nós estamos afundando.

Ele respirou fundo enquanto voltava a escutar, depois riu.

— Ótimo — disse. — Isso poderia me fazer bem. Talvez uma partida. Já faz um tempinho que não jogo... Não, guarde isso para você; uma partida de golfe nos próximos dias vai ser suficiente... Não, muito obrigado, Phil. Não é a minha praia... Sim, prometo: vou implorar desesperadamente para você me dar o número dela assim que estiver prestes a explodir.

Desligou, reabriu o laptop sorrindo e balançando a cabeça, e começou a digitar. Depois de trinta minutos de silêncio, pôs o computador de lado e deu três telefonemas: para sua secretária; para uma pessoa chamada Roger sobre um relatório que ainda não tinha recebido; para outra pessoa, com quem falou num francês medíocre.

— É sempre divertido ter uma chance de praticar meu francês com o pessoal de Paris — disse depois de desligar.

— É um francês muito bom, sr. Edwards — Jende disse. — O senhor morou em Paris?

— Sim, por um ano, quando estava estudando em Stanford.

Jende assentiu mas não respondeu.

— É uma faculdade — explicou Clark. — Na Califórnia.

— Ah, Stanford! Agora eu me lembro, senhor. Eles jogam bem futebol. Mas eu nunca estive na Califórnia. O senhor é de lá?

— Não, meus pais se aposentaram ali. Eu cresci em Illinois. Evanston. Meu pai foi professor na Northwestern, outra faculdade.

— Meu primo, Winston, senhor, quando veio para a América, morou em Illinois por alguns meses, mas ligava para nós o tempo todo dizendo que estava pronto para ir embora por causa do frio. Acho que foi por isso que ele entrou no exército, para poder se mudar para um lugar mais quente.

— Eu não vejo lógica nisso — respondeu Clark, com uma risadinha —, mas, sim, é muito frio. Não posso dizer que Evanston seja tão bonita quanto a sua Limbe, mas tivemos uma bela infância ali, minha irmã, Ceci, e eu. Pedalar pelo quarteirão com a garotada do bairro, ir até o centro de Chicago com o meu pai, a museus e concertos, fazer piqueniques no lago; era realmente um belo lugar para ser criança. Ceci está pensando em talvez um dia se mudar de volta para lá.

— Ah, sim, sua irmã, senhor. Eu não sabia que o senhor era gêmeo. Foi só uns dias atrás que Mighty me contou que a sua irmã é gêmea. Eu realmente gosto de gêmeos, senhor. Na verdade, se Deus me der um...

— Falando nisso, preciso ver como ela anda — disse Clark enquanto pressionava algumas teclas no telefone. — Ei, sou eu — disse depois que a voz da caixa postal atendeu. — Desculpe não ter ligado de volta na semana passada. Estou ridiculamente ocupado no trabalho, há tanta coisa acontecendo. De qualquer maneira, falei com a mamãe ontem à noite, e ela me disse que você e as meninas não vão para o México? Cec, escute. Ponha tudo no meu cartão de crédito. O.k.? Sinto muito não ter deixado isso claro o suficiente, mas quero que você ponha tudo que não puder gastar nesse cartão de crédito. Tudo. O voo, o hotel, o aluguel do carro, o aparelho dos dentes da Keila, tudo que precisar, basta botar no cartão. Você sabe o quanto significa para eles todos nós estarmos lá. São os oitenta anos do papai, Cec. E eu quero ver as meninas. O trabalho está uma loucura, mal consigo respirar, mas vou tentar atender na próxima vez que você ligar. Ou mandar um e-mail. Você sabe que para mim sempre é melhor e-mail ou mensagem de texto.

Jogou a cabeça para trás depois de desligar, os olhos fechados.

— Então, você não tinha emprego lá no seu país? — perguntou a Jende, abrindo os olhos e pegando o laptop.

— Ah, não, senhor, eu tinha um emprego, sim — respondeu Jende. — Eu trabalhava para o Conselho Urbano de Limbe.

— E não era um bom emprego?

Jende deu risada, surpreso com a pergunta de Clark, que achou ingênua.

— Senhor — disse ele —, no meu país não há emprego bom ou emprego ruim.

— Por quê...

— Porque qualquer emprego é bom em Camarões, sr. Edwards. Simplesmente ter algum lugar para ir de manhã depois de acordar já é uma coisa boa. Mas e o futuro? O problema é esse, senhor. Eu não podia nem me casar com a minha esposa. Eu...

— O que você quer dizer com "não podia casar"? Pessoas pobres se casam todo dia.

— Sim, se casam, senhor. Todo mundo pode se casar. Mas nem todo mundo pode se casar com a pessoa que quer. O pai da minha esposa, sr. Edwards, é um homem ganancioso. Ele recusou que eu me casasse com a sua filha porque queria que a minha esposa se casasse com alguém com mais dinheiro. Alguém que pudesse dar a ele dinheiro sempre que ele pedisse. Mas eu não tinha. O que eu devia fazer?

Clark conteve o riso.

— Acho que as pessoas não casam na moita em Camarões, hein?

— Na moira?

— Não, na moita, às escondidas. Sabe, quando o casal foge e se casa sem envolver a família maluca deles?

— Ah, não, não, não, senhor, fazemos sim. As pessoas fazem isso. Nós também "ficamos juntos". O que quer dizer que o homem diz para a mulher "Vamos viver juntos", mas não casa com ela primeiro. Mas eu nunca poderia fazer isso, senhor. Nunca.

— Por quê?

— Porque não mostra respeito pela mulher, senhor. O homem precisa ir até a família e pagar o dote, senhor. E então sair com ela pela porta da frente.

Eu tinha que mostrar que sou um homem de verdade, senhor. E não levá-la de graça como se ela fosse... como se ela fosse alguma coisa que peguei na rua.

— Certo — disse Clark, contendo o riso de novo. — Então você pagou pela sua esposa?

— Ah, sim, senhor — Jende disse com orgulho. — Depois que vim para a América e mandei para o meu sogro uma bela transferência pela Western Union, ele viu que talvez eu me torne um homem rico algum dia, e mudou de ideia.

Clark riu.

— Sei que é engraçado, senhor. Mas eu tinha que conseguir a minha esposa. Durante dois anos depois de vir para Nova York, economizei um bom dinheiro para pagar o dote e trazê-la para cá junto com meu filho. Mandei dinheiro para a minha mãe e o meu pai, e eles compraram tudo o que o meu sogro quis com o dote. As cabras. Os porcos. As galinhas. O óleo de palma, as sacas de arroz. O sal. Os tecidos, as garrafas de vinhos. Eles compraram tudo. Eu dei até um envelope de dinheiro vivo, o dobro do que ele pediu, senhor.

— Está brincando.

— Não estou não, senhor. Antes de a minha esposa vir para a América, minha família vai até a família dela, e entregam o dote e cantam e dançam juntos. E então nós casamos.

O celular de Clark tocou.

— História fascinante — disse ele, pegando o telefone e pondo-o de volta.

— E a verdade, senhor — Jende prosseguiu, incapaz de se conter — é que o papel que assinei como certidão de casamento na prefeitura não é o que me faz sentir que me casei com a minha esposa. Isso não significa muito. É o dote que paguei. Eu dou honra para a família dela.

— Bem — disse Clark, ligando o laptop —, espero que ela tenha valido a pena.

— Ah, sim, senhor! Valeu sim. Eu tenho a melhor esposa do mundo, senhor.

Seguiram em silêncio pelos quarenta e cinco minutos seguintes. O tráfego estava tranquilo na parte baixa de Nova Jersey, exceto pelas carretas, que pareciam surgir de repente.

— Então você acha que os Estados Unidos são melhores do que Camarões? — Clark indagou, ainda olhando o laptop.

— Um milhão de vezes, senhor — respondeu Jende. — Um milhão de vezes. Olhe para mim hoje, sr. Edwards. Guiando o senhor num belo carro. O senhor conversando comigo como se eu fosse alguém, e eu sentado neste lugar, me sentindo como alguém.

Clark pôs o laptop de lado e pegou outra pasta, contendo folhas soltas, que folheou rabiscando anotações num bloquinho.

— O que ainda me deixa curioso — disse ele, sem interromper para olhar para Jende — é como você conseguiu comprar uma passagem para cá se você disse que era tão pobre.

Mais uma vez Jende pensou na melhor resposta. Não havia vergonha em contar a verdade, então ele contou.

— Meu primo, senhor. Winston.

— O associado na Dustin, Connors e Solomon?

— Sim, senhor. Foi ele quem me comprou a passagem. Ele sentiu pena de mim. Meu primo, para mim ele é um irmão melhor que alguns dos meus irmãos da mesma mãe e do mesmo pai.

— E como foi que ele chegou aqui?

— Ele ganhou a loteria do *green card*, senhor. E aí entrou para o exército. E usou o dinheiro...

— Eu sei — interrompeu Clark. — Frank me contou.

O celular tocou. Ele olhou o visor e virou o rosto para a janela. O telefone tocou mais algumas vezes antes de ele atender.

— Não, não falei — ele disse a quem estava ligando. — Por quê? — perguntou. O carro na faixa da esquerda buzinou e cortou na frente deles. — Arizona? — prosseguiu Clark. — Quando foi que ele disse isso?... Não importa, vou ligar para ele agora mesmo... Não, não estou louco. Ele deve ter um motivo muito bom, que eu gostaria de ouvir... é claro que não acho que seja uma boa ideia... Sim, sim, vou falar com ele.

E rapidamente discou um número.

— Oi, é o seu pai — disse ele. — Me dê uma ligada quando puder, está bem? Sua mãe acabou de me dizer que você rejeitou a oferta de estágio na

Skadden, e está muito aborrecida. Por que você está fazendo isso? Ela diz que você quer passar um mês numa reserva no Arizona. Só estou... Não tenho certeza do que você está pensando: a Skadden é uma grande oportunidade para você, Vince. Não pode simplesmente jogá-la fora porque prefere fazer um retiro no Arizona. Não dá para você ir lá antes ou depois do estágio? Por favor, me ligue de volta assim que ouvir esta mensagem. Ou venha até o meu escritório amanhã. Ligue para a Leah e veja como está a minha agenda. Eu só gostaria que você conversasse comigo antes de tomar uma decisão como essa. Gostaria que você não ficasse tomando decisões importantes sem falar com sua mãe e comigo. É o mínimo que você pode fazer.

Clark desligou e deu um suspiro, um suspiro tão profundo e alto quanto derrotado e desanimado.

— Inacreditável — murmurou para si mesmo. — I-na-cre-di-tá-vel.

No banco da frente, Jende continuou guiando em silêncio, embora ansiasse por dizer ao sr. Edwards que sentia muito por Vince tê-lo aborrecido, que nada podia ser pior do que um filho desobediente.

Durante vinte minutos viajaram pela rodovia em silêncio, desde a saída nove na direção da Universidade Rutgers, até a saída dez para Perth Amboy, atrás das carretas e ao lado de carros de passeio com bebês cochilando e cachorros com a cabeça para fora em busca de ar; mais no alto, um céu que trazia nas mesmas nuvens cúmulos que os vinham acompanhando como espiões por três horas. Clark fez uma ligação para Frank, perguntou se ele podia arranjar um estágio para Vince na Dustin, no caso de a Skadden não estar mais disponível; no caso de Vince ter percebido que precisava começar a se comportar como um adulto.

— Fico contente de você ter entendido a oportunidade que lhe foi dada — Clark disse a Jende depois de desligar o telefonema para Frank. Os arranha-céus mais altos de Manhattan tinham começado a aparecer enquanto entravam na região norte de Nova Jersey. — Estou contente de alguém entender quando lhe é dada uma oportunidade.

Jende assentia a cada palavra. Pensou na melhor coisa a dizer para fazer Clark se sentir melhor, a coisa certa a dizer ao patrão numa hora dessas. Decidiu dizer o que acreditava.

— Eu agradeço a Deus todo dia por esta oportunidade, senhor — disse ele enquanto passava da pista central para a da esquerda. — Agradeço a Deus e acredito que trabalho duro, e que algum dia terei uma vida boa aqui. Meus pais, eles também terão uma vida boa em Camarões. E o meu filho vai crescer para ser alguém, seja lá o que ele queira ser. Acredito que qualquer coisa é possível para alguém que seja americano. De verdade, senhor. E na realidade, senhor, espero que algum dia meu filho cresça para ser um grande homem como o senhor.

Sete

Num dia ensolarado era difícil ver até que altura a torre dos escritórios do Lehman Brothers se erguia no céu. Suas paredes pareciam se elevar para sempre, como uma lança infinita, e embora às vezes Jende inclinasse a cabeça totalmente para trás e forçasse os olhos, não conseguia enxergar além da luz do sol batendo contra o vidro polido. Mas num dia nublado, como no dia em que enfim conheceu pessoalmente a secretária de Clark, Leah, conseguia ver até o topo. Mesmo sem os raios de sol incidindo sobre o prédio, ele cintilava e o Lehman Brothers se postava régio e orgulhoso, como um príncipe da rua.

Leah ligara para ele por volta do meio-dia, dizendo que precisava voltar para o Lehman de onde quer que estivesse: Clark esquecera uma pasta importante no carro e precisava dela para uma reunião às três horas.

— Não, eu me encontro com você embaixo — disse ela depois que Jende se ofereceu para levar a pasta ao escritório. — Hoje Clark está enlouquecido e eu poderia tomar um pouco de ar — ela sussurrou.

Quando ela chegou à rua, Jende estava encostado no carro com a pasta na mão. Ele esperava que ela fosse pequena, miúda até, com base na sua voz aguda, melosa, e pela forma infantil como às vezes dava risadinhas por coisas banais que ele dizia, mas era corpulenta e rechonchuda, como algumas das pessoas que ele vira quando aterrissara em Newark; humanos gordos e carnudos que o fizeram imaginar que os Estados Unidos eram um país de pessoas grandes. Em Limbe havia talvez duas pessoas daquele tamanho num bairro de centenas, mas no aeroporto, indo do avião para a Imigração e o setor de bagagem, ele contara pelo menos vinte. Leah não era tão gorducha quanto as mulheres mais corpulentas que ele vira naquele dia, mas era alta, uma cabeça acima da maioria das mulheres paradas diante do prédio. Veio andando na sua direção com um sorriso, vestindo um suéter verde-limão e calças vermelhas, com um cabelo chanel cacheado que o fez lembrar da peruca maluca que Neni usava sempre que Fatou não tinha tempo de trançar seu cabelo.

— Que bom finalmente conhecer você! — Leah entoou, sua voz ainda mais meiga do que ao telefone. O batom combinava com as calças, e seu rosto redondo tinha pelo menos meia dúzia de camadas de maquiagem, que infelizmente não conseguiam ocultar as linhas profundas em torno da boca.

— Para mim, também, Leah — disse Jende, retribuindo o sorriso e entregando-lhe a pasta. — Eu estava imaginando se você ia saber que era eu.

— É claro que ia saber que era você — respondeu Leah. — Você tem uma aparência muito africana, e digo isso do jeito mais bacana possível, docinho. A maioria dos americanos não sabe distinguir africanos de caribenhos, mas eu sei diferenciar um africano de um jamaicano a qualquer hora. Simplesmente sei essas coisas.

Jende deu uma risada nervosa e não disse nada, esperando Leah se despedir e ir embora, mas não foi o que ela fez. O que ela diria a seguir?, pensou ele. Ela parecia simpática, mas provavelmente era uma dessas americanas cujo conhecimento da África baseava-se em grande parte em filmes e na *National Geographic* e em informação de terceira mão de alguém que conhecia alguém que estivera em algum lugar no continente, em geral no Quênia ou na África do Sul. Sempre que Jende encontrava uma mulher dessas (na escola de Liomi; no Marcus Garvey Park; no táxi de luxo que costumava guiar), frequentemente elas diziam algo do tipo, ah, meu Deus, vi aquele programa muito doido sobre isso e aquilo na África. Ou, minha prima/ amiga/ vizinha namorava um africano, e ele era um cara realmente bacana. Ou, pior ainda, quando perguntavam de onde ele era na África, e ele dizia

Camarões, ficavam lhe contando que a filha de uma amiga foi uma vez para a Tanzânia ou Uganda. Esse comentário costumava aborrecê-lo até que Winston sugeriu a resposta perfeita: diga a elas que o tio do seu amigo mora em Toronto. E era isso que ele agora fazia toda vez que alguém mencionava outro país da África quando ele dizia que era de Camarões. Ah sim, ele dizia em resposta a algo dito sobre o Senegal, outro dia assisti a um programa sobre San Antonio. Ou, espero um dia visitar Montreal. Ou, ouvi dizer que Miami é uma bela cidade. E toda vez que fazia isso, ele morria de rir por dentro ao ver a careta confusa dos americanos, porque não podiam entender o que Toronto/ San Antonio/ Montreal/ Miami tinham a ver com Nova York.

— Então, está gostando de trabalhar para o Clark? — Leah perguntou, pulando sabiamente todas as perguntas sobre a África.

— Estou gostando muito — Jende respondeu. — Ele é um bom homem.

Leah aquiesceu, tirando da bolsa um maço de cigarros e deslocando-se para encostar no carro ao lado de Jende.

— Você se importa se eu fumar?

Jende fez que não com a cabeça.

— Ele é um homem bom para se trabalhar — Leah disse, soltando uma linha reta de fumaça. — Tem seus dias ruins, quando me dá nos nervos e eu só quero jogá-lo pela janela. Mas em geral, não tenho queixas. Ele tem me tratado muito bem. Nunca pensei em deixá-lo.

— Faz tempo que você é secretária dele?

— Quinze anos, docinho — respondeu Leah —, só não sei se ainda tenho muitos pela frente, do jeito que a empresa vai... Tudo está uma bela de uma grande bagunça.

Jende assentiu e olhou para a entrada do prédio, para o jovem de vinte e poucos anos de terno preto que ia e vinha à direita das portas, sua ansiedade visível pela maneira como parava a cada tantos passos para olhar o chão. Jende imaginou que estava a caminho de uma entrevista de emprego. Ou passando o primeiro dia na empresa. Ou o último.

— Desde que a unidade de *subprime* desmoronou — Leah prosseguiu, batendo as cinzas do cigarro — todo mundo tem estado nervoso feito louco. E eu detesto ficar nervosa. A vida é curta demais.

Jende pensou em lhe perguntar o que era uma unidade de *subprime* e por que ela tinha desmoronado, mas concluiu que seria melhor não perguntar sobre coisas que com toda certeza não entenderia, mesmo que alguém desenhasse.

— Eu vejo o quanto o sr. Edwards anda ocupado — disse em vez disso.

— Ah, tudo mundo anda ocupado — disse Leah. — Mas Clark e seus amigos lá em cima, eles não têm razão para estar nervosos. Quando chega a hora de demitir gente, você acha que vão ser eles os dispensados? Não, docinho, vamos ser nós, a gentinha miúda. É por isso que algumas pessoas já estão mandando currículos; eu não as culpo. Não se pode confiar nunca nessa gente.

— Não acho que o sr. Edwards vá deixar você ir a lugar algum, Leah. Você é o braço direito dele.

Leah riu.

— Você é amável — ela disse, sorrindo e revelando seus dentinhos bem dispostos manchados de fumo. — Mas, não, não acho que a decisão seja dele. E sabe o quê? Não dou a mínima. Não posso perder o sono por causa dessa companhia. Todo mundo está fofocando, falando que os preços das ações estão caindo, que os lucros estão caindo, todo tipo de coisas desonestas acontecendo na diretoria, mas o pessoal lá de cima não nos conta nada. Estão mentindo para nós, dizendo que tudo vai acabar bem, mas às vezes eu vejo os e-mails de Clark, e, bem, perdoe *mon français*, mas tem muita merda que eles estão escondendo.

— Lamento ouvir, Leah.

— Ah, também lamento, docinho — disse ela, dando de ombros e tirando outro cigarro da bolsa. — E sabe o que é pior? — continuou, chegando mais perto de Jende e baixando a voz — um dos vice-presidentes com quem tenho amizade me disse que estão falando que pode até acontecer uma coisa tipo Enron.

— Enron? — indagou Jende, virando a cabeça para deixar passar a fumaça de Leah.

— É, Enron.

— Hã... quem foi ele, Leah?

— Quem?

— Esse sujeito, Enron... não sei quem ele foi.

Leah caiu na gargalhada. Riu com tanta força que Jende teve medo de que ela se engasgasse com a fumaça.

— Ah, docinho! — disse ela, ainda rindo. — Você realmente acabou de chegar a este país, hein?

Jende riu de volta, envergonhado e achando graça ao mesmo tempo.

— Talvez seja melhor você não saber o que foi a Enron ou o que fizeram — explicou Leah.

— Mas eu gostaria de saber — retrucou Jende. — Acho que ouvi o nome em algum lugar, mas não sei o que fizeram.

Leah puxou o celular, olhou as horas e o jogou de volta na bolsa.

— Eles adulteraram os livros, docinho — explicou a Jende.

— Adulteraram os livros?

— É — disse ela, os lábios tremendo na tentativa de reprimir o riso. — Adulteraram os livros deles.

Jende assentiu por alguns segundos, abriu a boca para dizer algo, fechou, abriu de novo, fechou de novo e aí balançou a cabeça.

— Acho que não devo fazer mais perguntas — disse por fim, e ambos caíram numa gargalhada uníssona.

Oito

Meia-noite, e ela ainda não havia começado. Primeiro tinham sido as roupas de trabalho de Jende que ela tivera de passar. Depois, a lição de casa que tivera de ajudar Liomi a fazer. Aí havia o jantar do dia seguinte para preparar porque, entre o trabalho e as aulas noturnas, não teria tempo de cozinhar e limpar a cozinha. Ela precisava fazer tudo hoje à noite. Pensou que teria terminado as tarefas por volta das dez horas, mas quando olhou o relógio da sala eram onze, e ela ainda não tinha lavado o cabelo, o que precisava fazer urgentemente. Quando saiu do chuveiro, a única coisa em que conseguia pensar ao vestir sua *kaba* de dormir era sua cama, mas ainda não haveria sono para ela.

Entrou na cozinha e tirou o café instantâneo do armário acima do fogão, desviando o nariz enquanto abria a lata para por duas colheres de grãos moídos numa caneca. Nada no cheiro forte ou no sabor seco e amargo do café lhe agradava, mas ela tomou porque funcionava. Sempre funcionava. Uma xícara e ela era capaz de ficar acordada mais duas horas. Duas xícaras e ela podia ficar acordada até o amanhecer. O que não seria tão má ideia esta noite: Ela precisava de pelo menos três horas de estudo se quisesse terminar todo o dever de casa e começar a se preparar para a prova de pré-cálculo que estava por vir. Talvez passasse duas horas no dever de casa e uma hora estudando pré-cálculo. Ou podia ficar acordada quatro horas, duas horas de dever de casa e duas horas de pré-cálculo. Precisava de um A na prova. Um A– não seria suficiente. Um B+ decididamente não serviria. Não se ela quisesse terminar o semestre com pelo menos 3,5 de média geral numa escala de 0 a 5.

Entrou no quarto na ponta dos pés e pegou sua mochila, que estava perto da pequena cama de Liomi. Ele estava dormindo de lado, respirando silenciosamente (ao contrário do pai), encolhido sob um edredom do Batman, a boca entreaberta, a palma da mão direita na bochecha direita como se no sonho estivesse refletindo sobre assuntos de grande importância. Em silêncio, chegou mais perto dele, puxou o edredom até seu peito, sorriu ao observar seu sono, antes de voltar para a sala.

Durante três horas ela estudou, primeiro à mesa de jantar lendo um texto para a próxima aula de história, depois passando ao computador junto à janela para acabar o trabalho de redação que começara na biblioteca, em seguida voltando à mesa de jantar para estudar pré-cálculo, consultando as anotações de classe, o livro didático e os exercícios com soluções que ela imprimira da internet. O silêncio no apartamento era como um coro celeste, a música de fundo perfeita para suas horas de estudo... ninguém para perturbá-la, interrompê-la, pedir-lhe ajuda para isso ou aquilo, ou por favor vir agora. Nenhum som além dos débeis ruídos da noite do Harlem.

Tomar uma bebida repulsiva era um preço pequeno a pagar por esse prazer do silêncio. Dois alunos na sua classe de pré-cálculo tinham formado um grupo de estudo e convidado outros a participar, mas ela não se dera ao trabalho de responder aos e-mails deles — não conseguia abrir mão desse prazer de ficar sozinha só para poder estudar com os outros. Não era nem que tivesse muito a ganhar com um grupo de estudo. Ela participara de outro no começo do semestre, para a matéria de introdução à estatística, e não fora nada além de uma inconveniente perda de tempo. Mal tinham se passado trinta minutos na primeira sessão de estudos do grupo (no salão dos alunos), um dos membros sugeriu que pedissem comida chinesa, pois não podiam deixar a fome esperando por duas horas. Neni estava certa de que os outros membros diriam que não estavam interessados, mas todos eles — duas moças brancas, uma jovem afro-americana, um rapaz com cara de adolescente de etnia indeterminada — concordaram que era uma ótima ideia. Ela não teve escolha a não ser pedir carne de porco *mu shu* e gastar dez dólares que não queria gastar, porque sabia que a visão dos outros comendo a deixaria faminta e, em última análise, consumiria sua concentração durante toda a sessão. O grupo tinha parado de estudar para fazer o pedido, e parou novamente para comer. Enquanto comiam, conversaram sobre *American Idol*. Quem era melhor que quem. Quem provavelmente ganharia. Quem decididamente não ganharia. A conversa não voltou para a prova durante uma hora inteira. Talvez para eles não fosse nada perder uma hora de estudo. Para ela era muita coisa.

Por volta das três e meia, foi até a cozinha para outra xícara de café. Abrir a lata de café instantâneo da segunda vez foi melhor, mas os grãos moídos ainda tinham um cheiro ruim, e ninguém poderia convencê-la do contrário.

Retornou à mesa de jantar, tomou um gole do café. Descansou a cabeça na mão direita, fechou os olhos e suspirou. Por um minuto manteve os olhos fechados, observando os bilhões de pontinhos brilhantes flutuando na escuridão. Como seria bom permanecer nessa quietude por mais tempo, pensou ela; com nada para fazer, nenhum lugar para ir. Sua mente estava sempre ativa, parecia — o que precisava ser feito, até quando, quanto tempo levaria para que fosse feita. Mesmo quando cantava durante as tarefas, estava com a tarefa seguinte na cabeça. E a outra depois dela. A vida nos Estados Unidos a transformara em alguém que estava sempre pensando e planejando o passo seguinte.

Abriu os olhos.

Ela tinha estudado o suficiente por ora, decidiu. A prova de pré-cálculo só seria daí a duas semanas. Sua preparação caminhava bem. Faria uma série de exercícios no domingo, outra série na véspera e, no dia da prova, estaria pronta.

Nove

Ele sabia que más notícias podiam vir mesmo nos dias mais felizes. Sabia que podiam vir mesmo quando a tristeza estava tão longe do coração quanto Ras ben Sakka estava do Cabo das Agulhas.

Sabia que qualquer dia podia ser como o dia em que seu irmão enviou uma mensagem de texto pedindo que ele ligasse de volta o mais depressa possível. Tinha sido um dia bom, um sábado quente e ensolarado. Ele estava no Red Lobster na Times Square com Neni e Liomi, comendo com suas pessoas preferidas em seu restaurante preferido. Imediatamente ligara de volta para o irmão e o ouvira dizer, com pânico na voz, que seu pai estava de cama com um grave caso de malária e mal podia falar. Os olhos de Pa Jonga tinham se voltado para trás, Jende ficara sabendo, e ele estava agora numa conversa com seu pai, morto havia muito tempo. Precisava ser levado urgentemente para um hospital particular em Duala; o dinheiro para o hospital poderia ser emprestado por um negociante em Sokolo se Jende falasse com ele e prometesse mandar os fundos para devolução do dinheiro o mais breve possível.

— Eu imploro, Jende — dissera o irmão —, dá a promessa de mandar o dinheiro pronto logo agora, ou o Papa morre quando começar o dia.

Depois do telefonema, Jende foi incapaz de terminar o prato. Neni pedira ao garçom para embrulhar o camarão salteado enquanto Jende corria, primeiro a um caixa eletrônico, para tirar dinheiro da poupança, e depois a uma loja que exibia o logo da Western Union na vitrine, para transferir o dinheiro para Camarões. Correu pela Oitava Avenida como um maluco, empurrando turistas para conseguir mandar o dinheiro o mais rápido possível, mesmo que não fizesse muita diferença já que o irmão não poderia tirar o dinheiro antes de segunda-feira.

Seu pai sobrevivera, e Jende fora lembrado de que, de fato, más notícias têm um modo de se esgueirar para dentro de dias bons e zombar das alegrias complacentes. Mas o dia em que Bubakar ligou, aquela terça-feira de abril de 2008, não era um dia especial. Jende estava no trabalho, fazia frio, as ruas de Manhattan tão brutais para se guiar como qualquer outro dia.

Ele estava estacionado numa esquina, lendo o *Wall Street Journal* deixado por Clark, quando viu o nome de Bubakar brilhando no telefone. Pegou o aparelho com cautela, sabendo que eram notícias importantes; boas ou más: advogados da Imigração, assim como médicos, não telefonavam só para dizer olá.

Bubakar disse alô, e perguntou como estava o seu dia. Sua voz estava séria e sóbria, sem os *ehs* e os *abis* que frequentemente acrescentava no fim das frases, e, por causa disso, Jende soube que alguma coisa não estava em ordem. Mesmo quando Bubakar perguntou sobre Neni e Liomi, e tentou um papo descontraído sobre a vida de chofer, Jende podia dizer que o homem estava meramente esterilizando um ponto no seu coração para poder injetar palavras dolorosas.

— Finalmente recebi a carta — disse Bubakar.

— O que disseram?

O pedido de asilo não tinha sido aprovado, disse o advogado. O caso fora remetido a um juiz de imigração. Jende teria de se apresentar diante do tribunal porque o governo daria início a procedimentos de remoção contra ele.

— Tentei o meu melhor, irmão — disse ele. — Realmente tentei. Sinto muito.

Jende não disse nada; seu coração batia forte demais para a boca se abrir.

— Sei que a notícia não é boa, meu irmão, mas não se preocupe — o advogado prosseguiu. — Vamos continuar lutando. Há muita coisa que podemos fazer para manter você no país.

Ainda assim, Jende não conseguiu juntar palavras.

— É muito duro, eu sei, mas precisamos tentar ser fortes, o.k.?

O silêncio permaneceu.

— Fique forte, irmão. Você precisa continuar muito forte. Sei que é um choque tremendo. Realmente, também estou chocado com a decisão, muito chocado neste momento. Mas o que podemos fazer? A única coisa que podemos fazer agora é continuar lutando.

Finalmente, Jende murmurou algo que mal era audível.

— Hã?

— Estou dizendo, isso significa que preciso deixar os Estados Unidos?

— Eles estão dizendo isso, sim. Não acreditam na sua história de que você será morto pela família de Neni se voltar para Camarões.

— Achei que tinha dito que era uma boa história, sr. Bubakar. Na verdade, o senhor mesmo disse que acreditariam em mim. Saímos felizes da entrevista. O senhor me disse que eu tinha respondido muito bem a todas as perguntas e que a mulher da Imigração parecia ter acreditado em mim!

— Sim, mas eu lhe disse da última vez que conversamos que não era um bom sinal quando ela nos disse para ir para casa esperar a decisão por correio em vez de nos pedir para voltar ao escritório de asilo em duas semanas para pegá-la lá. Eu não quis tirar muitas conclusões a partir daquilo...

— O senhor me disse para não me preocupar demais com o fato de eles estarem demorando muito para mandar a decisão por correio, porque a Imigração é muito lenta. Foi isso que o senhor disse!

— Eles não têm nem mesmo a decência de se desculpar e explicar por que levaram uma eternidade para tomar uma decisão...

— O senhor não fez parecer tão ruim, sr. Bubakar! O senhor me disse que a mulher ficou muito satisfeita com as minhas respostas!

— Foi isso que eu pensei, meu irmão. Pensei que ela tinha ficado satisfeita. Mas quem sabe como esses filhos da puta da Imigração realmente pensam? Nós contamos uma história e esperamos que acreditem nela. Mas alguns deles são gente má, muito má. Algumas pessoas neste país não querem gente como eu e você aqui.

— O que vai acontecer comigo agora? Eles vão me prender e me botar à força dentro de um avião? Vou ter chance de me despedir...

— Ah, não, Deus nos livre! *Inshallah*, nunca vai chegar a isso. Não, por enquanto vão marcar uma data para você comparecer diante do juiz da Imigração. Um advogado deles vai estar lá, forçando o juiz a expulsá-lo do país. Eu estarei lá, ao seu lado, forçando para que você permaneça. Farei tudo que puder para convencer o juiz de que o pessoal de Imigração dos Estados Unidos está errado e de que o seu lugar é aqui. O juiz vai ou concordar com o advogado deles e negar o seu pedido de asilo ou ficará ao nosso lado e aprovará o pedido para você poder permanecer no país e obter um *green card*. *Inshallah,* o juiz tome o nosso partido.

— Então está me dizendo que vai ser o senhor contra o advogado do governo?

— Correto. Eu contra o advogado deles. Vence o melhor.

— Ah, Deus Papai!

— Eu sei, irmão, eu sei, acredite. Mas você precisa pôr a sua fé em mim. Precisa, entende? Nós vamos fazer isso juntos. Não chegamos juntos até aqui?

Jende respirou fundo. O assento do carro tinha se transformado numa cama de pregos.

— Não ajudei você a chegar até aqui? — Bubakar indagou. — Não requeri ao Departamento de Imigração para lhe dar uma permissão de trabalho quando estavam demorando demais para chegar ao seu caso? Hein? Não é por causa dessa permissão de trabalho que você foi capaz de tirar a carteira de motorista e agora tem um emprego melhor?

— O que eu vou fazer?

— Precisa confiar em mim.

— Não é que eu não confie...

— Não ajudei você a requerer um visto de estudante para a sua esposa vir aqui e ir à escola? Eu consegui reunir toda a sua família em Nova York, irmão. Chegamos pertinho assim. O mínimo que você pode fazer é confiar em mim que, *Inshallah*, nós vamos ganhar este caso e você vai conseguir um *green card*.

A boca de Jende estava seca.

Bubakar quis saber se ele tinha outras perguntas.

— Quando vou precisar me apresentar ao tribunal? — perguntou baixinho, com medo da resposta.

Bubakar disse que não sabia — tinha recebido apenas uma carta de explicação naquele dia, mas Jende deveria receber a intimação, com data marcada, em pouco tempo.

— Tem mais alguma pergunta, irmão?

Jende disse que não; não conseguia pensar em mais nada para perguntar.

— Me ligue a qualquer hora se tiver alguma pergunta, o.k.? Mesmo que queira só conversar.

Jende desligou.

Deixou o telefone cair no colo.

Não se mexeu.

Não conseguia se mexer.

Nem sua mente conseguia se mexer; a capacidade de criar pensamentos o abandonara.

O medo que acompanhava sua vida nos últimos três anos havia se concretizado, e a impotência era pior do que imaginara. Se não fosse pelo orgulho, teria chorado, mas lágrimas, é claro, teriam sido inúteis. Seus dias nos Estados Unidos estavam contados, e não havia nada que a água salgada escorrendo dos seus olhos pudesse fazer.

Gente do Upper West Side passava caminhando. Ônibus públicos paravam nos pontos. Um caos de garotos em *scooters* passou correndo, seguidas de três mulheres — suas mães, ou avós, ou tias, ou babás — advertindo-as para não correrem tanto, por favor tomarem cuidado. Mighty em breve acabaria sua aula de piano. A babá viria em cerca de dez minutos para pedir a Jende que trouxesse o carro para a frente do prédio da professora. O que deveria fazer nesses doze minutos? Ligar para Neni? Não. Ela provavelmente estava indo pegar Liomi do seu programa pós-escola. Ligar para Winston? Não. Ele estava trabalhando. Não seria certo ligar para ele no trabalho com más notícias; além disso, não havia nada que ele pudesse fazer. Não havia nada que alguém pudesse fazer. Ninguém podia salvá-lo da Imigração Americana. Ele teria de voltar para casa. Teria de regressar a um país onde perspectivas de uma vida melhor eram direito de nascença de poucos abençoados, a uma cidade da qual sonhadores como ele fugiam diariamente. Ele e sua família teriam de retornar a New Town de mãos vazias, sem nada além de relatos sobre o que tinham visto e feito nos Estados Unidos, e quando as pessoas perguntassem por que haviam retornado e se mudado de volta para a casa caindo aos pedaços de seus pais, teriam de contar uma mentira, um mentira muito boa, porque seria o único jeito de escapar da vergonha e da indignidade. Com a vergonha era capaz de conviver, mas com seu fracasso como marido e pai...

Espiou pela janela as pessoas andando pela Amsterdam Avenue. Nenhuma delas parecia preocupada com a possibilidade de seu dia poder ser um dos últimos naquele país. Algumas estavam rindo.

Naquela noite, depois de contar a Neni, ele a viu derramar as primeiras lágrimas de tristeza que chorava nos Estados Unidos.

— O que vamos fazer? — perguntou ela. — O que temos de fazer?

— Não sei — respondeu Jende. — Por favor, enxugue os olhos, Neni. Lágrimas não vão nos ajudar agora.

— Ah, Deus Papai, o que vamos fazer agora? — ela clamou, ignorando seu pedido. — Como podemos continuar lutando? Quanto dinheiro mais precisamos gastar agora que o caso vai para o tribunal?

— Não sei — disse ele novamente. — Vou ligar para Bubakar em breve para discutir mais. A notícia me acertou em cheio... foi como se alguém estivesse pressionando um travesseiro contra o meu rosto.

Eles teriam de usar o dinheiro que tinham economizado, ambos estavam de acordo. Todo ele: os poucos mil dólares que tinham guardado atendo-se a um orçamento rígido e que esperavam um dia usar para reformar a casa dos seus pais, e para dar entrada num apartamento em Westchester County, e usar na faculdade de Liomi. Se precisassem se desfazer da TV a cabo e da internet e conseguir um segundo emprego, eles o fariam. Se tivessem de ir para a cama com fome, fariam isso também.

Fariam tudo o que pudessem para permanecer nos Estados Unidos. Par dar a Liomi uma chance de crescer na América.

— Devemos contar a Liomi agora, para ele poder estar preparado se tivermos de ir embora? — Neni perguntou.

Jende negou com a cabeça e disse:

— Não, deixe-o continuar feliz.

Dez

Ela se arrastava pela cidade, do trabalho para a escola, da escola para casa, porque precisava continuar vivendo como se nada tivesse mudado, como se suas vidas não tivessem recém-começado a se esgarçar. Era incapaz de mobilizar um sorriso, cantar uma canção ou articular dois pensamentos seguidos sem a palavra "deportação" dar um jeito de participar, e mesmo assim impulsionou-se para diante na manhã seguinte à notícia, vestindo o uniforme rosa e os tênis brancos para o longo dia de trabalho, a mochila sobrecarregada presa aos ombros para poder estudar no serviço enquanto o cliente dormia. Fatigada, mas sem se deixar abater, viajou todos os dias daquela semana do Harlem para Park Slope e para Chambers Street, mesmo com uma dor de cabeça tão forte que ela gemia nas plataformas do metrô toda vez que os trens guinchavam na sua direção. Uma das vezes, a caminho do trabalho, considerou saltar do trem e entrar num banheiro do Starbucks e dar uma boa chorada, mas resistiu à necessidade, porque de que tinham adiantado todas as lágrimas? O que ela precisava fazer era começar a dormir melhor, parar de ficar acordada a noite inteira apavorada com as coisas mais horríveis que ainda não tinham acontecido. Vamos encarar as coisas à medida que forem chegando, Jende lhe dizia todo dia, mas ela não queria encarar as coisas quando chegassem. Queria ter controle da sua própria vida, e agora, claramente, não estava no controle; e o simples fato de pensar que outra pessoa haveria de decidir o rumo de seu futuro era suficiente para intensificar sua dor de cabeça, deixando a sensação de que milhares de martelos batiam em seu crânio. Essa impotência a esmagava, o fato de ter ido para a América apenas para ser lembrada de quão impotente ela era, de quanto a vida podia ser injusta.

Seis dias depois da notícia, sua dor de cabeça mitigou — não porque os temores tivessem diminuído mas porque o tempo tem sua maneira de abrandar essas coisas —, mas novos sintomas brotaram: perda de apetite; urinação frequente; náuseas. Os sintomas podiam significar apenas uma coisa, ela sabia, e não era algo para se chorar. E no entanto, quando contou a Jende sobre eles, irrompeu em lágrimas, a alegria e o desespero tão misturados que ela parecia estar chorando lágrimas de alegria por um olho e lágrimas de desespero pelo outro. Ela não conseguiu acompanhá-lo nos risos de espanto pelo fato de finalmente ter acontecido, justamente quando tinham parado de se preocupar se aconteceria após quase dois anos de tentativas. Ela não conseguiu se maravilhar com quanto era esplêndido receber uma notícia boa numa época dessas, mas esperava ficar feliz em breve, logo que conseguisse comer sem vomitar e passar o dia sem se sentir como um amontoado ambulante de hormônios.

— Mamãe — Liomi disse um dia de manhã enquanto ela arrumava seu almoço na lancheira —, por favor não esquece que hoje temos a reunião de pais e professores.

Diga à sua professora que não posso ir, ela teve vontade de dizer, mas olhou o menino sentado à mesa comendo o cereal do café da manhã, tranquilo na sua ignorância de um modo que só uma criança poderia estar, e soube que teria de ir à reunião, porque Jende estava certo: precisavam mantê-lo feliz.

— Liomi é um bom aluno — a professora lhe disse ao iniciar a reunião, depois de ela chegar do trabalho com quinze minutos de atraso. Neni assentiu distraidamente. Liomi era bom aluno, sim, ela sabia: sentava-se com ele na maioria das noites para fazer sua lição de casa. Ela não precisava comparecer a uma reunião para ouvir isso, não depois de ter passado dez horas cuidando de um homem preso à cama enquanto sua barriga roncava por não ter almoçado por causa de sua falta de apetite. O dia tinha sido tão horrível quanto qualquer outro para uma cuidadora: sempre que o homem tossia e pedia a bacia para escarrar, depositando massas amarelas de catarro, sua náusea voltava e ela tinha de correr até o banheiro para vomitar a água e as bolachas que comera no café da manhã.

— A única coisa que me preocupa nele — a professora continuou — é que...

— O que a preocupa nele? — Neni perguntou, subitamente alerta.

— Ah, nada demais — a professora disse com uma breve risada, um leve sotaque (hispânico? italiano?) infiltrando-se através de sua voz branda e fazendo Neni se perguntar se ela era imigrante ou filha de imigrantes. Se fosse imigrante, não parecia ser uma imigrante pobre, não com o deslumbrante anel de brilhante no dedo e a bolsa de grife sobre a mesa. Ela era nova na escola e parecia não ter mais de vinte e quatro anos, provavelmente só um ou dois anos lecionando, e para Neni estava claro, pelo comportamento entusiasmado e o sorriso fácil da jovem, que ela estava gostando do trabalho, e que independentemente do motivo de ter aceito o emprego, acreditava naquilo a que se dedicava, na diferença que estava fazendo nas vidas de seus alunos. Era evidente que ela não estava nem perto de desiludida como a professora de Liomi no ano anterior, que repetidamente balançava a cabeça e suspirava pelo menos dez vezes durante as reuniões de pais e professores. — Liomi é um bom aluno, sra. Jonga — repetiu a professora —, mas poderia ser mais atento em classe.

— Atento, hein?

A professora fez que sim.

— Só um pouquinho mais. Poderia fazer um mundo de diferença.

— E o que a senhora quer dizer com "não atento"? Ele dorme quando a senhora está falando?

— Ah, não, nada disso — a professora respondeu, sorrindo de novo, aparentemente para deixar Neni à vontade. Sua maquiagem e o batom rosa estavam frescos, como se ela os tivesse aplicado entre o fim das aulas e o começo da reunião com os pais; cada mecha de cabelo estava presa num perfeito coque no alto da cabeça. Na opinião de Neni, ela parecia estar arrumada para ir jantar fora com o noivo, ou ir a um desses bares aonde jovens sem responsabilidades familiares iam para beber e se divertir depois do trabalho.

— Eu não disse que ele não é atento — disse ela. — Ele é sim. Ele presta atenção. Mas de vez em quando, acaba ficando distraído na aula. Ele e o amigo Billy...

— O que é que eles fazem? — perguntou Neni. Ela estava consciente da raiva em sua voz, mas não se preocupou em dizer à professora que a raiva não era dirigida a ela.

— Billy é o palhaço, mas Liomi não consegue se conter e ri de qualquer bobagem que Billy diz ou faz. Liomi é uma ótima criança, sra. Jonga. É obediente, esperto, é simplesmente um bom menino de maneira geral. Tenho certeza de que não preciso lhe dizer isso; posso dizer pelo desempenho dele o quanto a senhora está envolvida na escolaridade dele.

— Mas ele faz barulho na aula?

— Ele adora rir. O que é ótimo, é claro. É uma coisa boa ser alegre, não me interprete mal, mas quando ele está na aula, seria melhor se ele desse menos... risadinhas?

— E a senhora já falou com ele? Ele não a escuta?

— Às vezes escuta. Eu o separei do Billy, pus um em cada canto da classe. Não é só Liomi. Outras crianças também se divertem com Billy e o seu gostinho pela comédia — estamos cuidando disso nele. Mas nesse meio-tempo, será bom se pudermos ajudar Liomi para ele não continuar a...

— Ah, não se preocupe com a continuação de nada — Neni disse, arregalando os olhos enquanto se levantava para abotoar o casaco. — Nada desse absurdo vai continuar depois de hoje.

A professora assentiu e estava prestes a acrescentar alguma coisa, mas Neni já tinha saído pela porta. Mandou Liomi se levantar e ele obedeceu, pulando de um banco no corredor e pendurando a mochila nas costas. Neni não disse nada mais para ele até chegarem em casa, embora segurasse a mão do menino com firmeza enquanto desciam o Frederick Douglass Boulevard, e apertasse mais enquanto passavam às pressas por um conjunto habitacional onde dois rapazes tinham sido baleados uma semana antes.

Em casa, ela serviu bolachas e suco de laranja. Podia ver o medo dele ao por cuidadosamente as bolachas na boca.

— Lio — ela disse delicadamente, depois de ele ter acabado de lanchar e ela ter pedido que ele se sentasse ao seu lado no sofá. Não tinha se imaginado falando com delicadeza ao sair da reunião de pais e professores, mas alguma coisa, ao passar por um lugar onde jovens tinham sido mortos, e depois ao observá-lo comendo as bolachas, havia amolecido seu coração. — Lio, você sabe por que mandamos você para a escola?

Ele fez que sim, olhando para baixo para evitar o olhar da mãe.

— Nós mandamos você para a escola para brincar, Liomi?

Ele fez que não.

— Diga-me por que mandamos você à escola.

— Para eu aprender — disse ele devagar, quase envergonhado.

— Para aprender e o que mais?

— Vocês me mandam para... nada, mamãe. Só para aprender.

— Então por que você brinca em classe? Hein? Por que não escuta a professora?

Ele olhou para a mãe, depois para o chão, depois para a parede, mas não disse nada.

— Responda! — ela insistiu. — Quem é Billy?

— É meu amigo.

— Amigo, é?

Ele fez que sim, ainda desviando o olhar.

— E por ele ser seu amigo, você precisa deixar que ele distraia você? Eu não disse que quando se trata da escola, você não pode se distrair?

— Mas, mamãe, eu não fiz nada...

— Liomi, escute! Abra seus ouvidos e me escute, porque eu vou dizer isto uma vez e não vou dizer de novo *nunca mais*. Você não vai à escola para brincar. Você não vai à escola para fazer amigos. Você vai à escola pra ficar sentado quieto e abrir os ouvidos como *folha de gongo* e escutar sua professora. Está me ouvindo?

O menino fez que sim.

— Abra a boca e diga "Sim, mamãe".

— Sim, mamãe.

— Você acha que o papai vai trabalhar todo dia para você poder brincar na escola? Sem a escola, você não vai ser nada. Nunca vai ser ninguém. Eu e o papai, nós acordamos todo dia e fazemos tudo que podemos para você poder ter uma vida boa e um dia se tornar alguém, e você retribui indo para a escola e brincando na aula? Você sabe o que vai acontecer se eu contar ao papai o que a professora me disse? Você acha que ele vai ficar contente em saber que você pensa que a escola é lugar para brincar?

— Mamãe, por favor...

— Por que eu deveria contar a ele?

— Eu não vou mais...

— Enxugue os olhos — disse ela. — Não vou contar para ele. Mas se eu souber que você fez uma única coisa estúpida na aula de novo...

O menino assentiu, secando os olhos com o dorso das mãos.

— Assim espero, porque você não sabe como hoje isso me machucou, o que a professora disse.

Os lábios de Liomi começaram a tremer, e só de olhar para ele, para seu rosto manchado de lágrimas, o coração de Neni amoleceu novamente. Ela chegou mais perto do filho, enxugou suas bochechas com a palma da mão.

— Você vai se sair bem na escola, Liomi — disse ela, enxugando a palma no uniforme. — Você vai se formar no colégio com nota máxima e vai para uma boa faculdade e vai ser um médico ou advogado. Você quer ser advogado como o tio Winston ou médico como o dr. Tobias, não é?

O menino fez que não com cabeça.

— Por que você está balançando a cabeça? Você não quer ser advogado ou médico?

— Eu quero ser chofer.

— Chofer! — Neni exclamou. — Você quer ser chofer?

Liomi fez que sim, olhando-a em confusão, a testa franzida e os lábios levemente separados.

— Ah, Lio — disse ela, rindo, desfrutando do primeiro momento leve do dia. — Ninguém escolhe ser chofer. Você acha que o papai escolheria ser chofer se pudesse escolher qualquer coisa no mundo? O papai é chofer não porque é a melhor coisa que ele pode ser. O papai é chofer porque não terminou a escola. E agora nunca vai ser capaz de terminar, porque tem que trabalhar para eu e você podermos terminar a escola. O emprego de chofer é um emprego bom para o papai, mas não será para você.

Liomi forçou um sorriso.

— Eu já disse antes e vou continuar dizendo: a escola é tudo para gente como nós. Se não vamos bem na escola, não temos qualquer chance neste mundo. Você sabe disso, não sabe?

Ele fez que sim.

— Eu e o papai não queremos nunca que você seja chofer. Nunca. Queremos que você tenha um chofer. Talvez você vire alguém importante em Wall Street, como o sr. Edwards, hein? Isso nos deixaria muito felizes. Mas primeiro você precisa ir bem na escola, certo?

Liomi assentiu novamente e Neni sorriu para ele, depois esfregou sua cabeça. Pela primeira vez desde que Bubakar falara com Jende sobre a possível deportação, ela teve esperança. Até o dia de deixar o país, continuaria acreditando que ela e a família tinham chance.

Quando Jende chegou em casa do trabalho por volta das seis horas (graças ao fato de o sr. Edwards estar fora do país a trabalho e de a sra. Edwards ter cancelado seus planos noturnos por causa de um resfriado), ela serviu o jantar e saiu para a aula de pré-cálculo das oito horas sem contar a ele o que a professora de Liomi dissera. Na classe, sentou-se na primeira fila, como fazia sempre, acreditando que a proximidade física com o professor estava diretamente relacionada com as notas. Exceto que nessa noite, sua teoria mais uma vez provou estar errada. Quando o instrutor devolveu as provas da semana anterior, ela tinha tirado B–.

— Eu não... simplesmente não entendo esta nota, professor — disse ela ao instrutor depois de ficar perambulando ao redor dele tempo suficiente para todos os outros alunos terem ido embora.

— Você discorda da nota? — o instrutor perguntou enquanto enfiava a pasta em sua maleta masculina.

— Não, não acho que discordo — ela disse. — É só que passei a noite toda acordada antes da prova para estudar. Fiz muitos exercícios, professor.

— Não tenho certeza do que está me pedindo para fazer.

— Todo esse estudo e eu acabo... Odeio quando trabalho duro para alguma coisa e tenho um resultado como esse. Simplesmente odeio! Não importa o que eu faça, simplesmente não consigo ir bem em pré-cálculo, e agora toda a minha média geral vai cair...

— Sinto muito — disse o instrutor começando a ir em direção à porta.

— Tudo bem, professor — ela disse, virando-se. — Não estou zangada com você.

— Por que não me manda um e-mail? Ficarei contente se nos encontrarmos para ver as suas dificuldades.

Ela suspirou e assentiu, o cansaço misturado com a frustração dificultando as palavras.

— E anime-se — disse o instrutor. — Muitos alunos ficariam felizes com um B–.

Onze

Ao seu redor, turistas e nova-iorquinos papeavam ou se ignoravam, todos mergulhados em suas alegrias, tristezas e apatias. Alguém riu numa das pontas do vagão do metrô, uma risada melodiosa, que num outro dia faria com que ele se virasse porque adorava ver os rostos dos quais vinham sons felizes. Esta noite não — ele não podia se interessar pela felicidade dos outros. Manteve a cabeça baixa, imerso em seu tormento. Era a isto que as coisas tinham chegado. Era nisto que culminara o seu sofrimento. Onde ele tinha errado? Esfregou o rosto com as palmas das mãos. O que faria em Limbe se voltasse para lá? Talvez o Conselho tivesse um emprego para ele, mas provavelmente seria um trabalho braçal. De jeito nenhum no céu e na terra ele voltaria a varrer ruas e a recolher cães e gatos mortos. Talvez se mudasse para Iaundê ou Duala, arranjasse um trabalho de chofer para algum figurão lá. Isso poderia dar certo... mas tal emprego jamais viria sem alguma conexão, e ele não conhecia ninguém que tivesse uma ligação sólida com um ministro ou um presidente de empresa ou qualquer um dos figurões que dirigiam o país e sempre mantinham a seu serviço motoristas/guarda--costas para acompanhá-los do amanhecer até o anoitecer e fazer pequenos serviços para suas esposas e amantes e fazer com que seus filhos se sentissem como pequenos príncipes e princesas. Se por acaso ele conseguisse um bom emprego desses, poderia ser capaz de reconstruir sua vida em... Não,

não iria pensar no que faria em Camarões. Ele não voltaria. Esse *jamais* fora seu plano. Fizera tudo conforme tinha planejado. Estava nos Estados Unidos. Neni estava aqui com ele. Liomi agora era um garoto americano. Eles não voltariam para Limbe. Ah, Deus, não deixe que me deportem, ele rogou. Por favor, Deus Pai. Por favor.

— Posso sentar aqui? — perguntou uma voz agradável. Jende levantou a cabeça e viu um rapaz negro apontando para o assento ao seu lado, onde havia colocado a sacola.

— Ah, sim — respondeu, tirando a sacola e pondo-a entre os pés. — Desculpe.

E baixou novamente a cabeça. Soltou o ar. Quais eram suas opções? O que ele podia fazer para ficar nos Estados Unidos? Nada, exceto pedir pela misericórdia do juiz, dissera Bubakar. Ou talvez pudesse falar com o sr. Edwards. Sim, podia contar ao sr. Edwards a verdade sobre sua situação de imigração. O sr. Edwards talvez pudesse ajudá-lo. Talvez pudesse lhe dar dinheiro para contratar um advogado melhor. Mas Winston dissera que era melhor ficar com Bubakar. Bubakar pode ser um *mbutuku* inútil, dissera Winston, mas era o arquiteto do caso, e saberia melhor como lidar com a situação perante o juiz. Winston tinha certeza de que o juiz não mandaria deportar Jende — os juízes de imigração de Nova York eram conhecidos por sua leniência, ele descobrira.

Isso não servia de consolo.

Jende ouviu o sistema automático de alto-falantes pedir aos passageiros que deixassem as portas livres, por favor. Ergueu a cabeça. Os brancos tinham saído quase todos. Restavam basicamente passageiros negros. Mais pessoas negras entraram. Era assim que ele sabia que estavam no Harlem, rua Cento e Vinte e Cinco. Pegou sua sacola e parou junto à porta. Ao saltar na rua Cento e Trinta e Cinco, entrou na bodega na esquina do Malcolm X Boulevard e comprou uma Coca Diet para mudar de humor, para forçar um sorriso quando entrasse no apartamento e visse Neni sentada à mesa esperando por ele com a fisionomia tão desolada quanto a de um basset hound.

Na noite seguinte Jende telefonou do carro para Bubakar, enquanto esperava Cindy, que estava com a amiga June num tratamento facial na

Prince Street. Fazia uma semana que Bubakar tinha ligado e nesse tempo tinha desejado ligar para o advogado para entender melhor o seu caso, mas toda vez que pegava o telefone não conseguia discar o número porque...e se Bubakar tivesse mais notícias ruins para ele?

— Escute, irmão — Bubakar disse. — Essas coisas levam tempo, hein? Os tribunais de imigração estão neste momento atulhados como nunca vi. Há simplesmente gente demais que o governo quer deportar e não há juízes suficientes ansiosos para mandar toda essa gente embora. Você já deveria ter recebido sua intimação há muito tempo, mas do jeito que o seu caso de asilo está indo, nem sei quando você vai receber porque estou ligando para o escritório de asilo e ninguém me diz nada de útil. Então, talvez você nem tenha que comparecer perante o juiz por mais seis meses, até mesmo um ano. E aí, depois de o juiz atender você, ele vai querer ver você de novo, e a data de audiência seguinte pode demorar Alá sabe lá quanto tempo. E mesmo que o juiz negue o asilo, meu irmão, ainda podemos apelar da decisão. Podemos até apelar mais de uma vez.

— Hein? — disse Jende. — Quer dizer que não vou ter que ir à corte agora para ouvir que preciso deixar o país o mais depressa possível?

— Não! Não é tão ruim assim, de jeito nenhum! Ainda há um longo processo pela frente.

— Então eu ainda posso ter alguns anos neste país?

— Alguns anos? — Bubakar perguntou em tom de zombaria. — Que tal trinta anos? Conheço gente que vem brigando com a Imigração desde sempre. Durante esse tempo, foram à escola, se casaram, tiveram filhos, começaram negócios, ganharam dinheiro e gozaram a vida. A única coisa que não podem fazer é sair do país. Mas se você está nos Estados Unidos, o que há para se ver lá fora, *abi*?

Jende riu. De fato, não havia muita coisa para ver fora dos Estados Unidos. Qualquer coisa que um homem quisesse ver — montanhas, vales, cidades maravilhosas — podia ser visto aqui, e, Deus querendo, depois de ter economizado dinheiro suficiente, ele levaria a família para ver outras partes do país. Talvez a levasse para ver o oceano Pacífico, que Vince Edwards lhe dissera ser o lugar onde vira o pôr do sol mais lindo, que o deixara com lágrimas nos olhos e sentindo-se humilde diante da beleza do Universo, o magnífico presente que é a Presença na Terra, o quanto é vão perseguir alguma coisa que não seja Verdade e Amor.

Jende começou a sentir-se mais leve, uma folha liberada de debaixo de uma rocha. Sua situação não era nem metade tão ruim quanto ele temia. Quanto custaria brigar até o fim, perguntou a Bubakar. Alguns milhares, o advogado respondeu. Mas não precisava se preocupar com isto neste momento. — Você e o seu primo já gastaram uma boa quantia para chegar até aqui. Faça uma pausa e guarde para a batalha lá na frente. Quando o tribunal mandar a intimação, discutiremos o plano de pagamento.

— Você está numa situação melhor que muitos outros — acrescentou Bubakar. — Você tem uma esposa que tem emprego, mesmo sem possuir documentos de trabalho. A imigração não caiu em cima de nós dentro de cento e cinquenta dias depois que você preencheu seu pedido, então eu os obriguei a lhe dar uma permissão de trabalho. Pelo menos você tem podido trabalhar legalmente. Pelo menos vocês são em dois, meu irmão. Ambos podem trabalhar e pagar as contas. Algumas famílias não têm nem sequer um emprego.

— Mas e a minha permissão de trabalho? — quis saber Jende. — Vou poder renová-la depois que ela expirar agora que a Imigração quer me deportar?

— O seu patrão pediu para ver a sua permissão de trabalho quando contratou você? — indagou Bubakar.

— Não.

— Ótimo. Então fique com ele.

— Mas o que acontece se eu não puder renová-la e a polícia me parar e...

— Não se preocupe com coisas que talvez nunca aconteçam, meu irmão.

— Então, se a minha permissão expirar e eu não puder renová-la e a polícia me parar na rua, não vou me meter em encrenca por estar trabalhando de motorista?

— Agora me escute — disse Bubakar, um tanto impaciente. — No que se refere à Imigração, há muitas coisas que são ilegais e muitas que são cinzentas, e com "cinzentas" eu quero dizer coisas que são ilegais mas com as quais o governo não quer perder tempo se preocupando. Está me entendendo, *abi*? Meu conselho para alguém como você é sempre ficar perto da área cinzenta e manter a si mesmo e a sua família em segurança. Fique longe de qualquer lugar que possa dar de cara com a polícia — esse é o conselho que dou a você e a todos os rapazes negros neste país. A polícia é para proteção dos brancos, irmão. Talvez mulheres negras e crianças negras, às vezes, mas nunca homens negros. Nunca homens negros. Homens negros e polícia são como óleo e água. Está me entendendo, hein?

Jende disse que sim

— Viva a sua vida de maneira sábia e poupe todo dinheiro que puder — continuou Bubakar. — Talvez algum dia, *Inshallah*, uma lei de imigração como aquela pela qual Kennedy e McCain estavam lutando passe no Congresso e o governo dê documentos para todo mundo. Então sua *wahala* terá terminado.

— Mas sr. Bubakar, depois de essa coisa não passar, eu perco toda a esperança.

— Não, não perca toda a esperança. Talvez algum dia, Obama, Hillary, se algum deles ganhar para presidente, deem documentos a todos. Quem sabe? Hillary gosta de imigrantes. E Obama, ele deve conhecer algum pessoal queniano sem documentos que gostaria de ajudar.

— Mas uma coisa dessas pode mesmo acontecer algum dia?

— Ah, sim. Já aconteceu antes, uma vez, acho que em 1983. E com certeza pode acontecer de novo, mas não podemos ficar esperando por isso. Vamos continuar tentando do nosso jeito, e você continue dormindo com um olho aberto, hein? Porque até o dia em que você se tornar cidadão americano, a Imigração sempre estará na sua cola, todo santo dia, seguindo você por toda parte, e você vai precisar de dinheiro para brigar com eles se chegarem à conclusão que odeiam o cheiro do seu peido. Mas, *Inshallah*, um dia você vai se tornar cidadão, e quando isso acontecer, ninguém poderá *jamais* mexer com você. Você e a sua família poderão finalmente relaxar. Finalmente você poderá dormir bem, e começará a realmente desfrutar da sua vida neste país. Isso vai ser bom, hein, meu irmão?

Doze

Ela se encontrou com ele num café na frente da biblioteca pública na rua Quarenta e Dois, o mesmo lugar onde se encontrara com ele nas duas últimas vezes. Depois de lhe mandar um e-mail na manhã depois que ele sugeriu que se encontrassem para conversar sobre melhorar sua nota de pré-cálculo, ele respondera em menos de uma hora e propusera que se encontrassem no café porque não tinha uma sala já que não era efetivamente professor, apenas um estudante de PhD em matemática no Centro de Pós-graduação que estava lecionando para ter uma renda extra e ganhar experiência. Ia todo domingo ao café para estudar, ele disse a ela durante o primeiro encontro, e tinha prazer em se reunir com os alunos ali, embora não entendesse por que mais alunos não aceitavam sua oferta de ajudá-los. Sou muito grata pela sua oferta, professor, ela dissera. O que o levara a lembrá-la mais uma vez de que ela não precisava continuar a chamá-lo de professor. Me chame de Jerry, como todo mundo na classe, ele dissera, mas ela não conseguia porque ele era seu professor e ela devia dirigir-se a ele de forma adequada, como fora ensinada a fazer na escola primária.

— Este é o meu filho, Liomi, professor — disse ao chegar para o terceiro encontro, puxando uma cadeira da mesa ao lado para Liomi. — Sinto ter de trazê-lo, mas o meu marido está trabalhando, e nós temos planos depois disso com minha amiga.

— Não, não tem importância. Oi, Lomein, como vai você?

Liomi sorriu.

— Abra a boca e fale com o professor — Neni ordenou.

— Eu vou bem — disse Liomi.

— Quantos anos você tem? — ela ouviu o instrutor dizer enquanto ia até o balcão para pedir duas xícaras de chocolate quente. Ouviu Liomi dizer seis quase sete, depois dar uma risadinha por alguma coisa que o instrutor disse. Quando chegou no começo da fila, Liomi e seu instrutor estavam conversando como velhos amigos, o instrutor desenhando algo num bloco de papel e fazendo manobras com as mãos que estavam agradando totalmente a Liomi.

— O senhor tem filhos, professor? — ela indagou enquanto punhas as xícaras de chocolate quente sobre a mesa.

O instrutor balançou a cabeça e, com um sorriso débil, disse:

— Eu bem que gostaria.

— Pode pegar o meu emprestado se quiser.

— Ah, vou levá-lo — disse ele. — Só não fique surpresa se eu me recusar a devolver.

— Podemos dar um jeito nisso — respondeu ela, sorrindo enquanto pegava o livro de pré-cálculo.

Estava contente por se sentir mais à vontade com o instrutor, já que estava fazendo brincadeiras. No primeiro encontro, ela ficara imensamente desconfortável passando um tempo num café sozinha com um homem que ela mal conhecia. Durante uma hora inteira ela basicamente só fizera meneios enquanto o instrutor falava, mal lançando perguntas, porque tinha medo de fazer uma questão estúpida e se envergonhar. Antes do segundo encontro, porém, ela dissera a si mesma que não adiantava nada ir até o centro se não conseguisse tirar o máximo proveito da oferta do instrutor e, em última análise, melhorar a sua nota. Então, embora nervosa, ela se forçara a fazer múltiplas perguntas, e o instrutor havia respondido até as mais estúpidas delas. No terceiro encontro — apesar de ainda estar nervosa o suficiente para dizer a Liomi antes de entrarem no café para ele não dizer uma palavra ao professor para evitar que ele se aborrecesse com uma criança perturbando e fosse embora — estava se sentindo bem mais confortável, tanto que, perto do fim da sessão, ela e o instrutor começaram a conversar sobre onde cada um tinha crescido. O pai do instrutor era do exército, ela ficou sabendo, e ele vivera em muitas partes da América e da Europa. A Alemanha era o seu lugar predileto para morar, disse ele, porque, mesmo quando criança, ele podia saber o quanto os alemães adoravam os americanos, e achava ótimo ser apreciado por sua nacionalidade. Neni quis saber mais sobre como era uma vida daquelas, quão maravilhoso ou terrível tinha sido não ter os mesmos amigos durante toda a infância, mas não sabia quais perguntas eram adequadas para se fazer a um instrutor e quais não eram, então, em vez disso, contou-lhe sobre sua vida em Camarões, sobre como nunca tinha viajado mais longe do que sessenta quilômetros de Limbe, rindo de quanto agora isso soava patético. Ele ficou curioso sobre os sonhos dela de ser farmacêutica, porém Fatou chegou cedo, com seus dois filhos mais novos, e pôs um fim à conversa.

— Vamos botar as criança para brincar nos jogo — Fatou anunciou ao instrutor ao sentar-se no lugar de Liomi depois que Neni os apresentou e mandou as crianças buscarem biscoitos. — Aí vamo fazer sobrancelha e vamo fazer as unha e ir no rodízio china porque hoje é dia para mãe e tem que ser muito, muito especial.

— Ui — disse o instrutor. — Esqueci totalmente o Dia das Mães. Eu deveria ligar para a minha e fazer algo bacana para ela, certo?

— E a esposa de você — disse Fatou.

— Eu não sou casado.

— Namorada?

Neni chutou a perna de Fatou sob a mesa.

— Namorado — disse o instrutor.

— Namorado? — as duas perguntaram em uníssono.

O instrutor riu.

— Suponho que as damas não conheçam muitos homens com namorados?

Fatou sacudiu a cabeça. A boca de Neni permaneceu entreaberta.

— Eu não conheço homem gay do meu país — disse Fatou. — Mas na aldeia a gente tinha um homem que ia que nem mulher. Pendurava a mão para ar e balançava a *derrière* muito bonito quando dançava.

— Engraçado.

— Todo gente falava que ele devia ser mulher dentro, mas ninguém chamava ele gay porque tinha mulher e criança. E a gente não tem não palavra pra gay. Então, estou feliz de conhecer você!

— Mas eu pensei que o senhor falou que gostava de crianças, professor — disse Neni, o choque ainda perceptível em sua voz.

— Ah, eu adoro crianças.

— Mas como o senhor pode... eu pensei...

— Eu sempre quis filhos. Assim que eu terminar a escola, meu namorado e eu, nós realmente esperamos poder adotar.

— Pegue um dos meu filho — disse Fatou, rindo. — Eu tenho sete.

— Sete!

Fatou assentiu.

— Uau!

— É, eu também, fala a mesma coisa todo dia. Uau, eu tenho sete filho? *Un, deux, trois, quatre, cinq, six, sept, mon Dieu*!

— Quantos o senhor quer? — Neni perguntou ao instrutor.

— Um ou dois — disse ele —, mas decididamente não sete.

Fatou e o instrutor riram juntos, mas Neni não conseguiu achar um jeito de superar sua confusão. Como ele podia ser gay? Por que era gay? Não posso acreditar que ele seja gay, ela repetiu para Fatou vezes e mais vezes enquanto iam para a estação de metrô com os filhos.

— Ah, não tem nem pra falar — disse Fatou. — Eu vi sua cara quando ele diz.

— É só que...

— Só que você gosta de garoto Porto Rico com cabelo grande. Eu ver por seus olhos quanto você gosta dele.

— Por que todo mundo que parece hispânico tem que ser de Porto Rico para você?

— Ele gosta você, você gostar dele.

— Do que você está falando? Eu não gosto dele.

— O que diz, não gosta dele? Eu vejo como você olha ele quando entro no café. Você ri de tudo que ele diz, ha, ha, ha, tão gozado. *Ah, oui, Professeur; vraiment, Professeur.*

— Eu não disse nada disso!

— Então por que você mente?

— Minto sobre o quê?

— Por que não fala pra Jende que vai ver *professeur* dentro do café?

— Eu já disse. Não quero que ele fique preocupado.

— Preocupado do quê?

— Preocupado com coisas pelas quais os homens se preocupam quando a esposa tem um encontro num domingo à tarde com um jovem professor. Se você fosse ele, você gostaria?

— Eu não preocupo se Ousmane encontrar alguém... mas e se Liomi conta pra ele?

— Eu disse a Liomi para dizer que eu fui estudar, o que é verdade. Qual é a diferença entre eu dizer a Jende que vou estudar versus que eu vou encontrar o meu professor para me ajudar com meu dever de casa? Tudo tem a ver com a minha escola.

— Ahá — disse Fatou enquanto desciam os degraus para o trem central D.

— Ahá, o quê?

— Essa é a mesma razão que o marido da minha prima bateu nela uma dia lá em casa de volta.

— Por que ela foi se encontrar com o professor dela?

— Não, não — disse Fatou, balançando a cabeça e sacudindo o indicador para Neni. — Porque ela faz o que você acaba de fazer. Marido pensa que ela tá num lugar, então passa em lugar diferente e vê ela bebendo cerveja com homem diferente. Marido arrasta ela pra casa de volta e bate uma boa surra. Ele diz, por que você vai me desgraça, mente para mim e aí vai sentar e botar cerveja pra dentro com outro homem? Ela diz, ah, não, ele é só meu amigo, mas marido diz, então porque você mente para eu?

— E então o que a sua prima fez?

— O que ia fazer? Fez coisa estúpida, marido deu surra. Só isso. Ela aprendeu lição, casamento continua, todo mundo feliz.

Treze

Embora adorasse Nova York, todo inverno dizia a si mesmo que ia embora para outra cidade americana assim que conseguisse seus documentos. A cidade era ótima, mas por que passar quatro meses do ano tremendo como uma galinha molhada? Por que andar por aí vestindo camadas e mais camadas de roupas como os loucos e loucas que vagavam pelas ruas de New Town, Limbe? Se Bubakar não o tivesse avisado que era melhor permanecer na cidade (as coisas poderiam se complicar se tentassem se mudar para outra jurisdição, dissera o advogado), Jende há muito teria ido embora, porque não havia razão para um homem passar voluntariamente tantos dias da sua vida num lugar frio, caro e congestionado. Seus amigos, Arkamo em Phoenix e Sapeur em Houston, concordavam com ele. Imploravam que se mudasse para suas cidades quentes e baratas. Você vem para cá, dizia Arkamo, e vai sentir o verdadeiro gosto do prazer americano. More em Houston, dizia Sapeur, que é mais doce que caldo de cana. Pelo menos meia dúzia de vezes todo inverno lhe diziam que ele esqueceria tudo sobre o *worwor* de Nova York no momento em que chegasse ao aeroporto de sua cidade e passeasse pelas ruas vazias e se movesse livremente em fevereiro sem um casaco de inverno. Eram tão convincentes que nos dias mais frios de inverno, ele e Neni consultavam Phoenix e Houston no Google para saber mais sobre as cidades. Olhavam as fotografias que Arkamo e Sapeur mandavam de suas casas espaçosas e SUVs gigantescos e, por mais que se esforçasse, Jende achava impossível não sentir inveja deles. Esses rapazes, e outros que conhecia nessas cidades, vieram de Limbe mais ou menos na mesma época. Ganharam a mesma quantia de dinheiro que ele ganhara (ou menos, trabalhando como assistentes de enfermagem qualificados ou encarregados de almoxarifado em lojas de departamentos), e no entanto estavam comprando casas — casas de três quartos estilo rancho; casas de quatro quartos com quintais onde os filhos brincavam e onde, no Quatro de Julho, faziam churrascos repletos de milho grelhado e *soya*. Arkamo contou a Jende como nesses dias era fácil conseguir uma hipoteca, e prometeu que tão logo Jende estivesse pronto, ele o apresentaria para um responsável por empréstimos que poderia lhe arranjar uma hipoteca sem entrada para uma bela minimansão. Tudo soava maravilhoso para Jende (uma das muitas coisas que faziam dos Estados Unidos um país realmente ótimo), mas ele sabia que essa opção não lhe seria acessível sem documentos. Arkamo e Sapeur já tinham os deles — Arkamo por intermédio de uma irmã que se tornara cidadã e que se responsabilizara por ele; Sapeur por meio de um casamento com uma mãe solteira americana que conhecera quando apareceu numa boate trajando um terno com colete laranja e um chapéu de feltro vermelho. Eles podiam dar-se ao luxo de tomar empréstimos a juros altos que levariam trinta ou mais anos para serem pagos porque eram portadores de *green cards*. Jende também compraria uma bela casa numa dessas cidades se tivesse documentos. Assim que pudesse, iria mudar-se, mais provavelmente para Phoenix, onde Arkamo vivia num condomínio fechado. Para ele não haveria mais dias congelando; não mais manhãs de vapor saindo pela boca aberta como se ele fosse uma chaleira de água fervendo. Neni tinha seus sonhos de um condomínio em Yonkers ou New Rochelle porque não queria deixar suas amigas, e gostava demais de Nova York, fria ou quente, mas ele sabia que deixaria para trás essa cidade e suas inevitáveis dificuldades se não estivesse encalhado num purgatório de imigração.

Todo inverno, ele tinha certeza disso.

Mas aí chegava a primavera, e seus sonhos de Phoenix evaporavam como o orvalho no Marcus Garvey Park. Não podia imaginar uma cidade mais linda, mais deliciosa, mais perfeita para ele que Nova York. Uma vez a temperatura ultrapassando os treze graus, era como se a cidade despertasse de um profundo sono e os edifícios e as árvores e as estátuas cantassem juntos. Pesados casacos pretos davam lugar a roupas coloridas. Por toda Manhattan as pessoas pareciam em vias de uma canção ou uma dança. Não mais pressionados para baixo pelo ar frio, os ombros se abriam e os braços se moviam livremente, e os sorrisos cintilavam com intensidade porque não sentiam necessidade de cobrir a boca enquanto falavam. É triste, muitas vezes pensava Jende, como o inverno leva embora tantos dos prazeres comuns da vida.

Na terceira quinta-feira de maio — enquanto levava Cindy pela rua Cinquenta e Sete para almoçar com suas melhores amigas, Cheri e June, no Nougatine — Jende notou que praticamente todo mundo na rua parecia feliz, alguns praticamente saltando no calor do dia, deleitados por estarem novamente à vontade. Ele também estava feliz. A temperatura era de mais de vinte graus e, logo que deixasse Cindy, levaria o carro para um estacionamento, pagaria do seu próprio dinheiro e correria para o Central Park para respirar um pouco de ar fresco. Se sentaria na grama, leria um jornal, almoçaria junto a um lago ou lagoa, e...

O celular tocou.

— Madame, eu... eu sinto muito, madame — disse a Cindy, percebendo que havia esquecido de desligar o aparelho. Buscou freneticamente dentro do bolso do paletó, censurando a si mesmo enquanto o apanhava. — Juro que eu o desliguei esta manhã, madame. Eu tinha certeza de que desliguei antes de...

— Pode atender — disse Cindy.

— Tudo bem, madame — ele disse, olhando o visor do telefone e pressionando imediatamente o botão lateral para silenciá-lo. — É só o meu irmão telefonando de Camarões.

— Sem problema, atenda.

— O.k., obrigado, madame, obrigado — ele disse, arrumando o fone no ouvido antes que o irmão desligasse.

— Tanga, Tanga — disse ao irmão —, desculpa, não dá falar neste momento... Madame dentro do auto... Hein?... Não, sem dinheiro... Não digo coisas estão justas... Não tenho nada... Desculpa, depois ligo... Madame dentro do auto. Desculpa, tenho para ir.

Jende suspirou depois de desligar e balançou a cabeça.

— Tudo bem eu espero? — perguntou Cindy, pegando o celular para começar a digitar.

— Sim, madame, está tudo bem. Sinto ter perturbado a senhora com o barulho. Não vai acontecer de novo. Era só o meu irmão ligando com os problemas dele.

— Você parece aborrecido. Ele está bem?

— Sim, madame, nada muito importante. Tiraram os filhos dele da escola porque ele não pagou as mensalidades. Já faz uma semana que não vão à escola. É por isso que ele está ligando, para eu mandar dinheiro. Está me ligando muitas vezes, todo dia.

Cindy não disse nada. A voz de Jende tinha saído tão imersa em impotência que ela provavelmente achou melhor não perguntar mais nada, imaginando que seria melhor deixá-lo ponderar como ajudar seu irmão. Ela continuou a digitar uma mensagem no celular e, depois de guardar o telefone, ergueu os olhos para ele e disse:

— É lamentável.

— É uma vergonha, madame. Meu irmão, ele foi indo e teve cinco filhos quando não tem dinheiro para cuidar deles. Agora preciso achar um jeito de mandar dinheiro para ele, mas eu mesmo, nem... — Fez uma conversão à direita e ela não fez mais perguntas. Durante os dois minutos seguintes viajaram em silêncio, como faziam em noventa por cento do tempo, quando ela não estava ao celular com uma cliente ou amiga.

— Mas isso não está certo — disse ela, a voz subitamente grave. — As crianças nunca deveriam sofrer por causa dos pais.

— Não, madame.

— A culpa nunca é das crianças.

— Nunca, madame.

Ele voltou a ficar em silêncio à medida que se aproximavam do Central Park West. Ele a ouviu abrir a bolsa, abrir e fechar o zíper de pelo menos um bolsinho, antes de tirar o batom e o estojinho de base.

— Tenho certeza de que as coisas vão se ajeitar para as crianças — disse ela, retocando o batom e franzindo os lábios diante do espelhinho do estojo compacto enquanto ele estacionava diante do restaurante. — De um modo ou de outro as coisas vão se ajeitar.

— Obrigado, madame — disse Jende. — Vou tentar o melhor que puder.

— É claro — concordou Cindy, como se não acreditasse nem por um minuto que ele tivesse o melhor para tentar.

Quando ele deu a volta para abrir sua porta, ela o lembrou de pegá-la em duas horas e então, sem nenhum preâmbulo, tirou um cheque da bolsa e o entregou a ele.

— Vamos manter isso entre nós, o.k.? — ela sussurrou junto ao seu ouvido. — Não quero que as pessoas fiquem pensando que tenho o hábito de dar dinheiro para ajudar suas famílias.

— Ah, Deus Pai, madame!

— Você pode descontá-lo e mandar para o seu irmão enquanto eu estiver almoçando. Eu odiaria ver aquelas pobres crianças perderem outro dia de aula por causa de pouco dinheiro.

— Eu... eu nem sei o que dizer, madame! Muito, muito obrigado! Eu só... estou tão... simplesmente estou muito... Meu irmão, toda a minha família, nós lhe agradecemos muito, madame!

Ela sorriu e se afastou, deixando-o na calçada com sua boca meio aberta. Depois que ela subiu as escadas e entrou no restaurante, ele abriu o cheque e o olhou o valor. Quinhentos dólares. Entrou de novo no carro e voltou a olhar o valor. Quinhentos dólares? Deus a abençoe, sra. Edwards! Mas seu irmão tinha pedido trezentos. Deveria mandar todo o valor do cheque porque a sra. Edwards exigira? Ligou para Neni para contar-lhe a história e saber sua opinião, mas ela não atendeu — provavelmente estava na biblioteca da escola com o telefone no modo silencioso, estudando para as provas finais. Jende não queria esperar até chegar em casa para discutir com ela porque a sra. Edwards lhe pedira para mandar o dinheiro naquele dia, e ele devia fazer como lhe fora mandado. Seus anos na terra tinham lhe ensinado que coisas boas acontecem para aqueles que honram a bondade dos outros. Então, depois de estacionar o carro, em vez de ir para o Central Park, foi correndo até uma agência do Chase em frente ao Lincoln Center, descontou o cheque e começou a andar de volta na direção norte pela Broadway. Manteve-se do lado leste da avenida, correndo e suando sob o céu imaculado, se esquecendo de curtir seu clima predileto porque estava focado demais em achar uma Western Union e voltar para a sra. Edwards a tempo. Em algum lugar entre as ruas setenta-e-tanto, achou uma agência e mandou para o irmão os trezentos dólares que ele precisava. Ele refletira na coisa certa a fazer enquanto preenchia o formulário de envio da Western Union, e concluíra que não seria certo mandar a soma inteira que a sra. Edwards lhe dera. Conhecia bem demais o irmão. Sabia que Tanga provavelmente gastaria a diferença ou em presentes para uma namorada nova ou novos pares de sapatos de couro para si, isto enquanto as crianças iam a escola com sapatos de borracha que permaneciam amarrados com barbantes. Dar ao irmão a chance de fazer isso não seria justo com a sra. Edwards. Além disso, era melhor que ele guardasse duzentos dólares, porque, em um ou dois meses, algum irmão ou primo ou cunhado ligaria dizendo que era necessário dinheiro para contas de hospital ou novos uniformes escolares ou roupas de batizado ou aulas particulares de francês, já que toda criança em Limbe precisava ser bilíngue agora que o governo havia declarado que a próxima geração de camaroneses tinha de ser fluente tanto em inglês como em francês. Alguém em casa sempre precisaria de algo dele; nunca se passava um mês sem pelo menos um telefonema pedindo dinheiro.

Ao sentar-se no carro com os duzentos dólares no bolso, rogou fervorosamente que Cindy não lhe perguntasse se mandara o dinheiro todo porque ele ou teria de contar-lhe uma meia-verdade ou lhe dar uma longa explicação de como funcionava o negócio de mandar de enviar dinheiro para parentes e como alguns parentes não tinham consideração por aqueles que enviavam o dinheiro porque achavam que as ruas dos Estados Unidos eram pavimentadas com notas de dólares.

Cindy entrou no carro vinte minutos depois e imediatamente pegou o telefone.

— Ainda estou sem palavras, Cheri — disse ela. — Completamente sem palavras... Minha nossa! Mike? Justo ele?... Ah, Deus, eu me sinto tão mal por ela... é claro que ela está num torpor! Eu estou num torpor. Achei que ela estava meio numa pior quando entrei, mas ouvir isso... Ela não merece isso!... Não!... Ela tem sido maravilhosa para ele. Trinta anos de casamento, e um dia você acorda e diz que está apaixonado por outra pessoa? Eu morreria... é sim, eu morreria!... Tudo bem, talvez não morresse, mas com certeza não ia sair da cama no dia seguinte para me encontrar com vocês para o almoço... Ah, meu Deus! É claro! Minha nossa, podia ser eu... Eu sinto que um dia vou ser eu, Cher. Vou acordar um dia e o Clark vai me dizer que encontrou alguém mais jovem e mais bonita, ah, Deus!... É, fora o velho, viva o novo... Não me importa que ela tenha quarenta e cinco, ela não pode ser mais bonita que a June... Nem eu. Nunca conheci nenhuma dessas piranhas de que valesse a pena falar... Quer dizer, algumas delas... Nunca é uma questão de aparência. Ontem à noite nós fomos jantar com os Stein, e a garçonete, decididamente ela não era tão bonita exceto por um simpático sotaque de algum lugar na Europa Oriental. Mas você precisava ver como o Clark olhava para ela... Talvez pouco mais de trinta... Toda vez que ela chegava perto, Cher... Não, não estou brincando com você... é claro que ele ainda faz isso, bem na minha frente... Sutil? Não na noite passada; eu tive que ir ao banheiro para me recompor... é isso aí, foi muito ruim. Humilhante... Talvez tudo estivesse na minha cabeça porque não queria estar lá, mas o jeito que ele falava com ela, sorria para ela, curioso pela tatuagem dela... Foi sim! Um grande lembrete para mim, sabe... Simplesmente não sei...

Catorze

Gente badalando em bares não fazia sentido para Neni. Por que alguém haveria de querer ficar de pé durante horas num lugar lotado, berrando o máximo que podia para conversar com um amigo, quando pode sentar-se confortavelmente em sua própria casa e conversar com a pessoa em voz branda? Por que haveria de escolher ficar sentada num lugar escuro, consumindo bebidas que são vendidas na mercearia por um quarto do preço cobrado no bar? Era um jeito estranho de gastar tempo e dinheiro, e uma decisão como a de Winston era mais estranha ainda. Winston morava sozinho numa apartamento de um quarto de setenta metros quadrados num prédio com porteiro, e ainda assim ia comemorar seu aniversário com alguns amigos num bar no Hudson Hotel, do outro lado da rua na frente do seu prédio.

— Mas no seu apartamento cabem pelo menos trinta pessoas — disse-lhe Neni quando ele veio para convidá-la junto com Jende para participarem da comemoração. — Eu posso ir preparar comida para a festa.

— E quem vai limpar na manhã seguinte? — Winston perguntou.

— Você tem uma faxineira!

— Não, não vou entrar nessa — contestou ele. — E por que você está fazendo todo essa *sisa* por ir a um bar? Em Limbe, você não gostava de ir a botecos?

— Sim, eu gosto de botecos, e daí?

— E daí, não é a mesma coisa?

— Mesma coisa? Espera aí, você quer comparar bares americanos com botecos em Limbe?

— Por que não? Você vai a um lugar, pede uma bebida, acha um canto para sentar e curtir...

— Por favor, não me faça rir, Winston — disse Neni, gargalhando. — Não tem comparação, o.k.? Em Limbe, você senta do lado de fora, há sol e calor. Você curte uma brisa gostosa, escutando *makossa* como música de fundo, olhando gente subir e descer a rua. Isso é prazer de verdade. Não como esses lugares onde...

— Em quantos bares americanos você já esteve?

— Por que preciso ir a muitos deles? Eu os vejo na TV; isso basta para mim. As pessoas agem como se as coisas nos Estados Unidos têm que ser melhores do que as coisas em todo outro lugar. Os Estados Unidos não têm o melhor em tudo, e quando se trata de onde se pode ir para curtir uma boa bebida, não pode mesmo se comparar a Camarões. Mesmo que alguém queira...

— Neni, estou pedindo, chega de tanta discussão — disse Jende. — Vamos e pronto, o.k.?

— Talvez — disse ela, apertando os lábios.

— Você vai se divertir, e vou tomar um daqueles drinques que eles chamam de Sex on the Beach — acrescentou Jende, dando uma piscada enquanto ela revirava os olhos e saía da sala.

Na noite da festa, eles chegaram uma hora atrasados, graças a Neni trocar e destrocar de opinião sobre que blusa usar para ficar ao mesmo tempo sexy e respeitável. Winston estava de pé ao lado do balcão com um grupo de amigos, quando entraram de mãos dadas, Jende na frente, Neni atrás. Perto de Winston e seus amigos, dois homens estavam sentados nas banquetas, sorrindo com os rostos tão próximos que Neni teve certeza de que estava prestes a testemunhar seu primeiro beijo entre dois homens. A visão deles a fez lembrar do seu instrutor — graças a quem tirara um A– como nota final em pré-cálculo e terminara o semestre com uma média geral de 3,7 — e ficar imaginando como seria o seu namorado, e em que pé estavam no processo de adoção, pois o instrutor lhe dissera no último dia de aula que estavam prontos para começar porque não queria mais esperar até depois da formatura, já que estava em vias de completar quarenta anos.

— O que devemos fazer? — Jende cochichou no seu ouvido enquanto estavam parados na entrada, inseguro de como se deslocar pelo salão lotado de cidadãos tomando cerveja e mexendo seus coquetéis.

Ela deu de ombros — como é que ia saber o que fazer num lugar como esse? Sem opção a não ser esperar que Winston viesse buscá-los, permaneceram junto à porta, acenando intermitentemente na esperança que ele os visse, o que aconteceu só depois de um dos amigos acenar de volta para eles. Winston ergueu um dedo e disse alguma coisa mas parecia incapaz de se livrar dos seus amigos, então Jende e Neni continuaram parados junto à saída, de mãos dadas como árvores adjacentes com galhos entrelaçados, trocando desajeitadamente o pé de apoio e olhando para as pessoas bebendo apesar de saber que não veriam nenhum rosto familiar no salão lotado de gente branca, jovem e de boa aparência.

— Eu vou ao banheiro — Neni cochichou no ouvido de Jende, e correu para o toalete feminino antes que ele tivesse a chance de responder. Diante do espelho, notou que sua face estava ficando suada, certamente não por causa do calor naquele salão com ar-condicionado. O que ela faria ou diria para aquelas pessoas lá fora por duas horas? Ela nunca fora convidada para uma festa onde a maioria de pessoas era branca, e mesmo que tivesse sido, não teria ido. Só estava fazendo isso por Winston, mas talvez devesse ter ficado em casa e cozinhado para ele um pouco de *fufu e eru* como presente de aniversário. Esse lugar não fazia o tipo dela; as pessoas lá fora não faziam o seu tipo. Winston tinha amigos de todas as raças, ela sabia, mas não tinha ideia de que fossem tantos amigos brancos — ela não tinha uma única amiga de fora da África e não chegara nem perto de fazer amizade com uma branca. Uma coisa era estar na mesma classe que eles, trabalhar para eles, sorrir para eles no ônibus; outra coisa totalmente diferente era rir e bater papo com eles durante horas, assegurando-se de enunciar cada palavra para não dizerem que o seu sotaque era difícil demais de entender. Não havia como ela passar um tempo com uma mulher branca e ser ela mesma como era com Betty ou Fatou. Sobre o que conversariam? Do que ririam? Além disso, ela odiava quando dizia algo e eles sorriam ou assentiam e ela sabia que não tinham ideia do que ela havia acabado de dizer. E as pessoas no bar, pareciam ser desse tipo — eram na sua maioria associados da firma onde Winston trabalhava, então ela precisava ter cuidado para não constrangê-lo. Nada lhe dava mais vergonha que negros passando constrangimento na frente de brancos, comportando-se do jeito que os brancos esperavam que eles se comportassem. Esse era o motivo de ela ter tanta dificuldade de entender afro-americanos — eles passavam constrangimento na frente de brancos a torto e a direito, e não pareciam se importar.

Tirou da bolsa um lenço de papel, enxugou o suor e a oleosidade da face. Reaplicou, sem necessidade, seu batom púrpura-escuro. Este vai ser um bom exercício, pensou enquanto voltava para o bar, puxando para baixo sua blusa justa para cobrir a parte superior dos jeans, que estava se engruvinhando desagradavelmente sob o cinto e a barriga. Estava contente por Jende tê-la convencido de não calçar salto alto — as pernas estavam trêmulas o bastante nas suas botas de vaqueira de cinco centímetros, dentro das quais enfiara os jeans. Trêmulas ou não, porém, ela precisava ficar à vontade e agir como se fosse a lugares assim toda noite. Quando ela se tornasse farmacêutica, possivelmente teria de comparecer a montes de festas com gente branca. Possivelmente, então, seu sotaque não seria mais tão forte quanto um de seus professores dissera ser; talvez a essa altura já tivesse aprendido a falar com sotaque americano. Mas esta noite ela tentaria falar o mais devagar possível e então sorrir. Ninguém lhe pediria para repetir a mesma coisa três vezes se ela simplesmente sorrisse.

Por talvez um minuto depois de voltar ao bar, não conseguiu ver Jende nem Winston, então ficou sozinha, olhando ao redor do salão e vendo amigos e colegas de trabalho e casais sussurrando nos ouvidos ou conversando o mais alto que podiam. Aí viu Jende junto à porta, batendo papo com alguém, provavelmente um dos amigos de Winston que conhecera durante o mês que tinha morado com o primo quando chegou à América.

Estava tentando resolver se ia juntar-se a Jende ou pedir um copo de refrigerante por conta de Winston quando uma jovem branca de cabelo escuro cacheado surgiu à sua frente, uma taça de coquetel na mão, sorrindo como se tivesse acabado de ver algo incrivelmente especial.

— Ah, meu Deus! — a moça exclamou. — Você deve ser Neni!

Neni fez que sim, abrindo um sorriso.

— Eu sou Jenny. Namorada de Winston.

Namorada de Winston?

— Que bom finalmente conhecer você! — disse Jenny, abraçando-a.

— Também estou contente em conhecê-la — Neni disse, esforçando--se para enunciar e gritar mais alto que o hip-hop estourando nos seus ouvidos de todas as direções.

— Você está se divertindo? — berrou Jenny, chegando mais perto dela. — Gostaria de tomar alguma coisa?

Neni balançou a cabeça.

— Estou tão contente de finalmente nos conhecermos! — Jenny berrou de novo. — Ouvi falar tanto de você.

— Obrigada. Também estou feliz de conhecê-la.

— Venho dizendo a Winston que precisamos sair juntos, nós quatro, mas fica tão difícil com os horários de trabalho de todo mundo. Mas temos que fazer isso. O Jende está aqui?

Neni assentiu e sorriu, ainda pensando: namorada de Winston?

— E então, está gostando de Nova York? O Winston me disse que você está aqui faz só dois anos.

— Eu adoro. Muito. Estou muito feliz de estar aqui.

— Eu vou adorar ir a Camarões! — Jenny disse, sorrindo e olhando para o alto com ar sonhador. — Winston não parece muito ansioso para ir visitar logo, mas eu estou forçando para irmos no ano que vem.

Neni olhou para Jenny, sorrindo e dando um gole no coquetel, e não conseguiu concluir se devia rir ou sentir pena dela. O que é que ela estava pensando? Winston nunca se casaria com uma mulher branca. Ele nem se dava ao trabalho de apresentar para a família aquelas com quem dormia, porque as trocava como quem troca de cueca. Tudo que Neni e Jende sabiam nesse momento era que ele estava indo para a cama com uma das outras associadas da firma: aparentemente era ela. Coitadinha. A maneira como seus olhos brilhavam quando dizia o nome dele. Ela não parecia ter mais de vinte e seis anos, mas não jovem demais para ter notado que rapazes camaroneses bem-sucedidos como Winston dificilmente se casavam com mulheres de fora daquele país. Eles curtiam todos os tipos o máximo que podiam: brancas, filipinas, mexicanas, iranianas, chinesas, qualquer mulher de qualquer cor que se mostrasse disponível por causa de paixão ou inegável amor ou mera curiosidade. Mas quando chegava a hora de escolher uma esposa, quantos deles se casavam com uma dessas mulheres? Pouquíssimos. E Winston jamais seria um desses poucos. Se não pudesse achar uma boa moça bakweri, se casaria com uma de outra tribo da região sudoeste ou noroeste (mas definitivamente não da tribo bangwa, já que sua mãe odiava os bangwa, fosse qual fosse a razão). Ele se casaria com alguém do seu povo porque um homem como ele necessitava de uma mulher que entendesse o seu coração, compartilhasse os seus valores e interesses, soubesse como lhe dar as coisas que precisava, aceitasse que seus filhos deviam ser criados da mesma maneira que seus pais o tinham criado, e só uma mulher da sua terra natal podia fazer isso.

— Aí está você — alguém disse atrás delas. Neni virou-se para ver outra moça com uma taça de coquetel na mão, provavelmente amiga de Jenny. Jenny também se virou, abraçou a outra mulher, e apresentou Neni como a prima de Winston que tinha acabado de chegar da África. Acabado de chegar da África, pensou Neni. Ela não tinha *acabado de chegar da África*. Considerou corrigir Jenny, mas, sem saber se seria polido fazê-lo, em vez disso deu num sorriso forçado para a amiga de Jenny, que fez um meneio mas, fora isso, mal tomou conhecimento da sua presença. A amiga começou a contar a Jenny uma história, e as mulheres embarcaram em outra conversa, deixando Neni como espectadora sorridente da camaradagem de ambas. Depois de dez minutos, insegura do que fazer além de continuar tentando provar a si mesma que podia se sentir à vontade num bar, rapidamente pediu licença; as duas mulheres mal interromperam a conversa para se despedir. Ela abriu caminho através da multidão, que parecia ter triplicado desde que ela e Jende tinham chegado, e inadvertidamente bateu com o cotovelo no drinque de um rapaz. O drinque não espirrou, mas o rapaz lhe lançou um olhar de cujo significado ela teve certeza: que diabos você está fazendo aqui, sua africana estúpida?

Jende estava parado sozinho no mesmo lugar onde ela o vira pela última vez, sorvendo seu drinque por um canudo e movendo-se lentamente ao som do hip-hop na sua camisa amarela brilhante de Madiba.

— Estou pronta para ir embora — ela disse no seu ouvido.

— Por quê? — ele perguntou. — Eu estava imaginando por onde você andava. Você bebeu alguma coisa?

— Eu não quero beber.

— É o seu enjoo? Será que uma Coca-Cola não ajuda...?

— Por acaso eu me queixei do meu enjoo? Vamos embora.

— Ah, Neni. Só mais meia hora. Eu só tomei dois Sex on the Beach.

— Então fique. Eu estou indo embora.

— Você não vai nem falar com o Winston e desejar feliz aniversário?

— Eu ligo para ele amanhã.

Do lado de fora, na rua Cinquenta e Oito, o ar estava friozinho e refrescante, o nível de barulho suportável exceto por duas ambulâncias correndo para o Roosevelt Hospital a uma quadra dali. Neni desviou o rosto do hospital na tentativa de bloquear da memória o que acontecera um ano antes, na tarde em que ela correra com sua amiga Betty para a ala da Maternidade porque Betty estava com cólicas terríveis. Betty passara por uma cesariana de emergência só para o bebê já nascer morto.

— Vamos sentar um pouquinho no Columbus Circle — propôs Jende, e ela depressa concordou, banindo de sua mente a imagem do recém-nascido sem vida que ela desejava não ter visto. Jende começou a falar sobre os bons momentos que tivera conversando com os amigos de Winston, mas ela mal escutava. Pela primeira vez estava notando uma coisa: estava percebendo que a maioria das pessoas na rua conversavam com alguém parecido com elas. De ambos os lados da rua, para leste e para oeste, via pessoas andando junto com gente do seu tipo: um homem branco de mãos dada com uma mulher branca; um adolescente negro rindo com outros jovens negros (ou latinos); uma mãe branca empurrando um carrinho ao lado de outra mãe branca; uma mulher negra batendo papo com outra mulher negra. Viu um quarteto de homens asiáticos de smoking, e um grupo de amigos com diferentes tons de pele mas vestidos no mesmo estilo chique. A maioria das pessoas se apegava a gente do seu próprio tipo. Até mesmo em Nova York, até mesmo num lugar de muitas nações e culturas, homens e mulheres, jovens e velhos, ricos e pobres, preferiam sua própria espécie quando se tratava de se manter próximo. E por que não? Era muito mais fácil fazer isso do que gastar a própria e limitada energia tentando fundir-se num mundo do qual não se esperava jamais fazer parte. Era isso que tornava Nova York tão maravilhosa: havia um mundo para todo mundo. Ela tinha seu mundo no Harlem e nunca mais tentaria forçar caminho num mundo no centro, nem mesmo por uma única hora.

Quando chegaram ao Columbus Circle, ela ligou para Fatou, que lhe disse que Liomi estava bem, que podiam ficar na rua por quanto tempo quisessem. Então, se sentaram sob a estátua de Cristóvão Colombo, lado a lado, mão na mão, cercados por skatistas e jovens amantes e gente sem-teto, olhando para o norte enquanto carros vinham e davam a volta na praça circular e subiam para Central Park West. O ar primaveril estava mais fresco do que ela teria desejado, mas não o bastante para mandá-la correndo para o metrô. E mesmo se estivesse, ela teria permanecido na praça, porque não era toda noite que tinha a chance de curtir os sons da cidade e seus milhões de luzes piscando ao seu redor, lembrando-a de que ainda estava vivendo em seu sonho. Bubakar lhes garantira que poderiam ficar no país por muitos anos, o que significava que ela podia ficar na cidade por muitos anos. Com esse pensamento, um sorriso maciço subitamente surgiu na sua face, e ela chegou mais perto de Jende e se recostou nele.

— Este é o melhor lugar em toda a cidade — ele disse. Ela não perguntou por que ele achava isso, porque sabia a razão.

Nos primeiros dias dele nos Estados Unidos, era aqui que ele vinha toda noite para absorver a cidade. Era aqui que ele frequentemente se sentava para telefonar para ela quando se sentia tão só e saudoso de casa que o único bálsamo que funcionava era o som da voz dela. Durante essas chamadas, ele lhe perguntava como estava Liomi, o que ela estava vestindo, quais eram seus planos para o fim de semana, e ela lhe contava tudo, deixando-o ainda mais saudoso da beleza do seu sorriso, do fogão à lenha na cozinha de sua mãe, da suave brisa em Down Beach, dos abraços apertados de Liomi, das piadas grosseiras e das risadas de seus amigos enquanto tomavam Guinness num boteco; deixando-o desejoso de tudo que gostaria de não ter deixado para trás. Durante esses momentos, dizia, muitas vezes ele se perguntava se ir embora de casa em busca de algo tão fugaz quanto a fortuna realmente valia a pena.

— Sabe o que estou percebendo agora? — ele perguntou.

— O quê? — ela quis saber, olhando-o com adoração.

— Nós estamos sentados no centro do mundo.

Ela riu.

— Você é tão gozado.

— Não, pense nisso — disse ele. — Columbus Circle é o centro de Manhattan. Manhattan é o centro de Nova York. Nova York é o centro dos Estados Unidos, e os Estados Unidos são o centro do mundo. Então nós estamos sentados no centro do mundo, certo?

Quinze

A caminho do campo de golfe em Westchester, Clark queixou-se do torcicolo, reclamou de Phil convidar um monte de outras pessoas para jogar com eles, o que dificultava as coisas para ele cair fora, aborrecido por ter de passar a tarde fazendo uma atividade para a qual não dava importância quando podia estar no escritório. Jende escutava e assentia, como sempre, concordando com tudo que Clark dizia.

— Golfe não é a minha praia — disse Clark. — Muita gente gosta de fingir que é o lance deles, mas eu não estava com a mínima vontade de ir hoje, se não fosse pela chance de passar um tempo com os caras fora do trabalho.

— Parece um jogo muito difícil, senhor.

— Na verdade não é. Você deveria experimentar uma vez.

— Vou sim — disse Jende, embora não tivesse a menor ideia de por que ou onde haveria de jogar golfe algum dia.

A meio caminho do campo em Rye, a mãe de Clark ligou para saber dele, e ele pôs a ligação no viva voz, dizendo que não queria enrijecer o pescoço ainda mais. Sua mãe agradeceu o presente de aniversário de casamento e estava prestes a lhe contar uma história engraçada de ter topado com um velho vizinho de Evanston quando apareceu outra chamada. Clark disse a ela que precisava desligar e prometeu que telefonaria de volta depois de atender à ligação do seu chefe.

— Você está indo se encontrar com Phil e os outros? — perguntou Tom. Sua voz no alto-falante soava muito menos poderosa do que Jende imaginava que soaria a voz de um CEO. Era uma voz jovial, mas carecia da autoridade que a de Clark possuía.

— Sim, você também vem, certo?

— Não, não vou conseguir. Michelle não está se sentindo muito bem.

— Sinto muito saber disso.

— Como está Cindy? — Tom indagou após alguns segundos. — Ela estava com uma aparência ótima na quinta-feira.

— É, ela sabe se cuidar.

— Ouvi uns caras no bar se perguntando de quem ela era o troféu.

Clark soltou um riso abafado.

— Atualmente eu aceito qualquer cumprimento que receba.

Jende pigarreou, não porque precisasse limpar a garganta, mas porque percebeu que Tom queria dizer algo importante e quis alertar Clark de sua presença, de modo que Clark pudesse desligar o viva voz. Já sabia o suficiente sobre o Lehman e não fazia questão de ouvir mais nada, especialmente alguma coisa que se sentisse tentado a dizer a Leah, uma vez que ela vinha atormentando-o por detalhes das conversas de Clark para saber o quanto as coisas estavam realmente ruins. Jende sempre lhe dizia que não sabia de nada, mas a mulher não sabia o que era desistir.

— Então — disse Tom, por fim pronto para chegar ao ponto. — Imagino que você saiba por que estou ligando.

— Imagino que tenha falado com o Donald — disse Clark. — Eu esperava...

— Você não tem direito de ir a um membro da diretoria pelas minhas costas, Clark.

— Não era a minha intenção. Eu dei de cara com ele correndo para chegar ao jogo de hóquei do meu filho, disse a ele rapidamente que venho tentando marcar uma reunião com você para conversar sobre...

— Sobre o quê? — interrompeu Tom, levantando a voz. — Sobre a sua merda de querer sair limpo? De mudar de estratégia? O que você acha que estamos fazendo aqui? Brincando de ciranda cirandinha?

— Acho que devemos repensar nossa estratégia de longo prazo, Tom — disse Clark, também levantando a voz. — Eu venho dizendo isso, e vou continuar dizendo. Estamos aqui parados agindo como se estivéssemos lidando com forças fora do nosso controle, quando não estamos. É meramente uma questão de olhar outros ângulos, considerar outros modelos. Lá em agosto eu procurei você quando estava claro como água que a performance da ABS nunca iria realmente se recuperar e os danos já estavam se espalhando rapidamente das *subprime* para as Alt-A. Você se lembra de que tivemos essa conversa e eu sugeri uma mudança de curso?

— Aonde você quer chegar?

— Quando você e Danny riram fazendo pouco dos chineses, eu forcei para que tomássemos qualquer chá que eles estivessem nos servindo, para sair dessa bagunça o mais rápido...

— E dizer ao mundo que estamos afundando? Claro! Vamos virar objeto de riso!

— A BS não quis se tornar objeto de riso!

— Nós não somos a BS! Somos o Lehman, e se você não sabe disso, se não sabe que somos o Lehman Brothers e que sempre ganhamos, então realmente não posso ajudá-lo, Clark! Se você não acredita no que estamos fazendo aqui, então vem perdendo seu tempo nos últimos vinte e quatro anos.

Jende ouviu Clark escarnecer, e imaginou que também sacudia a cabeça.

— Por que você está zombando? — perguntou Tom.

— Tudo que estou tentando dizer é que precisamos mudar um pouco a nossa abordagem, quem sabe ficar mais agressivos no aumento de capital. Todo o resto do pessoal em Wall Street vem correndo para aumentar o capital, e nós ficamos aqui parados enganando os acionistas de que estamos fortemente capitalizados. Se a gente pudesse ao menos...

— Você não vai passar por cima de mim e falar com um membro da diretoria de novo, está entendendo?

Clark expirou profundamente, mas não respondeu.

— Estamos de acordo?

Clark ignorou a pergunta.

— Quanto a sair limpo...

— Quanto tempo você acha que vai levar para o mundo descobrir sobre o índice de alavancagem? — disse Clark. — Você vai ficar sentado na frente do Congresso e dizer que não sabia nada sobre a Repo 105? Porque é exatamente esse o tempo que vamos conseguir sustentar isso, e em algum momento teremos de...

— Então você acha que lavar a nossa roupa suja em público vai nos levar de volta ao rumo certo? Você acha que deveríamos escutar você porque resolveu ter uma crise de consciência?

— Isso não tem nada a ver com consciência! Você sabe que eu adoro o jogo. Sabe que adoro ganhar tanto quanto qualquer um, e sou a favor de fazer tudo que precisamos para ganhar. Mas chega um ponto em que precisamos admitir que fomos longe demais, e que se continuarmos indo nesse ritmo...

— É mesmo? — Tom disse ironicamente. — Até onde devemos voltar para não estarmos longe demais na curva? Até os anos setenta? Por que não saltamos todos dentro de um Buick 75 enquanto todo mundo está nos ultrapassando em modelos 2008? É isso que você está pedindo, certo? Porque já que nos tornamos tão impiedosos, vamos ser mais doces e meigos.

— Não estou...

— Realmente não posso ajudar você, sabe? — disse Tom com quase compaixão. — Qualquer que seja a crise pela qual você esteja passando, não posso fazer nada para ajudar você, e, francamente, este não é o melhor momento para lidar com ela.

— Estou simplesmente dizendo que deveríamos mostrar que representamos algo melhor que o resto do pessoal, Tom. Isso poderia ser a nossa salvação. Se deixarmos de continuar fazendo truques, jogar a culpa nos outros — auditores, contadores incompetentes, seja lá quem for — se precisamos nos dar uma chance de agir direito antes que a coisa piore. Porque neste momento estamos fazendo esses truques e a Comissão de Títulos e Câmbio está se fazendo de boba, mas você sabe tão bem quanto eu que se essa merda estourar e o caos começar a se espalhar, eles vão nos jogar ao público para sermos crucificados, alegando que não sabiam de merda nenhuma, e todos nós sabemos que é mentira.

— E você acha que a diretoria vai amar a sua sugestão?

— Donald não estava exatamente se opondo.

— O que lhe dá essa ideia? Donald achou que você tinha ficado maluco!

— Maluquice é pensar que vamos sobreviver fazendo negócios desta maneira! — berrou Clark, aparentemente inconsciente de quanto tinha levantado a voz. — Nós já cometemos uma tonelada de erros. Estamos nesta merda porque não mostramos grande capacidade de previsão! Temos que pensar muito além do Lehman. Temos que pensar na próxima geração que vai assumir Wall Street depois que tivermos ido embora, em como eles vão nos julgar. Em como a história vai nos julgar!

Outro telefone tocou onde Tom estava. Ele atendeu, falou baixinho com alguém a quem se referiu como "benzinho", e assegurou à pessoa que estaria lá, que de nenhuma maneira perderia o compromisso.

— Eu preferia não perder você agora — disse ele a Clark depois de desligar, a voz suave como se ainda estivesse falando com a outra pessoa. — Nós sobrevivemos a altos e baixos juntos por dezoito anos, e eu sei, eu tenho absoluta certeza, de que também sobreviveremos a isto aqui. Mas se você acha que isso tudo é demais para você então eu aceito tristemente a sua demissão.

— Eu não vou a lugar nenhum — retrucou Clark. — Há uma batalha acontecendo, e pretendo continuar lutando pelo Lehman.

— Ótimo.

— Sim, ótimo.

— Então por que você não volta ao trabalho e luta do jeito que eu decidir que é melhor? E se algum dia ficar provado que eu estou errado, você pode olhar para trás, para este momento, e ficar orgulhoso de si mesmo.

Dezesseis

Ele estava esperando no meio-fio há trinta e cinco minutos quando Vince finalmente saiu do seu prédio e saltou para o banco traseiro, um copo de café na mão.

— Jende, meu chapa — disse Vince, dando batidinhas no seu ombro.

— Bom dia, Vince.

— Desculpe ter feito você esperar. Gostaria de ter uma boa desculpa.

— Sem problema. Vou tentar guiar rápido para não chegarmos atrasados ao seu compromisso.

— Não, vá tranquilo. Nunca tenho pressa de chegar numa consulta do dentista. Eu nem viajaria todo esse caminho até Long Island se a minha mãe não insistisse que o dr. Mariano é o melhor dentista do mundo.

— É bom ter um dentista — disse Jende, imaginando como seria gostosa a sensação de ter outra pessoa limpando seus dentes. Ele entrou à direita na Broadway e foi das ruas Noventa até as Cinquenta e depois de oeste para leste, até a I-495. — Você gostaria que eu ligasse o rádio? — perguntou a Vince.

— Não, estou numa boa — Vince respondeu, distraído. Estava irrequieto, olhando para todos os lados dentro do carro. — Acho que esqueci o meu telefone em casa — disse.

— Posso voltar — Jende se ofereceu.

— Não, tudo bem.

— Para mim não é problema, Vince.

— Não, tudo bem mesmo — disse Vince, recostando no assento e tomando um gole do café. — Será um bom exercício ficar desconectado do mundo. Além disso, tenho que conversar com você sem interrupções e continuar tentando desdoutrinar você de todas as mentiras que fizeram você engolir sobre os Estados Unidos.

Jende riu.

— Não há nada que você possa dizer, Vince. Nada que você ou qualquer um possa dizer que me faça deixar de acreditar que os Estados Unidos são o melhor país do mundo e que Barack Obama vai ganhar a eleição e se tornar um dos maiores presidentes na história do país.

— Maravilha. Não vou discutir muito sobre isso. Mas e se eu disser que os Estados Unidos mataram o revolucionário africano Patrice Lumumba no seu empenho de impedir a propagação do comunismo e intensificar seu controle ao redor do mundo?

— Ah, Lumumba! Eu tinha uma camiseta com o rosto dele lá em Limbe. Sempre que eu a usava, as pessoas me paravam na rua para olhar o rosto e dizer, ah, que grande homem.

— Então, e se eu disser que os Estados Unidos mataram esse grande homem?

— Eu direi que sinto muito pelo que aconteceu com ele, mas não conheço a história toda.

— Eu estou contando a história toda.

Jende deu um riso abafado.

— Você é engraçado, Vince — disse ele. — Eu gosto do jeito que você quer me ajudar a ver as coisas de uma maneira diferente, mas talvez a maneira que vejo os Estados Unidos seja boa para mim.

— O problema é exatamente esse! As pessoas não querem abrir os olhos e ver a Verdade porque a ilusão é conveniente. Enquanto engolirem todas as mentiras que querem ouvir, estarão felizes, porque a Verdade não significa nada para elas. Veja os meus pais, eles estão lutando sob o peso de tantas pressões sem sentido, mas se pudessem se libertar dessa opressão autoinflingida encontrariam a verdadeira felicidade. Em vez disso, continuam a percorrer um caminho de realizações e conquistas e sucesso material e toda essa merda que não significa nada porque é isso que os Estados Unidos são, e agora estão presos numa armadilha. E não percebem!

— Seus pais são boa gente, Vince.

— À maneira deles, com certeza.

— Seu pai trabalha duro. Às vezes parece tão cansado que eu me sinto mal por ele, mas é o que fazemos por nossos filhos.

— Não duvido dos sacrifícios dele.

— Mesmo que você não goste muito dos Estados Unidos, penso que ainda assim você deveria agradecer a Deus por ter uma mãe e um pai que lhe dão uma vida boa. Agora você pode ir para a faculdade de direito e se tornar advogado e também dar uma vida boa aos seus filhos.

— Me tornar advogado? Quem disse alguma coisa sobre eu me tornar advogado?

Jende não respondeu. Achou que tinha se enganado; talvez a faculdade de direito não fosse apenas para pessoas que queriam se tornar advogados

— Este é o meu último semestre na faculdade de direito — prosseguiu Vince. — Não vou voltar no outono.

— Você não vai terminar a faculdade?

— Estou me mudando para a Índia.

— Você está se mudando para a Índia!

— Prefiro que você não conte nada disso aos meus pais por enquanto.

— Não, eu nunca...

— Só estou lhe contando porque gosto de conversar com você. E talvez, como pai, você possa me aconselhar como é o melhor jeito de contar aos meus.

Jende assentiu e por um breve intervalo de tempo não disse nada. A via expressa estava quase vazia e tranquila, com exceção de uma sirene de ambulância ao longe. Do lado oeste da pista, outdoors mostravam anúncios de hotéis e hospitais com imagens de pessoas de excelente aparência, as pessoas nos hospitais com aspecto tão feliz e saudável quanto as dos hotéis.

— Eu simplesmente não sei o que dizer, Vince — Jende disse por fim. — Só acho que você deveria por favor terminar a faculdade e se tornar advogado. Então talvez você possa visitar a Índia nas férias.

— Eu não quero ser advogado. Eu nunca quis ser advogado.

— Mas por quê?

— Há um monte de advogados infelizes — explicou Vince. — Eu não quero ser infeliz.

— Meu primo é advogado.

— Ele é feliz?

— Às vezes ele é feliz, às vezes não é. Existe alguém que seja feliz o tempo todo? O homem pode ser infeliz em qualquer tipo de trabalho.

— Com certeza.

— Então por que você não pode simplesmente pensar que será feliz não importa em que tipo de trabalho?

— Nem agora eu consigo aguentar a faculdade de direito. Olho para os meus colegas de classe e me sinto terrível, fico triste só de vê-los desperdiçando todas aquelas horas preciosas de suas vidas sendo doutrinados com mentiras para poderem entrar no mundo e perpetuar as mentiras. Eles não sabem que estão prestes a se tornar peças de uma máquina impiedosa que se especializa em arrancar as entranhas de inocentes. Todo o sistema é uma piada! As pessoas por aí vivendo vidas sem sentido, porque é isso: foram condicionadas a pensar que é bom para elas. A zanzar por aí sem qualquer consciência do fato de que estão vivendo numa sociedade dirigida por uma instituição maquinadora de sangue-frio. Quanto tempo mais vamos permanecer nesse cativeiro? Falando sério, quanto tempo mais?

Jende balançou a cabeça. A retórica de Vince não fazia sentido para ele, mas pelo modo como a voz do jovem estava aumentando de volume e o tom endurecendo, podia muito bem perceber que Vince realmente detestava a faculdade de direito e qualquer coisa que tivesse a ver com advogados. E podia muito bem perceber que nem mesmo se tratava da faculdade de direito e dos advogados ou dos Estados Unidos; tratava-se mais de Vince querendo deixar o seu mundo e tudo que os pais queriam para ele; era Vince querendo se tornar uma pessoa inteiramente nova.

— Sinto muito, Vince.

— Você não precisa sentir muito por mim. Estou vivendo a minha Verdade.

— Não, eu sinto muito... Não sinto muito por você... Só sinto muito por como você se sente.

Vince soltou um riso abafado.

— Não vou mentir para você — continuou Jende. — Se o meu filho me disser que vai deixar a faculdade de direito e mudar-se para a Índia, juro que pego o meu *molongo* e lhe dou uma surra no traseiro.

— O que é um *molongo*?

— A vara que nossos pais usam para nos bater lá em casa quando nos comportamos mal. Tenho um para o meu filho, mas ele tem sorte, não posso usá-lo aqui; não quero encrenca de nenhum tipo.

Vince abafou outro risinho.

— Não posso fazer nada a não ser gritar com ele.

— E no seu país você lhe daria uma surra mesmo na minha idade?

— Não, meu amigo — disse Jende, rindo. — Só estava brincando com você. Nossos pais param de nos bater no traseiro quando temos uns dezenove anos.

— Dezenove!

— Ou vinte, às vezes. Mas o que estou tentando dizer é que se o seu pai e a sua mãe ficarem zangados quando você lhe der a notícia, espero que você entenda.

Vince não respondeu, e por um minuto permaneceu em silêncio, olhando pela janela.

— Sei que não será fácil para eles entender, considerando que não sou nada parecido com eles. Só que, todas as centenas de milhares de dólares que gastaram na Dalton e em acampamentos de verão e na Universidade de Nova York e Columbia eram para que eu fosse o que eles queriam que eu fosse. Para a minha mãe poder contar às amigas sobre o novo emprego do filho como funcionário do Juiz Tal-e-Tal. Uma besteira total.

— Ah, Vince — discordou Jende. — Algum dia, quando você tiver filhos, não vai falar desse jeito.

— Eu fico estarrecido, você é tão diferente e no entanto tão parecido com os meus pais em muitas coisas.

— Talvez seja por isso que eu e seu pai, a gente se entende muito bem. Na verdade, acho que se você fosse com calma com seu pai, talvez pudesse vê-lo de outro ângulo e ver como ele é um homem muito bacana.

— É, bem, talvez algum dia eu enxergue essa superbacanice que você vê nele — disse Vince. — Nós nunca fomos uma família muito próxima, então eu nunca consegui vê-lo como muito mais que um provedor ausente que encara as coisas da vida diária em nome da sua família.

— Não é fácil — disse Jende, balançando a cabeça enquanto entrava na Elm Street, onde se localizava o consultório do dentista.

— Para quem não é fácil?

— Para você, para o seu pai, para todo filho, todo pai, para todo mundo. Simplesmente não é fácil, esta vida aqui neste mundo.

— Não — concordou Vince. — É por isso que a nossa única escolha é abraçar o Sofrimento e render-se à Verdade.

— Abraçar o sofrimento? — riu Jende. — Você está dizendo umas coisas engraçadas, hein?

— Bem, podemos conversar sobre o que isto significa na volta — disse Vince, sorrindo e sentando-se ereto enquanto Jende dirigia o carro para uma vaga para estacionar. — Mas, por favor, o que quer que tenhamos discutido sobre a faculdade de direito e a Índia, por enquanto fica só entre mim e você.

Jende aquiesceu, virou-se para trás e estendeu a mão, que Vince apertou antes de saltar do carro. Quando Vince retornou uma hora depois, estava com a boca tão pesada da anestesia usada para a extração do siso, que mal podia falar. Adormeceu em poucos minutos, a mão direita segurando a trouxinha de gelo que servia para aliviar sua bochecha levemente inchada. De tempos em tempos, Jende espiava pelo retrovisor para ver o rosto de Vince, e toda vez imaginava Liomi em cerca de dezoito anos. Sabia que jamais permitira que Liomi jogasse fora a chance de uma carreira bem-sucedida e uma vida boa para sair vagando pela Índia falando sobre Verdade e Sofrimento, e todavia não conseguia condenar totalmente o que Vince estava fazendo. Olhando para o rapaz adormecido, sentiu orgulho, ainda que se preocupasse com ele.

Dezessete

A cidade naquele verão ficou superinundada de calor e sede: resfolegar nas plataformas do metrô, combater o sol com chapéus largos e roupas leves, correr para debaixo de andaimes de obras em busca de sombra, meter-se em lojas de departamentos não por causa das promoções anunciadas nas vitrines e sim por causa do ar-condicionado. Os que eram incapazes de fugir para as praias e o campo congregavam-se em locais onde a umidade podia ser brevemente esquecida: shows de *world music* com músicos de lugares distantes como Cazaquistão e Burquina Faso; festanças em coberturas onde todo mundo parecia absolutamente certo de sua boa aparência e sofisticação; mercados de rua com excesso de frango na brasa e pouca circulação de ar; cruzeiros ao pôr do sol com bilhetes de última hora e coquetéis medíocres. Havia muita coisa para fazer na cidade, e mesmo assim muitos continuavam desesperados para sair dela, para ir a algum lugar onde a missão fosse prazerosa e não de sofrimento, ficar onde o ar circulasse sem esforço e a água continuasse por milhares de quilômetros, um lugar como as vilas dos Hamptons.

Jende poderia pegar férias remuneradas nas primeiras duas semanas de agosto, Clark lhe informou enquanto desciam a Lexington numa manhã em meados de junho. A família passaria o fim de julho e quase agosto inteiro em Southampton (basicamente Cindy e os garotos), bem como alguns dias no começo de julho, de modo que seria um verão com pouco trabalho.

— Sou muito grato, senhor — disse Jende sem alterar sua fisionomia, embora por dentro estivesse com um sorriso mais largo que o Grande Vale do Rift. Seria a primeira vez desde que chegara aos Estados Unidos que seria pago para não fazer nada, apesar de saber que não ficaria ocioso durante duas semanas, ligaria para a companhia de táxis especiais para a qual costumava trabalhar e pegaria um turno para poder contribuir para os fundos que ele e Neni estavam juntando para o seu caso de deportação.

— Você deveria perguntar a Cindy se ela precisa de uma arrumadeira para a última semana de julho e as três primeiras de agosto, quando Anna tira férias — Clark acrescentou minutos depois. — Ela geralmente pega alguém da agência. Quem sabe sua esposa gostaria de pegar o serviço e ganhar algum dinheiro extra?

— Ah, sim, senhor. Minha esposa... ela... nós ficaríamos muito gratos, senhor.

Cindy precisava sim de alguém, e Neni precisava de um intervalo no serviço muitas vezes tenebroso de alimentar e banhar cidadãos idosos incapacitados, embora a perspectiva de ganhar mais dinheiro em quatro semanas do que ela ganhava em três meses fez com que ela e Jende discutissem a oferta por cinco minutos apenas antes de concordar que ela pularia o segundo semestre de verão (já que seu visto de estudante lhe permitia fazê-lo) e iria para Southampton. Ela ligou naquela noite para Cindy Edwards — depois de Jende orientá-la sobre o que dizer, o que não dizer, como dizer direito as coisas certas — apresentou-se, e disse que se interessava pelo serviço. Cindy o ofereceu a ela, embora não sem antes dizer do que se tratava: manter impecavelmente limpa uma casa de cinco quartos, compras de mercado de itens específicos que precisavam estar corretos, lavar roupa diariamente, preparar receitas de cozinha específicas, servir os convidados de maneira digna, tomar conta de um menino de dez anos quando necessário, dias de trabalho de doze horas com muitas horas de inatividade.

— Posso fazer o serviço muito bem, madame — disse Neni, segurando o telefone com força contra o ouvido.

— Confio que sim. Jende é um trabalhador sério, e imagino que você não seja diferente.

— Só que, madame, só tem mais uma coisa — Neni disse.

— O que é?

— Eu estou grávida de quatro meses, madame. Não vai ser problema para mim, mas...

— Então para mim também não será — disse Cindy, encerrando o assunto, para em seguida dizer a Neni que na última semana de junho ela precisaria pegar o trem de Long Island com Anna até os Hamptons para familiarizar-se com suas necessidades e expectativas.

— Assegure-se de fazer só aquilo que mandarem você fazer e exatamente do jeito que mandarem — Jende disse a Neni antes de ela descer a escada para pegar o metrô para os Hamptons e começar seu período de quatro semanas. — Nem a mais, nem a menos.

— Ah, você também — ela disse, rindo. — O que você acha que vou fazer lá?

— Não é motivo para dar risada, Neni. Só faça bem o seu serviço. Isso é tudo que estou dizendo. Não diga nem fale nada que não lhe diga respeito. Essa gente é o nosso ganha-pão.

— Não se preocupe — retrucou ela, ainda rindo da atitude séria dele, que ela achou ao mesmo tempo fofa e desnecessária. — Não vou desgraçar você. Até parece que nunca estive perto de gente rica.

O que era verdade — sua família fora rica nos anos oitenta e começo dos anos noventa. Naquela época seu pai era funcionário da alfândega no porto em Duala, e graças a todas as gratificações (não propinas — seu pai jurava nunca ter tido as mãos molhadas) que ele e seus colegas recebiam de mercadores que traziam bens para o país, era capaz de multiplicar por dez seu salário governamental e assegurar que não faltasse nada de bom para sua família. Moravam numa casa de tijolos com muros revestidos e pisos azulejados, e água corrente. Possuíam eletrodomésticos e um telefone que funcionava, e seu pai tinha até mesmo um carro (um Peugeot azul 1970 com pintura desgastada, mas mesmo assim um carro e, portanto, um símbolo de prosperidade em Limbe). Foram a primeira família no bairro de Down Beach a possuir um aparelho de TV. Neni ainda se lembrava daqueles primeiros tempos de televisão no final da década de oitenta, quando a CRTV transmitia só das seis da tarde às dez horas da noite. Às cinco e quarenta e cinco da tarde, as crianças do bairro estavam na sala de estar, sentadas no chão, esperando a "telleh" começar. Quando a estática da TV, que as crianças chamavam de "arroz", lentamente desaparecia para revelar a bandeira de Camarões, elas riam de prazer, e os adultos, amontoados no sofá e em cadeiras por toda a sala, as mandavam ficar quietas. A televisão estava ligada. Ninguém tinha permissão de fazer barulho quando a televisão estava ligada. As crianças deviam assistir ao noticiário em silêncio enquanto os adultos discutiam as atrocidades na África do Sul toda vez que aparecia o retrato de Nelson Mandela, perguntando-se quando aquela gente branca ruim na África do Sul libertaria o bom homem. As crianças deviam assistir aos documentários em silêncio; assistir aos agitados desenhos animados, que eles chamavam de "porkou-porkou", em silêncio. Tinham de permanecer em silêncio durante qualquer série britânica ou francesa ou americana que estivesse sendo transmitida pela CRTV, novelas e seriados que mal entendiam mas mesmo assim davam risadinhas sempre que apareciam cenas de beijos, e gemiam toda vez que alguém apanhava. A única hora em que as crianças tinham permissão de falar era quando aparecia um videoclipe. Então, eram estimulados pelos adultos a se levantar e dançar ao som de Ndedi Eyango, ou Charlotte Mbango, ou Tom Yoms's. E toda vez elas se levantavam e executavam seus melhores movimentos de *makossa*, rebolando seus minúsculos traseiros e movendo os punhos fechados da direita para a esquerda com toda a vontade, sem parar de sorrir. Poder ver seus músicos favoritos cantando numa caixa preta, que privilégio!

Neni sorriu com essas memórias sentada no trem. Na época era adolescente, mas como filha do meio não tinha autorização de tocar na TV — ligar e desligar eram direitos reservados para seu pai e seu irmão mais velho. Atualmente até mesmo crianças de três anos em Limbe sabiam ligar e desligar uma TV. Uma em cada três casas na cidade tinha CNN, embora a casa de seus pais não tivesse, o que era engraçado.

Seu pai tinha parado de trabalhar no porto em 1993, forçado a sair por um chefe bamileke que queria que um homem da sua tribo assumisse o emprego do pai de Neni. Sem qualquer aviso, ele fora transferido para uma posição muito menos lucrativa no Departamento do Tesouro em Limbe, e seis meses depois sua irmã viúva morreu, deixando três filhos que ele não teve escolha a não ser assumir e criar junto com seus cinco. Com a perda de seu prestigioso emprego veio a perda de poder e do respeito que ele tivera como homem rico. As pessoas ainda o cumprimentavam com as duas mãos, mas muitos pararam de vir à sua casa para visitar, sabendo que ao ir embora não receberiam cinco ou dez mil francos camaroneses para "pagar o táxi". Nessa época ele estava aposentado, vivendo de uma pensão magra, sem muita coisa no seu nome a não ser o velho Peugeot azul na garagem da sua casa de tijolos.

Dezoito

A casa de verão dos Edwards não era feita de tijolos, mas não precisava ser; todas as casas de tijolos de New Town, Limbe, reunidas não podiam competir com um de seus quartos. Quando Neni fora até lá pela primeira vez junto com Anna para saber seus afazeres, tentou não mostrar à arrumadeira o quanto estava impressionada, mas Anna deve ter visto na sua fisionomia: seus olhos não conseguiam parar de se mexer desde o instante que desceram do táxi na frente da acolhedora casa de dois andares revestida de pedra cinzenta e madeira com arbustos arredondados meticulosamente aparados em ambos os lados do pórtico sustentado por quatro colunas. Não foi só o tamanho que a deixou embasbacada (para que precisavam de uma casa tão grande para apenas alguns meses do ano? Por que cinco quartos se havia apenas dois filhos? Será que não entendiam que, por mais dinheiro que tivessem, só podiam dormir em uma cama de cada vez?) mas também a profusa elegância. Mesmo no seu terceiro dia, ela continuava pasmada com a suntuosidade que a cercava, especialmente a sala de estar, com toda sua decoração em branco e amplas janelas, como se fosse para nunca perder a vista do céu. Estava atônita com a imaculada limpeza, que era, segundo Anna lhe dissera, porque Cindy detestava sujeira ainda mais do que detestava coisas baratas; seus espessos carpetes e tapetes de lã brancos, nos quais ela quase tinha medo de pisar; e seu lustre negro com detalhes de vidro, de aspecto tão delicado que ela espanava com suavidade, preocupada em deixar alguma marca.

Na tarde em que ela chegou, Vince lhe dera um abraço e lhe dissera para sentir-se à vontade, porém ela não via como isso seria possível, uma vez que estava em constante estado de tensão para não destruir nada. Ela passou a noite do primeiro dia na cozinha com Mighty, circunspecta demais para ir a algum lugar além de seu quarto depois que Vince saiu para a cidade (para meditar na Unity; Jende não estava exagerando) e Cindy saiu para jantar com amigas. Mesmo naquelas primeiras horas em Southampton, foi capaz de perceber que Mighty seria sua única verdadeira fonte de alegria aqui — ele a fazia lembrar de Liomi, graças aos seus cílios abundantes e a maneira como parecia nunca deixar de ter algo para dar risada ou sorrir.

— Você gosta de morar no Harlem? — ele perguntou enquanto ela preparava seu jantar, surpreendendo-a com seu modo direto, uma característica atípica das crianças de Limbe.

— É gostoso — respondeu ela.

— Jende disse que não gosta muito.

— Ele disse isso? — indagou Neni, virando-se do fogão. — Por que ele haveria de dizer isso?

— Porque é sincero — Mighty respondeu dando risada —, e a sinceridade é a melhor política, não é?

Mesmo quando desejava que ele não fosse tão inquisitivo, ela não podia negar que ele era uma amostra de como crianças ricas normais podiam ser. Durante seus primeiros dias juntos, ele a divertiu com perguntas sobre leões e leopardos africanos e que tipo de animais ela tinha visto vagando por Limbe, perguntas que ela tinha certeza de que ele já tinha feito para Jende pelo menos uma dúzia de vezes mas que a deliciavam tanto que inventou histórias sobre macacos roubando seu lanche quando ia à escola, e uma colega que costumava vir à escola montada num elefante. Eu não acredito, Mighty dizia sobre essas histórias, e Neni inventava uma ainda mais incrível. Servir de babá para ele era de longe a parte mais gostosa do seu serviço, e a parte que ela tinha certeza de mais impressionar Cindy ao executar. Toda vez que Cindy entrava num cômodo para vê-la com Mighty rindo ou brincando, Neni podia sentir sua aprovação porque nada parecia ter mais importância para a madame do que a felicidade de seus filhos, que tivessem sempre tudo de bom que a vida tinha a oferecer. Se Mighty estava rindo e Vince sorrindo, não podia haver na terra mulher mais feliz que Cindy Edwards. Esse desejo da felicidade deles (constantemente perguntando se precisavam de algo; sempre lembrando Neni de preparar suas refeições e lanches exatamente do jeito que gostavam; dando a Mighty três beijos toda vez que algum deles deixava a casa) era seguido de perto apenas por sua óbvia necessidade de ter uma sensação de pertencer, uma necessidade absolutamente desesperada que ela parecia nunca conseguir extinguir.

Era um anseio que deixava Neni confusa, porque no dia em que se conheceram, Cindy Edwards parecia ser uma mulher sem necessidades desesperadas. Desde o momento em que se cumprimentaram no pórtico até Cindy sair para o jantar, a madame estava envolta num ar de superioridade, mantendo-se altiva e de ombros eretos ao galgar passos largos, enunciando lentamente cada palavra que dizia, como se tivesse o direito de ocupar o tempo do interlocutor tanto quanto lhe aprouvesse. Apontava com seus finos dedos com as unhas bem-feitas, exibindo um anel de esmeralda solitária, fazendo meneios como uma imperatriz onipresente enquanto conduzia Neni pela casa para lhe dar instruções polidas, porém específicas, sobre o que devia ser feito a cada manhã e como ela devia fazê-lo; e dizendo coisas que Anna podia ter lhe dito mas que ela precisava reiterar, coisas que ela não podia suportar numa empregada: desonestidade, má comunicação e não agir com discrição quando havia companhia por perto.

E ainda assim, apesar desse retrato de mulher autoconfiante, Cindy parecia ter quase uma obsessão de estar onde todo mundo estava e fazer o que todo mundo fazia. Em quatro dias, Neni notou que ela ficava ao telefone com uma amiga pelo menos uma vez por dia, perguntando se ela tinha recebido convite para tal e tal coquetel, ou este ou aquele jantar, ou para aquela noite de gala ou casamento próximo. Nas poucas ocasiões em que suas amigas aparentemente lhe diziam ter recebido convite, e ela não, Cindy parecia sofrer dor física, seus suspiros profundos e ombros subitamente caídos e voz triste revelando a Neni que, apesar do fato de dizer às amigas que estava bem, ela não estava bem porque provavelmente estava se perguntando por que não havia sido convidada, o que tinha feito para não ser convidada, se seu status social ainda estaria intacto. Esse desespero para sempre participar de alguma coisa, sempre manter a sensação de ser especial graças a ação dos outros, estarrecia Neni, mas ela não ligava para Jende para contar porque sabia que ele diria o que sempre dizia quando ela afirmava não entender por que as pessoas se preocupavam com coisas estúpidas como a aprovação dos outros: diferentes coisas são importantes para diferentes pessoas.

Cinco dias após sua chegada, porém, ela ligou para falar sobre Cindy, aterrorizada.

— Acho que a sra. Edwards está muito doente — ela sussurrou de seu quarto no porão.

— O que há de errado? — ele indagou.

Não havia mais ninguém na casa, e a sra. Edwards parecia doente, ela disse.

— Que tipo de doença, Neni? Febre? Dor de cabeça? Dor de barriga?

— Não, não, não esse tipo de doença — ela sussurrou de novo.

Onde estava todo mundo?, ele quis saber. O sr. Edwards estava na cidade, e Mighty e Vince estavam na praia, ela informou. O que importava onde eles estavam?, ela indagou frustrada após responder à pergunta. A sra. Edwards não parecia bem, e Neni estava com medo porque não sabia o que fazer. A madame parecia estar muito doente, mas talvez não estivesse doente. Neni precisava de um conselho do marido, não de uma pergunta depois da outra.

— Mas você está dizendo cinquenta coisas diferentes — ele disse. — Diga alguma coisa que faça sentido.

A sra. Edwards lhe dissera que ia para o seu quarto para um cochilo e pedira para não ser incomodada. Neni ficara no porão, lavando roupa, antes de se lembrar que os lençóis do quarto de hóspedes precisavam ser lavados. Abrira a porta do quarto de hospedes no segundo andar, presumindo que a sra. Edwards estivesse dormindo no quarto principal no primeiro andar. Quando entrou, teve uma visão terrível: a sempre composta e elegante madame largada contra a cabeceira da cama, mechas de cabelo caindo sobre a face suada, os braços moles soltos de ambos os lados, a boca entreaberta com saliva escorrendo quase até o queixo.

— Estou com medo — Neni disse, em pânico e à beira das lágrimas. — Ela estava bem esta manhã. Me disse uma hora atrás que ia tirar um cochilo, e aí eu vou até o quarto de hóspedes e vejo isso.

— Ela parecia morta? — perguntou Jende.

— Não, eu vi que ela estava respirando — Neni respondeu sussurrando. — Ai, Deus Pai, o que devo fazer?

Jende permaneceu em silêncio por um momento.

— Não faça nada — disse à esposa. — Simplesmente finja que não viu nada. Se acontecer alguma coisa com ela, você pode dizer que não sabia. Você pode dizer que nunca entrou nesse quarto.

— Mas e se houver algo estiver errado e eu tiver que fazer alguma coisa?

— Neni, Neni, me escute — o marido ordenou. — Deixe que o marido e os filhos a encontrem e decidam o que fazer. Não toque nela, está ouvindo? Nem chegue perto do quarto. Não se envolva nas coisas deles, eu imploro.

— Eu tenho que fazer...

— Você não tem que fazer nada!

Ela desligou e telefonou para sua amiga Betty. Betty estava no sétimo ano da escola de enfermagem — ela saberia o que fazer.

— Ah, acho que são drogas — Betty guinchou por cima do barulho de seus filhos gritando ao fundo. — Só drogas podem fazer você ficar desse jeito.

— Betty, pare de brincar. Estou falando de uma coisa séria que...

— Quem disse que estou brincando? Estou dizendo que são drogas.

— Não... não a sra. Edwards.

— Por que está discutindo comigo? Gente rica gosta disso, gosta de drogas.

— Não a sra. Edwards! Ela não é esse tipo de gente, Betty, eu juro pra você.

— De onde você a conhece? Só porque ela usa roupas bonitas, você acha...

— Por que ela tomaria drogas?

— Neni, por favor, se você não quer acreditar em mim, me deixe largar o telefone.

— Ai, Deus Pai! — Neni gritou, batendo na coxa enquanto o telefone bipava mostrando uma ligação de Jende. Ela a ignorou, sabendo que ele queria reiterar o que tinha dito.

— Ouça-me — disse Betty. — Escute. Vá acordá-la. Dê uma sacudida nela só de leve, o.k.?

— E se ela não acordar?

— Mexa nisso só mais uma vez! — Betty berrou fora do telefone. — Eu vou aí e você vai apanhar feio!

— Betty, eu não sei...

— Aguenta aí — disse Betty, e por quase um minuto Neni não ouviu nada a não ser o som de uma criança pequena gritando. — Se a gente não ensina essas crianças a obedecer, amanhã elas começam a se comportar feito crianças americanas — Betty disse ao retornar para o telefone.

— Você acha que eu deveria acordá-la?

— Sim, vá acordá-la.

— *Chai!* Num deixa morrer a mulher!

— Você usou suas belas pernas para se meter direto em encrenca.

Neni riu, o tipo de riso desconsolado que sua mãe costumava emitir quando a vida ficava tão estranha que só uma risada podia dar força para encará-la.

— Se ela estiver morta — Betty acrescentou —, chame o marido, não a polícia.

— Tudo bem, tudo bem, deixa eu ir.

— E Neni — Betty disse antes que ela desligasse —, por favor, não diga à polícia que você telefonou primeiro para mim. Estou pedindo, nem mencione o meu nome por qualquer razão que seja. Eu tenho medo da polícia.

Neni desligou e correu de volta para cima, a mão agarrando com força o celular. Cindy estava dormindo na mesma posição. Por um minuto Neni ficou parada junto à cama, fitando o frasco de pílulas ao lado do copo vazio e da garrafa de vinho tinto semicheia no criado-mudo, antes de se aproximar.

— Sra. Edwards — ela sussurrou, cutucando o braço de Cindy. Jende a mataria por causa disso, mas ela não podia deixar a mulher sozinha naquele estado.

Cindy não respondeu.

Neni pôs o celular no bolso de seu *kaba*, debruçou-se mais perto, e falou diretamente no ouvido de Cindy.

— Sra. Edwards.

Imediatamente Cindy fechou a boca e começou a estalar os lábios.

— Sra. Edwards, a senhora está bem?

Cindy abriu levemente os olhos.

— O que você quer? — ela perguntou num tom rouco de censura.

— Nada, madame. Eu só queria me certificar de que a senhora está bem.

Cindy sentou-se na cama, ajeitou o cabelo caído sobre seu rosto, enxugou o queixo. Abriu totalmente os olhos e olhou para Neni.

— Que horas são?

Neni tirou o celular e olhou as horas.

— Cinco horas, madame.

— Merda — disse Cindy, virando as pernas para descer da cama. Cambaleou ao dar o primeiro passo, e Neni rapidamente a segurou pelo braço. — Está tudo bem — disse Cindy, soltando-se. — Eu estou bem.

Ainda tirando o cabelo do rosto, sentou-se na poltrona perto do closet e pediu um copo de água gelada, que Neni correu para buscar antes que ela terminasse o pedido. Quando acabou de beber, Cindy pediu um segundo copo de água e um prato de salada — só alface com azeite e vinagre —, que Neni trouxe numa bandeja. Com o máximo cuidado, Neni ergueu a pernas de Cindy e as colocou num banquinho para os pés para que a bandeja se equilibrasse com facilidade no seu colo.

— Quer que eu prepare uma banho para a senhora, madame? — indagou Neni.

Cindy fez que sim.

Neni entrou no banheiro, esfregou as mãos e abriu a água da banheira. Pingou dez gotas de espuma de banho, ajoelhou-se junto à banheira — sua barriga que crescia contra a superfície gelada — e mexeu a água da maneira delicada e circular que Anna lhe ensinara. Quando a banheira estava cheia, saiu e pegou a bandeja de Cindy.

— Clark não vem mais esta noite — disse Cindy quando Neni estava prestes a deixar o quarto. — Vince vai embora depois que ele e Mighty voltarem; vai passar os próximos dias com um amigo em Marthas's Vineyard. Pode servir o jantar de Mighty a hora que ele quiser.

— Sim, madame — disse Neni, e desceu correndo.

Por volta das sete horas, ouviu o motor do Jaguar na entrada de carros, Cindy saindo para algum compromisso social.

Dezenove

Ela ficou junto à porta batendo de leve, insistentemente, determinada a acordá-la.

— O que é? — Neni ouvi Cindy gemer.

— Sou eu, madame — Neni respondeu.

— Sim?

— Eu só estava pensando, madame, sobre o seu café da manhã. Se a senhora quer que eu o leve aí dentro ou o sirva para senhora na piscina.

— Que horas são?

— Onze horas, madame.

— Na piscina — disse ela após uma pausa. — Daqui a uma hora.

Quando Cindy saiu do quarto, pouco antes do meio-dia, depois de tomar uma ducha e por um vestido listrado púrpura de cintura marcada, Neni estava no balcão da cozinha, cortando fatias de abacaxi.

— Está quase pronto, madame — disse ela. — Bom dia.

Cindy fez um meneio e foi até a mesa junto à piscina. Pela janela Neni pôde vê-la fitando a água, que estava azul e tranquila, exceto por uma folha solitária provocando débeis ondulações no centro. Neni pegou a bandeja e correu para fora.

— Desculpa fazê-la esperar, madame — disse, colocando a bandeja sobre a mesa. — A senhora gostaria de mais alguma coisa?

— Onde está Mighty?

— Ele foi para o mar, madame, com o vizinho e o filho dele. Disse que a senhora o deixaria ir. Eu dei a ele um sanduíche e uma banana.

Cindy pegou uma jarra de vidro para por leite no seu café. Neni virou-se e começou a voltar para cozinha.

— Neni? — Cindy a chamou, justo quando Neni estava prestes a entrar na casa.

— Madame.

— Pegue uma cadeira e sente-se bem aqui.

Neni olhou para Cindy, intrigada, mas voltou e obedeceu.

Durante o minuto seguinte, Cindy comeu pequenos pedaços de sua omelete de claras, das fatias de abacaxi e dos mirtilos. Neni sentou-se à sua frente, fitando o concreto.

— Obrigada por me ajudar ontem — Cindy começou, pousando a xícara de café e limpando os lábios. Pegou seus óculos escuros e os colocou no rosto, apesar do dia nublado.

Neni a observou e sorriu, um sorriso tenso e forçado pelos seus nervos e pelo desconforto.

— Não foi nada, madame — disse ela da maneira lenta e delicada na qual vinha se treinando a falar sempre que se dirigia a não africanos. — A senhora estava passando um pouco mal, madame, e fico contente por ter podido ajudá-la.

— Mas eu não estava passando mal — disse Cindy. — Eu sei que você sabe disso.

— Eu só pensei que...

— Está tudo bem — disse Cindy, erguendo a palma da mão para calá-la. — Você é uma mulher adulta. Não há necessidade de mentir. Eu sei que você viu tudo no criado-mudo, e você não achou que eu estava só cochilando. Você é inteligente o bastante para juntar dois e dois. Eu pude ver nos seus olhos o quanto você estava assustada.

— Eu não vi nada, madame.

— Você viu, sim. E eu prefiro que você não tente achar que sou boba.

Neni juntou as mãos sobre o colo e começou a esfregá-las. Tirou os olhos do rosto de Cindy e os fixou nos seus próprios pés, largos, saltando das sandálias azuis de tira, voltando-os depois para o rosto de Cindy. — Eu não vi, madame, eu juro... Eu só pensei que a senhora estivesse passando mal, é por isso que hoje de manhã fui acordá-la quando a senhora não acordou no horário normal.

Cindy relinchou e balançou a cabeça.

— Eu realmente sinto muito, madame — Neni continuou, com o olhar suplicante nos olhos de Cindy. — Eu não pretendia descobrir nada.

Cindy mexeu o café com a colherzinha de prata e a pousou sobre o pires. A brisa do mar que Neni desfrutara naquela manhã não estava mais relaxante, tinha se tornado um incômodo na medida em que ganhava força e soprava suas tranças contra sua face.

De forma lenta e deliberada, Cindy tirou os óculos escuros, os pôs sobre a mesa e olhou nos olhos de Neni.

— Você provavelmente olha para mim — disse ela — e pensa que eu vim de uma vida como esta. Provavelmente acha que eu nasci com todo este dinheiro, certo?

Neni não respondeu.

— Bem, não nasci — Cindy prosseguiu. Eu venho de uma família pobre. Um família muito, muito pobre.

— Eu também, madame.

Cindy balançou a cabeça.

— Não, você não entende — disse. — Ser pobre para vocês na África é tudo bem. Lá a maioria de vocês é pobre. A vergonha de ser pobre não é tão ruim para vocês.

Neni fechou os olhos e assentiu, como se entendesse e concordasse completamente.

— Aqui, é vergonhoso, humilhante, muito doloroso — Cindy continuou, olhando ao longe, para além das árvores. — Esperar junto com os sem-teto para entrar nas filas de sopão. Morar numa casa mal aquecida no inverno. Comer arroz e carne enlatada em quase toda refeição. As pessoas tratando você como se fosse uma espécie de... — Uma lágrima solitária escorreu por sua bochecha direita. Ela a limpou com o indicador. — Você não tem ideia de tudo que eu já aguentei.

— Não, madame.

— Eu nunca vou esquecer a noite em que disse à minha mãe que queria camarão com legumes para o jantar. Tamanho luxo, como é que eu me atrevia a pedir? Ela me deu um tapa e me mandou para a cama com fome. Esse era o jeito dela. Um tapa ou um lembrete de que eu não passava de um pedaço de merda.

Cindy limpou a garganta.

Neni olhou para baixo, para suas mãos, depois para o rosto de Cindy.

— Mas eu saí daquilo tudo, como você pode ver. Eu batalhei, fiz faculdade, consegui um emprego, meu próprio apartamento, aprendi a me comportar bem e me encaixar sem esforço nesse mundo novo, para que nunca mais fosse olhada de cima para baixo, ou vista como um pedaço de merda. Porque eu sei o que sou, e ninguém pode jamais tirar as coisas que consegui por mim mesma.

— É verdade, madame.

Cindy pegou a colherzinha e mexeu o café novamente. Voltou a pousá-la e olhou para Neni, que agora estava com os olhos baixos.

— Por que estou lhe contando isso, Neni? — ela indagou.

— Eu não... eu não sei, madame — respondeu Neni, a voz baixa e carregada de medo.

— Estou lhe contando isso porque quero que você saiba de onde eu vim e por que luto todo dia para permanecer aqui. Para manter a minha família unida. Para ter tudo isto. — Estendeu o braço e apontou a casa e a piscina e o quintal. — Estou lhe contando isto — prosseguiu, os olhos fixos no rosto de Neni — porque quero que você nunca conte a ninguém o que aconteceu ontem.

— Eu juro, madame, sobre o túmulo da minha avó, que nunca vou contar a ninguém.

— Você é mulher, Neni. É esposa, mãe, como eu. Estou lhe pedindo para me fazer essa promessa não de empregada para patroa, mas de mulher para mulher, como alguém que sabe como é importante proteger a família.

— Eu juro, madame, prometo para a senhora, de mulher para mulher.

Cindy pôs a mão direita aberta sobre a mesa, e Neni pôs a sua mão por cima.

— Obrigada, disse Cindy, dando seu primeiro sorriso do dia e apertando a mão de Neni.

Neni retribuiu o sorriso.

— Você é uma boa mulher.

Neni baixou a cabeça e assentiu. Cindy soltou sua mão. Neni levantou-se e começou a ir de volta para a cozinha.

— Aliás — disse Cindy — que número de roupa você usa? Quer dizer, quando não está grávida.

Neni deu alguns passos de volta na direção de Cindy.

— Tamanho 38, madame — respondeu.

— É maior que eu — disse Cindy, ainda com o sorriso na face — mas eu acho que você pode dar um jeito. Tenho algumas coisas que eu ia mandar para um brechó.

— Ah, sim, madame, obrigada. Eu vou aceitar. Sei reformar roupas. Obrigada...

— São peças boas, de estilista — disse Cindy, cruzando as pernas e pegando seu iPhone. — Vestidos e outras coisas. Não sei se fazem o seu estilo, mas você pode pegar tudo.

— Obrigada, madame! Vou pegar sim. Elas vão virar o meu estilo. Muito obrigada.

— E tenho também algumas coisas para o seu filho. As roupas e brinquedos velhos do Mighty. Você pode pegar tudo quando sair.

— Ah, madame, estou tão contente. Nem sei como agradecer.

— E me lembre da sua gratificação antes de ir embora. Você vai precisar de um dinheiro extra para o bebê.

— Vamos, sim, madame, vou precisar sim! — Neni cantou, pondo a mão no peito, depois na barriga. — Muito, muito obrigada, madame. Eu estou muito agradecida.

Cindy olhou para a mulher radiante e sorriu de novo.

Neni sorriu de volta para ela.

Tinham encontrado uma solução em que todo mundo saía ganhando.

Vinte

Liomi sentou-se ao seu lado no banco do passageiro, escorregando para o chão sempre que avistava um carro de polícia. Quando certa manhã uma mulher branca ressaltou que era ilegal uma criança da idade de Liomi viajar no banco da frente do carro, Jende graciosamente respondeu que sim, era mesmo, ele sabia, muito obrigado, madame.

Pai e filho iam dormir juntos toda noite no dormitório que dava de frente para uma agência funerária, às vezes ao som das lamúrias e blasfêmias dos enlutados. Acordavam de manhã com o corpo coberto de suor, o fraco ventilador tendo trazido pouco alívio para o calor de pleno verão. Depois de tomar banho, comiam banana-da-terra madura frita com ovos, Jende sempre obrigando Liomi a comer pelo menos uma banana inteira e dois ovos, e tomar um copo cheio de suco de laranja. Vestiam-se para o dia juntos, pondo jeans e camiseta, Liomi sempre se certificando de usar as mesmas cores que o pai. De barriga cheia e almoço empacotado, iam a pé até a estação do metrô, o pai segurando a mão do filho, e pegavam o trem para pegar o táxi de luxo no Bronx. No metrô, sentavam-se lado a lado, a mão de Liomi sempre na de Jende. Depois de quatro horas pegando e deixando passageiros, paravam para o almoço — a comida que Neni cozinhara e congelara — e comiam no banco traseiro do carro. Para o jantar, iam dia sim dia não a um dos restaurantes africanos na rua Cento e Dezesseis, onde pediam *attiéké* com carneiro grelhado, sua refeição predileta em todos os restaurantes. Às vezes, depois de terminarem de comer, compravam sorvete numa loja na rua Cento e Quinze e desciam o Malcolm X Boulevard de mãos dadas tomando o doce. Eram dias perfeitos para Jende, quase celestiais, e mesmo que sentisse falta da esposa, ficava feliz por estar sozinho com o filho.

— Papai? — Liomi disse uma noite enquanto jantavam num restaurante ao lado do metrô na rua Cento e Dezesseis.

— Hein?

— É verdade que nós vamos voltar para Camarões?

Jende parou de mastigar. Pôs no prato o bolinho de *attiéké* que segurava na mão direita.

— Quem disse que vamos voltar para Camarões? — perguntou, mantendo a voz baixa para não chamar atenção, mas arregalando os olhos para mostrar a Liomi o quanto ele despertara sua raiva.

— Ninguém, papai — Liomi respondeu, evitando seu olhar.

— Então por que está me perguntando?

— Por nada, papai — o menino respondeu. — Só ouvi a mamãe dizendo isso no telefone.

— A mamãe disse isso, é? Para quem?

— Não sei, papai.

— Quando foi que ela disse?

— Papai, eu não...

— Você não o quê? Por que você estava escutando a conversa da sua mãe?

O menino ficou mudo, a pequena boca coberta com os grãos brancos de *attiéké*. Ao lado deles, o homem calvo comendo *thiebou djeun* tinha parado de comer para observar o pai, punhos cerrados sobre a mesa, e o garoto de sete anos que parecia prestes a sair correndo de terror.

— Nós não vamos voltar para Camarões, você está ouvindo?

— Sim, papai.

— Você nunca vai voltar para Camarões, está ouvindo?

— Estou ouvindo, papai.

— Acabe a sua comida.

De volta ao apartamento, Jende telefonou para Neni e, sem fazer perguntas, a repreendeu impiedosamente por expor Liomi à dor deles.

— Como você ousou mencionar isso na frente dele?

— Eu não sabia que ele estava escutando.

— Você não precisa saber nada, Neni. Você não precisa saber quem está escutando o que você diz. Você só precisa aprender a calar a boca às vezes.

— E daí se ele souber? Se o juiz da imigração decidir nos mandar de volta para casa nós vamos fechar os olhos dele para ele não saber que o estamos levando de volta para Camarões?

Jende golpeou a beirada da cama e se levantou, incapaz de acreditar nas palavras da esposa.

— Ei, Neni — berrou. — É isso que você pensa? Você pensa que devemos dizer a uma criança que o pai dela pode ser deportado? Você quer que Liomi saiba o que está acontecendo *comigo*?

Neni não respondeu. Era a primeira vez que ele berrava com ela tão alto, a primeira vez em quase vinte anos, desde que eram adolescentes na Escola Abrangente Nacional.

— Bubakar nos prometeu que ficaremos aqui durante anos mesmo que as coisas não acabem do jeito que queremos. Você sabe disso! Você sabe que ainda temos muitos anos neste país. Não sabe disso?

— Eu sei o que ele disse.

— Então por que você sai por aí falando como se fôssemos embora o mês que vem?

— Ninguém sabe o futuro. Qualquer coisa pode acontecer. Você sabe disso.

Jende sentou-se e fechou os olhos, balançando a cabeça. Por um momento não soube o que dizer à esposa.

— Você está dizendo isso porque acha que vou ser deportado? — perguntou. A voz baixa e infeliz, saturada de angústia. — Hein, Neni? É por causa disso que você está falando comigo desse jeito?

— Não, *bébé*, por favor — disse Neni, constrangida pelo sofrimento que estava involuntariamente causando ao marido, de súbito óbvio em sua voz. — Não é isso que estou dizendo.

— Então o que você está dizendo?

— Não estou dizendo nada, *bébé*. Sinto muito. Eu nem sei o que estava tentando dizer.

— Por que você está fazendo eu me sentir tão mal?

— Eu realmente sinto muito, *bébé*. Você sabe o que é melhor para nós. Não vou mais falar nisso quando Liomi estiver em casa.

— Simplesmente pare de falar nisso! Não há nada para se falar. Eu vou conseguir o *green card*!

— Vai sim, *bébé* — Neni respondeu, a voz rachada. — É só que às vezes eu tenho tanto medo, e quero conversar sobre isso com a minha irmã. Eu não quero voltar a Limbe, *bébé*. Não quero nem imaginar o que vai acontecer se...

— Eu também tenho medo, Neni. Você pensa que eu não tenho? Mas o que o medo faz pela gente? Nós temos que ser fortes e proteger Liomi.

— Você tem razão.

— Não podemos andar por aí preocupados com o que o juiz vai decidir. Simplesmente temos que seguir vivendo.

— Sim, E estamos fazendo isso, não estamos?

— Então, qual é o seu problema?

— Nada... nada. Vou me lembrar de não falar mais. Vamos ficar bem. Eu sinto muito por ter zangado você, *bébé*. Por favor, esfrie a cabeça e descanse. E por favor, não vamos mais falar nisso por telefone. Você sabe o que Bubakar disse sobre as escutas do governo.

Naquela noite Jende foi para a cama amargurado apesar dos pedidos de desculpas de Neni, zangado por ela expor imprudentemente o filho a inverdades daninhas e mais zangado ainda consigo mesmo por todos seus fracassos na vida. Fez Liomi dormir sozinho na pequena cama, não querendo afagos com uma criança que um dia poderia decepcionar. Mas na manhã seguinte, ao acordar, Liomi estava ao seu lado, as mãozinhas sobre a barriga do pai. Jende olhou para a carinha redonda coberta de suor e soube que não tinha escolha a não ser achegar-se ao menino e aproveitar o resto do seu verão pai-e-filho.

Nessa noite eles assistiram a um concerto de música clássica no St. Nicholas Park e escutaram um pianista cego executando uma peça tão triste que logo turvou os olhos de Jende. Na tarde seguinte, ávido para vivenciar mais do que um verão em Nova York tinha a oferecer aos que não tinham possibilidade ou vontade de sair da cidade, abriu mão do dinheiro que poderia ganhar no Bronx e levou o filho para nadar numa piscina pública em East Harlem.

— Papai, me mostra como você e o tio Winston costumavam nadar em Down Beach — pediu Liomi, e Jende o fez, exibindo o nado de costas que ele e o primo costumavam fazer nas águas atrás do Jardim Botânico. Depois de completar duas voltas com Liomi assistindo, sorridente, Jende levantou o menino e posicionou suas costas na água para lhe ensinar as braçadas. Observando Liomi rir e bater os braços na água, Jende viu, talvez pela primeira vez, seu filho não só como uma criança mas também como um homem em formação, um rapaz observando e aprendendo com seu pai, um menino que queria seguir os passos do pai e tornar-se um homem como ele em disposição, se não em posses. Nessa noite dormiram juntos como de hábito, o braço de Liomi envolto no pai e a cabeça no peito de Jende. Não tendo nunca sido um homem de preces, Jende fez uma longa oração pelo filho, rogando que ele vivesse uma vida longa e feliz.

Vinte e um

Na metade da permanência de Neni em Southampton, Vince Edwards entrou no seu quarto, pulou sobre a cama que ela tinha acabado de arrumar enquanto ela afofava os travesseiros e pediu que adivinhasse uma coisa.

— Adivinhar o quê? — indagou ela.

— Hoje é o dia — ele respondeu, radiante.

— Dia de...?

— De eu contar para eles.

Neni olhou confusa para o rosto que explodia de alegria.

— Contar o que para quem? — perguntou, tentando imaginar por que Vince presumira que ela tinha de saber sua novidade.

— Jende não lhe disse...?

— Jende não me disse o quê?

— Não importa — ele respondeu, levantando-se e saindo do quarto.

Horas depois, por volta das cinco da tarde, Vince e Cindy saíram para encontrar-se com Clark para jantar num restaurante em Montauk. Na manhã seguinte Neni não pôs os olhos em Vince e mal viu Cindy, que declinou do seu café da manhã e o almoço, e passou grande parte da tarde ao telefone, implorando a alguém para por favor ser razoável e pensar nas consequências de suas ações. Quando Neni ligou para Jende mais tarde no fim do dia para perguntar o que ele achava que podia estar acontecendo, Jende pediu-lhe que por favor não se metesse nos assuntos das outras pessoas.

— Se você sabe de algo, por que não me conta? — quis saber Neni.

— Se eu lhe contar, o que vai fazer com a informação além de fofocar sobre ela com as suas amigas?

Ela desligou decidida a descobrir a história sozinha. Não podia mais ficar escutando Cindy às escondidas, pois ela tinha saído de casa para dar uma caminhada vespertina na praia, e Mighty só pôde lhe dizer que os pais e Vince estavam brigando — sua mãe não queira lhe contar o motivo, e Vince tinha voltado para a cidade. Quando Mighty telefonou para Vince para perguntar por que sua mãe estava tão aborrecida, Vince disse que conversariam sobre isso logo que Mighty retornasse à cidade, já que era difícil explicar certas coisas por telefone.

Entretanto, duas noites depois, Neni não precisou mais ficar imaginando: depois de preparar o salmão salteado com batatas ao forno para Mighty — mais *puff-puff*, que Mighty lhe pedira quando ela contou que era aquilo que ela e seus irmãos comiam pela manhã enquanto iam a pé para a escola —, jogar videogame com ele e mandá-lo para a cama, foi até seu quarto para ler um capítulo do livro didático do curso de psicologia social para o qual se matriculara no semestre de outono. Imersa num capítulo sobre persuasão, inicialmente não notou as vozes aumentando de volume na cozinha. Foi só depois de uns três minutos, quando as súplicas e acusações pareceram ter chegado a um crescendo, que ela percebeu que eram o sr. e a sra. Edwards berrando na cozinha depois de voltarem para casa de um casamento.

Saiu da cama, foi pé ante pé até a base da escada no porão, e encostou na porta pressionando o ouvido contra ela.

— Não! — Neni ouviu Clark berrar. — Você pode voltar para ela e trabalhar na sua longa lista de queixas se quiser, mas eu não vou a lugar nenhum.

— Você prefere ver a sua família se desmanchar? — Cindy berrou de volta, a voz trêmula. — Você prefere isso em vez de consultar uma terapeuta e admitir que tem problemas que estão destruindo a sua família?

— É, vamos focar nos meus problemas, porque você não tem nenhum.

— Eu não sou a razão de seu filho estar se mudando para a Índia! — chorou Cindy.

— Você acha que Vince está se mudando para Índia por minha causa?

— Ele está se mudando para a Índia porque está infeliz, Clark! Ele está extremamente infeliz...

— Por minha causa?

— Porque não conseguimos dar a ele uma vida feliz! Porque tudo que ele quer é sentir-se feliz na sua própria família e nós não conseguimos nem isso. Será que você não enxerga?

— Besteira.

— O que é besteira?

— Besteira é toda essa sua porcaria de se sentir responsável pela felicidade do Vince — Clark berrou, em meio ao som da porta da geladeira se abrindo e fechando com uma batida forte. — Ele é um adulto. É responsável pela sua própria felicidade. Não posso fazer nada se ele quer ser um idiota e jogar fora uma vida perfeitamente boa. Não posso fazer *nada* em relação a isso!

Por vários segundos permaneceram em silêncio. Neni fechou os olhos e balançou a cabeça, insegura em relação a qual dos dois deveria sentir mais pena. Imaginou que Clark devia estar zangado, tomando vinho ou cerveja direto da garrafa, enquanto Cindy chorava baixinho.

— Você se importa? — Neni ouviu Cindy dizer, a voz trêmula, agora mais baixa porém mais triste. — Você dá alguma importância para quanto está nos magoando?

— Certo. Claro! Trabalhando duro para dar esta vida à minha família. Que horrível da minha parte. Fazendo tudo para assegurar...

— Você não está fazendo tudo! Você nunca fez tudo! Até você entender que a família deve vir sempre em primeiro lugar...

— Há momentos em que a carreira deve ter prioridade.

— Nunca houve um momento em que este casamento teve prioridade para você. Nunca houve um momento em que esta família teve prioridade para você! Nem uma única vez! É por isso que você tem medo de nós voltarmos para terapia; você não quer ver o quanto é egoísta e insensível!

— O que você quer de mim, Cindy? — Clark berrou tão alto que Neni sentiu as paredes vibrando. — Diga o que você quer de mim!

— Eu só... eu quero — Cindy chorava. — Eu quero... eu quero que nós... eu quero que os meninos sejam felizes, Clark... Isso é tudo que eu quero... que nós sejamos... que a minha família seja...

Neni ouviu passos se afastando, e soube que era Clark Edwards deixando sua esposa chorar sozinha na cozinha. Ouviu uma batida e um lamento, e visualizou Cindy escorregando do balcão para o piso. Imaginou-a sentada sozinha, chorando no piso frio da cozinha.

Neni afastou a cabeça da porta e recostou-se contra o corrimão. Deveria fazer alguma coisa? Seria apropriado? O que podia fazer além de ir até a cozinha e ver como podia ajudar Cindy?

Abriu a porta delicadamente e em silêncio entrou na cozinha, receosa de assustar Cindy, que estava sentada onde Neni havia imaginado. Ela gemia devagar com a cabeça baixa, tão perdida em seu sofrimento que não notou Neni indo na sua direção. Só quando ela se acocorou ao seu lado, Cindy ergueu o rosto vermelho de chorar, olhou Neni nos olhos, e começou a chorar novamente.

— Lamento muito, madame — Neni sussurrou. — Eu só... só queria ver se posso fazer alguma coisa para a senhora se sentir melhor.

Cindy, de novo com a cabeça baixa, assentiu e fungou. Neni levantou--se, a mão segurando a barriga, e agarrou a caixa de lenços de papel sobre o balcão da cozinha. Sentou-se ao lado de Cindy e ofereceu-lhe um lenço da caixa, que Cindy pegou, assoou o nariz e começou a chorar no lenço.

— Espero que a senhora e o sr. Edwards resolvam tudo logo, madame.

— Ele acha... ele acha que tem o direito — Cindy se lamuriou, pouco mais do que um sussurro. — Todo mundo... eles todos acham que têm o direito de me tratar como bem querem.

Neni assentiu, lutando para ignorar o cheiro de álcool que saía da boca de Cindy junto com as palavras. Sua garganta parecia ressecada, e as palavras saíam aos trambolhões numa voz pastosa, evidência para Neni de que a madame tinha tomado mais taças de vinho do que podia aguentar.

— Posso lhe servir um pouco de água, madame? — ofereceu Neni.

Cindy fez que não com a cabeça e pediu uma taça de vinho, que Neni depressa pegou e retornou à sua posição agachada.

A madame deu um gole, chorando enquanto engolia.

— Todo mundo... eles acreditam que podem me tratar... de qualquer jeito... de qualquer maneira...

Neni assentiu novamente, a caixa de lenços de papel nas mãos.

— Primeiro foi o meu pai... ele achava que tinha o direito, sabe? — Cindy disse. — Arrastar a minha mãe até aquela casa abandonada... forçá-la... fazer com ela à força... não dar a mínima para... não se preocupar um segundo com o que aconteceria com a criança...

Fungou, tomou outro gole de vinho e chorou.

— E o governo... o nosso governo — ela gemeu, a voz pastosa, lágrimas correndo pelo rosto, catarro escorrendo pelo nariz. — Eles tinham o direito, também. Obrigar a minha mãe a carregar o bebê de um estranho. Obrigá-la a dar a luz a essa criança porque... porque... eu não sei por quê.

A garganta de Neni se retesou com a visão da mulher devastada com suas pérolas, embora confusa sem saber a que criança Cindy estava se referindo.

— Eu odiava ela... mas quem poderia culpá-la? Ela também achava que tinha direito... era direito dela. De me bater, e me xingar, e me chamar de gorda... porque toda vez que olhava para mim, era lembrada... eu era um lembrete... do que ele tinha feito com ela... Mas por quê? O que foi que eu fiz? Nunca é culpa da criança... nunca é culpa de um inocente...

Neni desviou o olhar enquanto Cindy pegava a taça de vinho do chão e dava um longo gole. A compreensão de quem era a criança viera tão subitamente que suas sobrancelhas se ergueram, e os olhos se arregalaram, e ela precisou se conter para não tapar a boca com a mão. Manteve o rosto virado para o outro lado, esperando que Cindy não tivesse reparado no seu olhar, sem querer encarar demais a montoeira molhada e digna de pena em que a madame se transformara. O que ela devia dizer a Cindy agora? Não podia lhe dar um abraço para exprimir sem palavras o que queria dizer, então tinha de dizer algo. Mas o que podia dizer em relação a uma confissão embriagada sobre o insuportável jogo de uma vida concebida em violência? O que podia dizer acerca de coisas sobre as quais nunca refletira?

— E agora Clark também tem o direito — Cindy prosseguiu com a voz trêmula, olhando o vazio à sua frente. — Ele tem todo... todo e qualquer direito de me amar muito menos do que ama seu trabalho. Ele tem todo o direito de me jogar de lado, me pegar quando convém a ele... E Vince... — Ela puxou outro lenço, pressionou contra o rosto, e começou a berrar histericamente. — Agora Vince, também! Ele pensa... que tem todo o direito de me abandonar mesmo que... mesmo que eu tenha sido uma mãe perfeitamente boa... mesmo que eu nunca tenha abandonado a minha mãe... mesmo depois de todos esses anos de...

Seus ombros sacudiam e Neni, ainda incerta de qual seria a melhor coisa a fazer, pôs a caixa de lenços no chão e cautelosamente colocou uma mão no ombro direito de Cindy e começou a esfregá-lo. Os gritos de Cindy ficaram mais altos enquanto Neni esfregava seu ombro delicadamente, ao mesmo tempo pensando no que mais podia fazer para ajudar a madame. Precisava chamar alguém para vir logo que possível. Mas quem? Não Clark. Não Vince. Talvez Cheri ou June — seus números estavam na porta da geladeira. Mas que motivo daria para ligar à meia-noite? Contar que Cindy, totalmente embriagada, não conseguia parar de chorar? Contar que não sabia o que dizer ou fazer para Cindy se sentir melhor?

— Sinto muito, madame — Neni sussurrou. — Sinto tanto pelo que seu pai fez.

Cindy continuou a chorar, os ombros tremendo em sintonia com os sons que emitia.

— A polícia o pegou, madame?

Cindy fez que não com a cabeça.

— Talvez... talvez a senhora pudesse procurar por ele, madame? Talvez se...

— Eu ando pela rua... todo dia fico olhando... olhando qualquer homem que se pareça comigo... Fico me perguntando, será que poderia ser ele? Minha mãe me disse que devo ter a cara hedionda dele porque não sou nada parecida com ela... E eu fico andando por aí com esta cara, a cara de um monstro... e ninguém sabe, ninguém sabe o quanto dói! Vince não tem a menor ideia de quanto dói!

— Sinto muito sobre Vince, também, madame — disse Neni.

Cindy pegou sua taça de vinho e entornou o que restava. Neni continuou a esfregar seu ombro enquanto permaneciam sentadas em silêncio, o único ruído na cozinha era o som dos eletrodomésticos funcionando. O chão se aquecera onde estavam sentadas.

— Eu não quero que ele se mude para a Índia — disse Cindy, uma firmeza aparecendo lentamente em sua voz. — Mas apoiá-lo, não é isso que é difícil para mim. Eu posso reunir forças para apoiar o meu filho mesmo que não seja o que eu quero. Mas o jeito como ele me machuca... como ele de repente se acha dono da verdade porque encontrou a espiritualidade, é isso que me machuca mais. Eu disse a ele, se você se importa com as pessoas, com mudar o mundo, que tal arranjar um emprego na Fundação Lehman Brothers? Clark poderia ajudá-lo a conseguir isso, mas, ah, não, que ideia ridícula! Ele me perguntou, será que eu acho mesmo que o objetivo da Fundação Lehman é fazer do mundo um lugar melhor? Será que eu sei o que o Lehman Brothers faz? Eu tenho noção de como as corporações estão destruindo o mundo? Eu tentei entender a raiva dele... Não consigo. O que ele tem contra ser rico? Por que pessoas boas que trabalham duro devem se sentir mal em relação ao seu dinheiro só porque outras pessoas não têm tanto? Numa época éramos amigos... meu filho e eu, éramos bons amigos. Ele encontrou a Verdade, e agora eu sou ingênua, tenho a mente fechada, sou materialista, perdida. O único meio de eu poder ver a luz é primeiro perder o meu ego.

Cindy suspirou e inclinou a cabeça, como se tentasse se livrar de uma dor intolerável no pescoço.

— Eu disse a ele, tudo bem, vá... vá buscar essa Verdade e Unidade... Eu quero que você seja feliz. Mas em vez de ir até a Índia, que tal algum retiro aqui mesmo nos Estados Unidos... talvez algum lugar do qual ouviu falar no Novo México? Seguramente a Verdade também deve estar presente aqui, não? Que tal ir a alguma escola em algum lugar perto de um centro de retiro? Eu só... eu não consigo suportar a ideia de ele estar longe. Se alguma coisa acontecesse com ele, isso... isso me mataria.

Vinte e dois

Ela retornou dos Hamptons com muito mais roupas de estilistas do que jamais imaginara ter; sapatos e acessórios, também. Cindy lhe dissera para pegar tudo que quisesse do grande depósito no sótão porque o que não pegasse ela doaria a instituições de caridade, então Neni alegremente cedera, levando uma velha valise Louis Vuitton de alça com o zíper quebrado, atulhando-a como amendoim torrado numa garrafa de licor, e amarrando-a para fechá-la com uma de suas blusas. Atravessando a Penn Station e as ruas do Harlem tivera de parar pelo menos uma dúzia de vezes para descansar do peso da Louis Vuitton no ombro direito, a grande sacola de papel pardo cheia de roupas e brinquedos para Liomi no ombro esquerdo, e sua mala de rodinhas numa mão, e mais roupas e brinquedos para Liomi na outra.

— Você teve que sofrer desse jeito só por causa de umas roupas de graça? — Jende perguntou mais tarde nessa noite, rindo, depois de que ela lhe contou como fora difícil ajeitar-se com todas as sacolas enquanto o bebê não parava de chutar.

— O que você quer dizer com "só por causa de umas roupas de graça?" — ela disse. — Estas não são apenas roupas grátis, *bébé*. Você sabe quanto essas coisas custam?

Jende riu com desdém, dizendo que não dava importância. Roupas eram roupas, disse, não importava quanto custassem ou o nome de quem vinha impresso nelas. Mas Betty não riu com desdém — Betty entendia que havia uma inegável diferença entre os estilos e as auras de Gucci e Tommy Hilfiger; ao contrário de Jende, sabia que todas as roupas de marca não eram criadas da mesma maneira, mesmo que fossem feitas do mesmo tecido pela mesma máquina.

— Você anda pela rua vestindo esta blusa Valentino! — Betty exclamou, olhando a etiqueta de uma blusa de seda branca quando veio visitar Neni alguns dias após seu regresso.

— Você pode imaginar? — disse Neni.

— Mas você não pode usar isto só andar pela rua.

— Nunca na vida. Uma coisa dessas? Eu nem sei quando vou vesti-la. Talvez numa festa de casamento. Ou talvez eu a guarde para ser enterrada com ela quando morrer.

— Então me deixe vesti-la no seu lugar agora, hein? — Betty disse, rindo e ajeitando a blusa contra o peito. — Vou combinar com uma saia de couro e botas de salto alto, e trazê-la de volta logo que souber que você morreu para que possa ser...

— Eu imploro, me dê a minha blusa de volta, sua maluca! — disse Neni, rindo e tomando a blusa das mãos de Betty. Postou-se diante do espelho de corpo inteiro na porta do quarto, pôs a blusa contra o peito, e sentiu a fina seda e os delicados botões.

— Aquela mulher deve ter realmente gostado de você, hein? — comentou Betty.

— Gostado de mim por quê?

— Para dar todas essas coisas.

Neni deu de ombros ajoelhou-se ao lado da valise Louis Vuitton para reempacotar as coisas que haviam tirado para admirar.

— Ela não gostou de mim coisa nenhuma — disse enquanto dobrava os vestidos e as blusas. — Eu fiz o que ela queria que eu fizesse, e me pagou com dinheiro e roupas.

— Mesmo assim...

— Não é que ela algum dia fosse usá-las. Você devia ter visto os closets dela. Eu nem imaginava que alguém pudesse ter tantas roupas e sapatos numa só casa.

— Eu teria pegado um ou dois pares de sapatos.

— Não, não teria — rebateu Neni, zombando do blefe de Betty.

— Sim, teria — Betty insistiu, arregalando os olhos e rindo. — Talvez também uns jeans Calvin Klein e DKNY, se conseguisse enfiar esta montanha que é a minha bunda dentro deles. Como ela saberia que tem algo faltando se tem tanta coisa?

— Ela nunca saberia. Como é que alguém pode saber se um dos seus cinquenta pares de sapatos sumiu? E eu não estou dizendo cinquenta por acaso. Eu juro, Betty, parei no closet de sapatos e contei. Cinquenta!

— Mais outros cinquenta ou cem no apartamento dela em Manhattan.

— Tenho certeza que sim.

— E ainda assim ela é tão infeliz — disse Betty com um suspiro. — Realmente, dinheiro não é nada.

— Ela tem seu próprio tipo de sofrimento que nós nunca vamos entender — disse Neni, levantando-se do chão para sentar-se na cama ao lado de Betty. — E ela está tentando encobrir o sofrimento o melhor que pode, o que não é fácil...

— Seu pai foi um estuprador, você não sabe o nome dele, não conhece a cara dele. Que tipo de dinheiro vai ajudar você com essa espécie de problema? Você nem mesmo sabe se ele é negro ou branco ou espanhol.

— Ah, Betty, não exagere. O pai dela tem que ser um homem branco.

— Você está dizendo isso porque conhece o homem?

— A mulher é branca!

— É isso que você pensa, hein? Posso entrar com você agora na internet e lhe mostrar no Google. Um monte de gente branca, todo mundo pensando que eram brancos, e aí um dia descobrem que alguém era negro; o pai, o avô...

— Ah, tanto faz. Não acho que uma coisa dessas é o que vai incomodá-la mais.

— Mas incomodaria a mim. Se algum dia eu descobrisse que não sou cem por cento negra... — Betty arqueou o lábio para baixo, balançou a cabeça, e Neni riu.

— Você não precisa jamais se preocupar com isso — disse Neni. — Com a sua pele de carvão e essa montanha de bunda, não há como haver alguma coisa dentro de você exceto sangue africano.

— A inveja vai matar você — revidou Betty, rindo enquanto se virava de lado para dar palmadinhas nas nádegas para enfatizar a beleza do seu tamanho. — Falando sério — continuou — eu não sei o que faria se meu pai fosse...

— Eu também não sei o que faria. Teria medo de ser uma maldição, porque isso é uma maldição, certo? Você é uma bastarda, e além do mais, todo mundo sabe que o seu pai era um estuprador.

— *Kai!* Não é de admirar que mulher beba. Você a viu de novo daquele jeito?

— Como naquele dia? Não, graças ao Deus Pai. Mas eu vi um frasco de remédios vazio no lixo do banheiro de hóspedes. O mesmo daquele dia.

— Eram analgésicos, certo?

Neni deu de ombros.

— Não sei.

— Deviam ser analgésicos. Eu estava lendo sobre isso no meu curso de farmacologia...

— Sei, agora que você tomou uma aulinha de farmacologia, acha que sabe tudo sobre drogas. Por que você simplesmente não vai em frente e abre uma farmácia?

— Não tenha tanto ódio, garota — Betty disse simulando o sotaque americano. — Você vai poder fazer o curso quando estiver pronta. Mas eu juro, deve ter sido algo desse tipo, algum tipo de analgésico.

— Por causa de quê?

— O que você quer dizer com "Por causa de quê?". Não foi você que me disse como ela estava quando a encontrou com o remédio e o vinho? Eu já tomei analgésico, sei como essas coisas podem...

— Não — disse Neni, sacudindo a cabeça. — Eu também estava pensando isso, que talvez fossem drogas ruins, mas...

— Mas o quê?

— Mas e se ela estava doente?

— Doente de quê? Se ele estava só doente, por que pediu para você não contar para ninguém?

— Não sei; a coisa toda com aquela mulher só me deixa confusa.

— Então por que você está discutindo comigo? Posso lhe mostrar o capítulo no meu livro didático. Ela toma o analgésico, depois mistura com vinho... Essas mulheres, elas começam a tomar pílulas para alguma dor no corpo, e aí faz com que elas se sintam bem, aí tomam mais, e mais...

— Mas eu já tomei Tylenol — disse Neni com uma risada — e não senti nada de especial.

— Tylenol não é o mesmo tipo de coisa, ô sua caipira — Betty disse, rindo também, e imediatamente assumindo um tom mais sério. — Eu estou falando de analgésicos que precisam de receita, para alguma dor realmente ruim, do tipo que tive quando... Eles me deram um pouco no ano passado no Roosevelt. Vicodin e...

— Era esse o nome no frasco! Vicodin. Espere aí, não tenho certeza se era...

— Deve ter sido — disse Betty, levantando-se para dobrar a echarpe Burberry e o maxivestido Ralph Lauren que Neni lhe dera das coisas de Cindy. — Eu me sentia melhor toda vez que tomava. Mesmo com tudo que estava passando...

— Mas você não o teria comido como um doce, do jeito que parece que a sra. Edwards os engole.

— É isso que você acha? Não tenha tanta certeza, não. O hospital só deu um estoque para dez dias, mas se eu tivesse um jeito, teria arranjado mais. Talvez para mais uma semana. Aquela coisa me fazia sentir tão melhor, mas neste país os médicos têm muito medo de viciar. A sra. Edwards deve conhecer alguém que arranje para ela, talvez uma amiga que seja médica, ou uma farmacêutica. Ou às vezes elas compram de outras pessoas... Só me pergunto quantas ela está tomando por dia.

Vinte e três

Sempre que Clark estava no carro — de manhã, à tarde, à noite —, berrava com alguém, discutia sobre alguma coisa, dava ordens do que devia ser feito o mais rápido possível. Ele parecia zangado, frustrado, confuso, resignado. Este lugar está uma bagunça, Leah dizia a Jende sempre que falavam ao telefone. Ele está ficando doido, gritando comigo e me deixando doida, eles estão todos ficando doidos, eu juro que parece que alguma merda doida está devorando todo mundo. Jende dizia-lhe que realmente lamentava o quanto estava sendo ruim para ela e lhe garantia repetidamente que não sabia nada além do que ela já sabia pelos memorandos que Tom estava mandando para os empregados do Lehman, memorandos nos quais lhes dizia que a empresa estava passando por uma fase um pouco difícil mas que deveriam dar a volta por cima em pouco tempo. A situação de Leah entristecia Jende, o fato de ela estar se apegando a um emprego que a deixava infeliz porque ainda lhe faltavam cinco anos para poder receber os benefícios da Previdência Social. Incomodava-o que ela não pudesse largar o emprego ainda que sua pressão sanguínea estivesse subindo e o cabelo caindo e ela só tivesse três horas de sono por noite, mas não era sua função contar a ela qualquer coisa que Clark dissesse. Ou fizesse. Não podia lhe contar que Clark às vezes dormia no escritório, ou algumas noites ia ao Chelsea Hotel para compromissos que muitas vezes não duravam mais do que uma hora.

Não podia lhe contar que depois desses compromissos Jende geralmente levava o patrão de volta para o escritório, onde Clark provavelmente continuava trabalhando mais algumas horas, tendo liberado a sua tensão. Seu dever, ele sempre lembrava a si mesmo, era proteger Clark, não Leah.

— Aonde vamos, senhor? — Jende perguntou na última quinta-feira de agosto, segurando a porta aberta diante do Chelsea Hotel. O compromisso de Clark naquele dia havia durado exatamente uma hora, mas ele retornara ao carro ainda com aparência cansada, o rosto rigidamente tomado por uma perpétua exaustão. Era como se o compromisso tivesse sido apenas parcialmente efetivo.

— Hudson River Park — Clark respondeu.

— Hudson River Park, senhor? — indagou Jende, surpreso com o fato de a resposta não ter sido o escritório.

— Sim.

— Qualquer ponto do parque, senhor?

— Vá na altura das ruas Dez e Onze. Ou em algum lugar perto do cais.

— Sim, senhor.

Jende deixou Clark no fim da Christopher Street e o observou atravessar a West Side Highway até o píer, os ombros já magros envergados sob o peso do calor e do sol.

— Onde você está? — ele ligou perguntando por Jende dez minutos depois.

— Na mesma área, senhor — Jende respondeu. — Dei ré e estacionei numa boa vaga que apareceu atrás de mim.

— Escute, por que você não vem aqui juntar-se a mim? Não há necessidade de você ficar sentado no carro.

— No píer, senhor?

— Sim, estou sentado bem aqui na beirada. Venha encontrar-se comigo aqui.

Jende trancou o carro e se lançou pela avenida na direção do píer, onde encontrou Clark sentado num banco, sem paletó, o rosto voltado para o céu. Quando Jende chegou ao banco, percebeu que os olhos de Clark estavam fechados. Ele parecia estar encontrando alívio na exuberante brisa soprando em sua direção; pela primeira vez em meses, parecia relaxado enquanto o vento despenteava seus cabelos e banhava sua fronte. Jende ergueu os olhos para o céu vazio, que não tinha a menor semelhança com o ar espesso sob ele. Em alguns dias agosto teria terminado, e a umidade ainda era densa, embora para ele fosse gostoso, o mormaço misturado com o vento soprando sobre o rio rumando para o Atlântico.

No banco, Clark puxou o ar. E expirou. E de novo inspirou, e expirou. Mais uma vez, e mais outra. Durante cinco minutos, Jende permaneceu ao seu lado aguardando, tendo o cuidado de não se mexer e perturbá-lo.

— Você está aqui — Clark disse quando finalmente abriu os olhos. — Sente-se aí.

— Jende sentou-se ao lado de Clark, e também tirou o paletó.

— Lindo, hein? — disse Clark enquanto observavam o rio Hudson, nem de longe tão comprido, mas em cada centímetro igualmente decidido e seguro, quanto o Nilo e o Níger e o Limpopo e o Zambeze.

Jende assentiu, embora confuso, sem saber a razão de estar ali, sentado num banco num píer, fitando um rio com seu patrão.

— É muito bonito, senhor.

— Achei que você ia apreciar, em vez de ficar esperando na rua.

— Obrigado, senhor, estou gostando da brisa fresca. Eu nem sabia que havia um lugar como este em Nova York.

— É um belo parque. Se eu pudesse, viria aqui com mais frequência para assistir ao pôr do sol.

— Gosta de assistir ao pôr do sol, senhor?

— Nada me deixa mais relaxado.

Jende assentiu e não disse nada, embora estivesse achando engraçado que tanto Clark como Vince gostassem do pôr do sol — as únicas pessoas que ele tinha conhecido que eram capazes de desviar do seu caminho para sentar-se na frente de uma massa de água e fitar o horizonte. Perguntou-se se Vince saberia isto acerca do pai, e que diferença faria ele não saber e então descobrir por acaso; como Vince se sentiria diferente em relação ao pai se soubesse que ambos compartilhavam um grande amor por algo que apenas uma pequena porção dos seres humanos fazia um esforço deliberado para ver.

Durante alguns minutos eles ficaram sentados em silêncio, observando o rio fluir preguiçosamente, sem pressa de chegar ao seu encontro com o oceano.

— Tenho certeza de que a esta altura você já sabe que Vince vai se mudar para a Índia em duas semanas — disse Clark.

— Não, senhor, eu não sabia. Índia?

Clark fez que sim.

— Fim da faculdade de direito para ele. Ele quer vagar pelo mundo.

— Ele é um bom rapaz, senhor. Vai voltar são e salvo para cá quando estiver pronto.

— Ou talvez não, por um longo tempo. Tudo bem. Eu não sou o primeiro pai que tem um filho que o desafia e decide que quer levar a vida de uma maneira não ortodoxa.

— Espero que não esteja muito zangado com ele, senhor.

— Na verdade Cindy acha que não estou zangado o suficiente. E isso a deixa zangada, como se de alguma forma eu estivesse desistindo dele porque não o amo o bastante. Mas a coisa é que eu quase o admiro.

— Ele não tem medo.

— Não, e há uma coisa que precisa ser dita sobre isso. Na idade dele, tudo que eu queria era a vida que tenho agora. Exatamente esta vida, era isto que eu queria.

— É uma vida boa, senhor. Uma vida muito boa.

— Às vezes. Mas eu posso entender por que Vince não a quer. Porque atualmente eu também não a quero. Toda essa merda acontecendo no Lehman, toda essa porcaria que nós nunca teríamos feito vinte anos atrás porque significávamos algo mais, e agora essa merda realmente imunda está virando norma. Em toda Wall Street. Mas tente mostrar um pouco de bom senso, fale das consequências, adote uma visão mais de longo prazo, e eles ficam olhando você como se tivesse perdido o juízo.

Jende assentiu.

— E eu sei que Vince tem um ponto, mas o problema não é um sistema ou outro. Somos nós. Cada um de nós. Temos que nos consertar antes de podermos consertar todo um país inteiro. Isto não está acontecendo em Wall Street. Não está acontecendo em Washington. Não está acontecendo em lugar nenhum! Não é que eu esteja dizendo alguma novidade, mas as coisas estão só piorando, e um homem só, ou dois, ou três, não podem consertá-las.

— Não, senhor.

— Mas tudo que tenho, trabalhei duro para ter, e tenho orgulho, e vou lutar até o fim para preservar. Porque quando a vida é boa, é muito boa, e o preço que pago é só uma parte dela.

— É bem verdade, senhor — disse Jende, com um meneio. — Quando a gente se torna marido e pai, paga muitos preços.

— É mais do que o seu dever como marido e pai. É o seu dever com seus pais, também. Seus irmãos. Quando fui para Stanford eu ia estudar física, para me tornar professor como o meu pai. Então vi o que era possível com um salário de professor e o que era possível com um salário num banco de investimentos, e escolhi este segundo caminho. Não ficar sentado aqui e ser uma desses babacas cheios de razão, porque a minha motivação original para escolher esta carreira nunca foi nobre. Não vou dizer que não sonhei com carros esportivos e jatinhos particulares. Mas agora é diferente. Agora significa tudo para mim o quanto estou cuidando bem da minha família. Não importa quanto as coisas fiquem ruins no trabalho, sei que no fim do dia posso mandar meus pais de férias para ver o mundo, pagar toda despesa médica que apareça, garantir que a minha irmã não sofra porque seu marido morreu, garantir que a minha mulher e meus filhos tenham muito mais do que aquilo que necessitam. É isso que Vince não entende. Que você não faz só aquilo que o deixa feliz. Você também pensa nos seus pais.

— Vince não vê este lado seu, senhor. Ele vê um pai que trabalha num banco e ganha dinheiro, mas eu digo a ele, eu digo, os seus pais têm outros lados que você não vê porque é filho deles. É só agora que sou velho que olho algumas coisas que meu pai fazia e compreendo.

— Eu disse a ele. Eu disse, não estou lhe pedindo para ficar na faculdade de direito e virar advogado para ser como eu. Estou lhe pedindo porque sei o que é preciso para ter sucesso neste país. Você tem de se separar do bando com uma boa educação, uma carreira bem remunerada. Li a respeito de sujeitos que achavam que era só diversão e jogos quando eram mais jovens, e olhe para eles agora, mal se aguentando, porque, a menos que você ganhe certa quantia de dinheiro, a vida pode ser brutal. E eu não quero isso para ele, nunca, sabe? Eu não quero nunca isso para o meu filho.

Jende assentiu, olhando ao longe.

Durante vários minutos os homens se mantiveram em silêncio, com o sol descendo um terço sob as torres baixas de Nova Jersey. Assistiram ao astro se pondo lentamente, dando adeus a eles, dando adeus à cidade, até erguer-se novamente atrás do East River para trazer um novo dia com suas promessas e desgostos.

— Uau — disse Jende, hipnotizado pelo que acabara de testemunhar. — Eu sei que o sol nasce e se põe, mas nunca soube que fazia isso com tanta beleza.

— Impressionante, não?

— Senhor — Jende falou após um breve silêncio. — Acho que Vince vai ficar na Índia por alguns meses e voltar correndo para a faculdade de direito.

— Eu não vou ficar surpreso — Clark disse com uma risada.

— Não sei como é a Índia, sr. Edwards, mas se lá houver calor e mosquitos como temos em Camarões, vou buscar ele no aeroporto antes do Ano-Novo.

Os dois riram juntos.

— Eu não vou me preocupar com Vince nem um minuto, senhor. Mesmo se ele ficar, estará feliz. Olhe para mim, senhor. Eu estou em outro país, e estou feliz.

— É um modo de olhar as coisas.

— O homem pode encontrar um lar em qualquer lugar, senhor.

— Gozado, quando eu estava pensando em Vince hoje, escrevi um poema sobre sair de casa.

— O senhor escreve poemas?

— Sim, mas não sou nenhum Shakespeare nem Frost.

Jende coçou a cabeça.

— Sinto muito, senhor — disse por fim. — Ouvi falar um pouco de Shakespeare, mas não conheço o outro homem. Não cheguei tão longe na escola.

— Ambos foram grandes poetas. Só estou dizendo que a minha poesia é só um quebra-galho, mas me faz seguir em frente muitos dias.

Jende assentiu, e pôde perceber que Clark tinha notado que ele também não tinha entendido muito bem esse último ponto.

— O senhor aprendeu a escrever poemas na escola? — indagou.

— Não, na verdade eu comecei só alguns anos atrás. Um colega me deu um livrinho de poesia, que eu achei um presente bastante estranho. Por que alguém haveria de pensar que eu poderia ter algum uso para um livro de poesia? Vai ver foi um desses presentes que a pessoa ficou com preguiça de comprar e simplesmente tirou alguma coisa das suas prateleiras.

— Um presente de Natal, senhor?

— É. Em todo caso eu o deixei sobre a minha mesa, e um dia o peguei e adorei tanto os poemas que resolvi tentar escrever um. É uma sensação muito gostosa simplesmente escrever linhas sobre o que você está sentindo. Você deveria tentar algum dia.

— Parece muito bom, senhor.

— Escrevi um para Cindy, mas ela não gostou muito, então agora só escrevo para mim mesmo.

— Eu teria prazer em ler um, senhor.

— É mesmo? Posso lhe mostrar... Que droga! — Clark disse, olhando o relógio. — Não percebi que já estava ficando tão tarde.

— Ah, lamento, senhor, eu devia ter mantido os olhos abertos. Só fiquei falando e falando sem prestar atenção na hora.

— Não, não, estou contente de termos conversado. Obrigado por vir se encontrar comigo; realmente gostei de você ter vindo. Espero que não tenha colocado você numa situação constrangedora, botando para fora meus sentimentos sobre o trabalho e essa merda toda.

— Não, senhor. Por favor, sr. Edwards, muito obrigado por me convidar para vir aqui.

— Bem, obrigado por me escutar — Clark disse, sorrindo. — E terei prazer em recitar o poema para você. Chama-se "Lar", e se você não gostar, prefiro que não diga nada.

— Sim, senhor — concordou Jende, também sorrindo. — De qualquer maneira, não vou dizer nada.

— O.k., aí vai:

O lar nunca irá embora
O lar aqui estará quando você voltar
Você pode ir para trazer fortuna
Você pode ir para fugir de desgraça
Você pode mesmo ir só porque quer ir
Mas quando voltar
E esperamos que volte
O lar aqui vai estar.

Vinte e quatro

A única coisa de que ela sentia falta nos Hamptons (além dos garotos, especialmente Mighty) era da comida — a deliciosa comida encomendada servida nos coquetéis dos Edwards. A vida toda ela achara que os camaroneses tinham a melhor comida, mas, aparentemente, estava equivocada: americanos ricos também sabiam alguma coisa sobre boa comida. Apesar de ter de trabalhar quinze horas nos dias em que Cindy dava as festas ao redor da piscina, esperava tais dias ansiosamente porque a comida era boa demais, tão ridiculamente boa que certa noite ligou para Fatou e lhe disse que tinha certeza de ter morrido e ido para um céu de comida, ao que Fatou respondera, como ter certeza de que o cozinha não faz xixi na comida para ela ficar boa? Neni tinha certeza de que o cozinheiro não fizera nada com a comida, pois os três chefs que Cindy sempre contratava para as festas prepararam a maior parte dela na cozinha, e as três criadas que serviam, com sua assistência, a levavam diretamente da cozinha para o pátio. Havia ali todos os tipos de comida, coisas que ela vira em revistas e desejava poder provar só de olhar para as fotos perfeitamente iluminadas, criações perversamente deliciosas como atum com crosta de gergelim e vinagrete de limão e wasabi; contrafilé e azeitonas sobre crostinis de alho com molho de raiz-forte; caviar da Califórnia com cebolinha sobre torradas melba; cogumelos recheados com pasta de caranguejo gigante; steak tartare com gengibre e chalota, que era o que ela mais amava e devorava sem restrições, embora nunca na vida se imaginara um dia comendo carne crua como uma fera da floresta.

Ela tinha certeza de ter aproveitado sua cota, graças às volumosas sobras no fim de todas as três festas; mas mesmo assim ficou contente quando Anna ligou perguntando se ela podia ajudar num *brunch* que Cindy e suas amigas estavam organizando em Manhattan.

— Elas vão chamar os mesmos chefs dos Hamptons? — Neni perguntou a Anna.

— Não — Anna respondeu. — É só um *brunch*, café da manhã espichado. Dois chefes daqui e ninguém para servir. Então, você e eu, nós vamos servir e limpar depois. A outra moça que trabalha para a amiga de Cindy costumava trabalhar comigo todo ano, mas ela foi embora na semana passada, então Cindy disse para chamar você.

— Toda aquela gente para só você e eu servirmos e limparmos depois?

— Não se preocupe, não é tanta gente assim. Só ela e as cinco amigas e os maridos e alguns filhos. Cindy diz que são cem dólares para você, só três horas de trabalho. É justo, não?

Neni concordou que era mais que justo, e chegou ao apartamento de June na West End Avenue na tarde do domingo seguinte. Não havia mais que seis crianças ali, e, felizmente, Mighty era uma delas. Ele correu para Neni quando a viu entrando no apartamento e a abraçou com tanta força que ela teve de lembrá-lo de que não era seu único bebê, que ela tinha outro crescendo dentro dela.

— Como foram seus últimos dias nos Hamptons? — ela lhe perguntou na cozinha enquanto esperava com Anna os chefs finalizarem os primeiros aperitivos.

— Chatos — respondeu Mighty.

— Você não se divertiu depois que eu fui embora?

— Realmente não.

— Mas agora eu me sinto mal, Mighty — disse Neni, inflando as bochechas para fazer uma careta engraçada de tristeza. — A sua mãe realmente quis que eu pegasse folga nos meus dois últimos dias, mas da próxima vez, vou ficar, se é isso que o sr. Mighty exige.

— Vou exigir — disse Mighty.

— Sim, senhor. Ou quem sabe, em vez disso, o senhor venha comigo para o Harlem. Assim podemos continuar a fazer *puff-puff* para o café da manhã e jogar futebol na praia à tarde. Quer isso no lugar, sr. Mighty?

— É mesmo? Será ultralegal ir para o Harlem... mas, espere aí, não tem praia no Harlem.

— Então nós vamos... eu vou...

— Vamos assistir a filmes idiotas, e vou ganhar de você no Playstation e na queda de braço toda vez! — disse Mighty, rindo, e dando uma piscadela com seus olhos de avelã.

— Você não devia nunca ter orgulho de derrotar uma mulher — disse Neni, contorcendo o rosto para fingir indignação enquanto pegava uma bandeja de canapés. — Venha, todo mundo vai começar a comer.

Enquanto andava com os aperitivos pela sala antes de dispor a bandeja com o restante na mesa, sorria e fazia meneios para as amigas de Cindy, tendo conhecido todas nos Hamptons. Elas haviam sido gentis e polidas com Neni: dando conselhos sobre os benefícios da yoga pré-natal e dizendo onde ficavam os melhores estúdios de yoga na cidade (muito obrigada pela informação, madame, ela sempre dizia); lembrando-a de que estava bem chamá-las pelo primeiro nome (algo que ela nunca conseguiu fazer, sendo isto sinal de desrespeito em Limbe); cumprimentando-a pela pele lisa e pelo adorável sorriso (a sua pele é tão lisa e bonita, também, madame; a senhora também tem um sorriso adorável, madame); interessando-se por quanto tempo levava para fazer suas tranças (só oito horas, madame). A afabilidade delas deixou-a surpresa — esperava indiferença da parte delas, desse tipo de mulher que andava por aí com bolsas Gucci e Versace autênticas e falava de spas e férias e ópera. Baseada nos filmes que vira, nos quais gente branca rica comia, bebia e ria sem dar a menor bola para as empregadas e criadas correndo ao seu redor, imaginara que as mulheres que possuíssem casas de verão nos Hamptons não teriam nada para lhe dizer, além de dar ordens, é claro. Depois de ter conhecido não menos que quatro delas, que tinham sorrido e perguntado em que mês de gravidez ela estava, conversara com Betty sobre essa inesperada cordialidade, e ela e Betty tinham concordado que o comportamento das mulheres devia-se provavelmente ao fato de que não era todo dia que elas conheciam uma bela mulher grávida camaronesa do Harlem. Essas mulheres possivelmente não podiam ser gentis com toda empregada, concluíram. Cindy, naquela tarde de domingo, era a mais gentil e polida de todas, lembrando Neni de fazer apenas o trabalho mais fácil e não exagerar no esforço. Observando Cindy conversar com as amigas e rir com a cabeça jogada para trás, Neni precisou se convencer de que os estranhos episódios nos Hamptons haviam de fato acontecido.

— Temos que conversar sobre a Cindy — Anna cochichou no seu ouvido quando estavam na cozinha.

— O quê? — Neni perguntou depressa. — O que há de errado com ela?

Anna puxou-a pelo braço até o fundo da cozinha, longe dos chefs e dos convidados que entravam e saíam com pratos de omeletes e copos de vitamina.

— Ela está com problemas — sussurrou.

— Problemas?

— Você não vê problemas nos Hamptons?

Neni abriu a boca mas não disse nada.

— Você vê alguma coisa nos Hamptons, não? — Anna disse, com rápidos meneios. — Você vê?

— Eu não sei... — Neni disse, confusa com o rumo da conversa.

— Eu chego de manhã para trabalhar e ela está cheirando álcool — Anna sussurrou, gesticulando diante do rosto como que para dispersar um cheiro invisível.

— Sim — disse Neni —, ela gosta de vinho.

A governanta balançou a cabeça.

— Isso não é gostar de vinho. Isso é problema.

— Mas...

— Semana passada eu olho no lixo, três garrafas de vinho vazias. Mighty não bebe vinho. Clark não está em casa. Eu vejo uma, duas vezes toda semana.

— Talvez...

— Será que alguém pode, por favor, encher o ponche das crianças e levar mais alguns guardanapos? — um dos chefs gritou. Anna fez um gesto para Neni ficar atenta enquanto ela cuidava da tarefa.

— Para ser sincera — Neni sussurrou quando Anna voltou —, eu também vi isso nos Hamptons.

— Ah! Eu sei que não estou louca.

— Eu não sabia que uma mulher pode beber desse jeito.

— Esta família tem problemas. Grandes problemas.

— Ela não era assim antes?

— Não. Antes, ela bebe como pessoa normal, pouquinho aqui, pouquinho ali. Vinte e dois anos eu trabalho para eles e não vejo problemas como esse. Mas sempre eles têm outros problemas. Eles comem jantar, ninguém fala muito. Você não vê eles brigando muitas vezes, você não vê eles felizes muitas vezes.

— Você acha que ele sabe? — Neni perguntou, olhando por cima do ombro.

Anna fez que não com a cabeça.

— Ele não sabe nada. Ninguém sabe. Olha lá como ela está ali. Como as pessoas podem saber se não veem as garrafas?

Neni suspirou. Quis contar a Anna sobre as pílulas mas achou que não adiantaria nada aborrecê-la. O álcool já era ruim o bastante.

— Talvez um dia ela pare — disse então.

— Um dia as pessoas não param de beber — Anna retrucou imediatamente. — Elas bebem e bebem e bebem.

— Mas nós não podemos fazer nada.

— Não, não fale assim — disse a governanta, sacudindo a cabeça com tanto vigor que duas mechas de cabelo que formavam sua franja voaram da testa. — Nós não podemos dizer que não podemos fazer nada, porque alguma coisa acontece com ela, e o que é de nós? Um homem na minha cidade, ele bebe até que um dia morre. Se ela morre, quem vai fazer o meu cheque? Ou o cheque do seu marido?

Neni quase explodiu numa gargalhada, meio por causa do raciocínio de Anna, meio pela forma como ela estava tão terrível e desnecessariamente temerosa. Montes de pessoas em Limbe bebiam sete dias por semana e ela nunca ouvira falar de álcool matando alguma delas. Um de seus tios era até conhecido como o maior beberrão de Bonjo — nos seus melhores dias de bebedeira, cantava serenatas pelo bairro inteiro ao som das músicas de Eboa Lotin — e no entanto ainda estava vivo em Limbe.

— Você acha que isso é coisa pequena — disse Anna —, mas eu conheço gente que perdeu emprego porque a família tinha grande problema. Minha amiga com família em Tribeca, ela perde o emprego mês passado...

— Ah, Deus Pai — Neni arquejou, pondo a mão no peito. — Agora você está me dando medo.

— Eu conheço Cindy por muitos anos — Anna continuou. — Desde que sua mãe morreu quatro anos...

— Você conheceu a mãe dela?

— Sim, eu conheço ela. Ela vem em casa quatro, cinco vezes. Mulher má. Mulher muito, muito má. Você vê o jeito que ela fala com Cindy, brava com ela, nada deixa ela feliz.

— Não é de admirar...

— Mas irmã de Cindy, filha do marido da mãe que morreu faz muito tempo, a mãe sempre é boa com ela. Quando elas vêm juntas, tudo que a mulher má diz para a irmã é docinho isso, docinho aquilo. Mas com Cindy... — Anna balançou a cabeça.

— Eu deixaria essa pessoa fora da minha vida, se fosse eu.

— Não, Cindy vai ver ela no Dia das Mães todo ano, até a mulher má morrer.

— Por quê?

— Por que você me pergunta? Eu não sei por quê. E este Dia das Mães, Mighty vem para mim, me dizendo que está triste porque sua família não vai mais para Virgínia para o Dia das Mães, porque ele quer ver os primos lá. Eu quero berrar com ele e dizer você quer voltar para Virgínia pra quê? A irmã de Cindy, desde que a mãe morreu, eu nunca mais a vi na casa. A Cindy, ela não tem família agora, só os meninos e Clark.

— Mas tem um monte de amigas.

— Amigas é família? — disse Anna. — Amigas não é família.

Fora da cozinha, na sala de estar, Cindy estava rindo, talvez se divertindo com a história que uma amiga contava. Como era possível alguém ter tanta felicidade e infelicidade embrulhadas juntas?, Neni se perguntou.

— Temos que contar para Clark sobre o álcool — continuou Anna.

— Não, não podemos!

— A sobremesa está pronta para ser servida — avisou o segundo chef. Neni apressou-se em levar as sobremesas enquanto Anna tirava as entradas.

— Não é a gente que tem que contar para ele — Neni disse quando voltaram para o seu canto. — Ele vai descobrir. Talvez você possa deixar as garrafas de vinho vazias na mesa para ele ver.

— Como ele vai ver se não está em casa? E ela saber que eu estou tentando fazer alguma coisa se eu só trago a garrafa de volta da lata de lixo e por na mesa. É você que tem contar pra ele primeiro.

— Eu!

— Nós fazemos juntas. Se eu sozinha conto para ele, ele não vai achar que é problema sério. Mas se você conta para ele, também, ele sabe que é sério. Só diz para ele que alguém estava bebendo vinho demais nos Hamptons. Você não sabe quem. Ele é homem esperto, ele vai saber.

— E ele vai dizer a ela, e ela vai saber que fui eu!

— Nenhum homem é tão burro assim. Depois que você conta para ele, na semana que vem eu, também, eu conto para ele a mesma coisa sobre alguma pessoa bebendo o vinho no apartamento. Então ele vai saber que é mesmo verdade. Ele pode fazer o que quer fazer. Nós sabemos que a mão da gente tá limpa.

Neni foi até o balcão da cozinha, pegou uma garrafa de água e entornou metade. Talvez Anna estivesse certa, pensou. Talvez tivessem que fazer a coisa certa e avisar Clark. Mas ela não achava que era certo se envolver no casamento das outras pessoas, um casamento já complicado e cheio de tristezas como era. Mas Anna tinha razão num ponto: Clark trabalhava o tempo todo e jamais saberia a extensão daquilo pelo que sua mulher estava passando. O tempo todo em que Neni estivera nos Hamptons, ela o vira pessoalmente apenas nos dias de festa, quando ele e Cindy se comportavam como se dormissem na mesma cama toda noite. Na primeira festa, que foi para comemorar os cinquenta anos de Cindy, haviam circulado pela piscina de mãos dadas, sorrindo e abraçando os convidados sob a luz cálida da noite enquanto um quarteto de cordas tocava. Cindy, com um vestido laranja de costas nuas e cabelo esvoaçante, naquela noite parecia Gwyneth Paltrow, talvez ainda mais linda e certamente não muito mais velha. Perto do fim da festa, ficaram abraçados, com os belos filhos um de cada lado, enquanto as amigas de Cindy faziam brindes para ela, falando da amiga magnífica e altruísta que ela era. Cheri contou com lágrimas nos olhos sobre a noite em que ligou chorando para Cindy porque sua mãe levara um tombo na casa de repouso em Stamford e precisava de uma cirurgia no dia seguinte, e Cheri não podia estar lá porque estava presa em San Francisco por causa do trabalho. Como filha única, Cheri contou aos convidados, era difícil, muito difícil mesmo, mas naquele dia Cindy facilitou as coisas para ela. Ofereceu-se para estar lá junto à sua mãe e pegou o trem das cinco da manhã da Grand Central para Stamford. Ela ficou no hospital até terminar a cirurgia de três horas e a mãe de Cheri estar confortavelmente instalada no quarto. Cindy não era apenas a sua melhor amiga, disse Cheri, engasgando ao conter as lágrimas. Cindy era sua irmã. Os convidados, bronzeados e trajando roupas de grife, sorriram e aplaudiram enquanto Cheri ia até Cindy e as amigas permaneciam uma nos braços da outra num prolongado abraço. Clark pediu que todos erguessem os copos. Não havia muito que ele pudesse acrescentar ao que a amiga de Cindy dissera, completou ele, exceto que era tudo verdade, que Cindy era uma pedra preciosa e, puxa, ela não era a mais deslumbrante mulher de trinta e cinco anos? Todo mundo riu, inclusive Vince, que não vinha sorrindo muito naquela noite. A Cindy, todos brindaram. A Cindy!

Neni não era capaz de dizer se Clark tinha passado aquela noite lá, mas sabia que na manhã seguinte já tinha ido embora, assim como o incessante sorriso de Cindy da noite anterior. Quando Neni perguntou a Mighty durante o almoço onde estava seu pai, Mighty, sem levantar os olhos do prato, dissera apenas uma palavra: trabalho. Terminara de almoçar em silêncio e, enquanto Neni tirava seu prato, murmurou:

— Espero que ele perca o emprego.

Neni balançara a cabeça, incapaz de decifrar Clark Edwards. Por que estava sempre trabalhando? Como alguém podia amar tanto seu trabalho? Trabalhar sem parar não fazia nenhum sentido, especialmente quando o homem tinha uma família tão agradável em casa. Clark devia saber o que estava fazendo para sua família e por que estava fazendo aquilo... Mas mesmo assim, seria bom que ele soubesse o quanto sua esposa estava infeliz, porque essa devia ser a razão de ela estar bebendo em excesso. A mãe de Neni lhe dissera que a infelicidade era a *única* razão para as pessoas beberem demais, e era a razão para o seu tio beber demais, embora ninguém pudesse entender como ele podia ser tão infeliz tendo duas esposas e onze filhos.

— Vá falar com ele agora — Anna sussurrou para Neni. — Depois da sobremesa, todo mundo começa a ir embora.

Neni assentiu e começou a ir na direção da sala de estar. Não diria nada ao sr. Edwards sobre as pílulas. Esse devia ser o segredo mais profundo de Cindy, e ela tinha de manter a promessa que fizera. Falaria apenas sobre o que Anna lhe mandara falar. Contaria ao sr. Edwards sobre o vinho. Nada mais, nada menos.

Mas então, quando estava prestes a entrar na sala, lembrou-se de uma coisa: Jende. Deu meia-volta e retornou até Anna.

— Jende vai me matar — disse ela.

— Por causa de quê?

— Por me intrometer nas questões deles. Ele nunca para de me avisar para só fazer o meu trabalho e ir embora, e nunca falar nada que não me diga respeito.

— Então não fala nada para ele. Isso é só entre mim e você. Vai.

Clark estava parado sozinho junto à janela, olhando ou para o tráfego na West End ou para os praticantes de caiaque no rio Hudson.

Neni pegou uma bandeja de pãezinhos doces e foi na direção dele.

— Olá, sr. Edwards — disse ela. — Desculpe não ter lhe dado bom-dia ainda.

— Oi, Neni — Clark respondeu. — Obrigado por vir ajudar. — Olhou para a bandeja de pãezinhos doces. — Vou recusar isso aí, obrigado.

— Quer que eu traga alguma outra sobremesa?

Ele fez que não com a cabeça. Havia duas semanas que o vira e ele parecia outro homem: o cabelo parecia ter ficado mais ralo, a barba estava por fazer, e ele parecia estar precisando de um abraço, uma cama quentinha e pelo menos quinze horas sem fazer nada a não ser dormir. Virou a cabeça de volta para a janela e continuou a olhar para fora.

Neni ficou parada com a bandeja, fitando a parede branca à esquerda da janela, insegura de como dizer o que queria dizer. Cindy estava do outro lado da sala, batendo papo no sofá com duas de suas amigas; os maridos digitavam nos seus iPhones e Blackberrys; as crianças estavam em outra sala — o momento e o local para ela contar a Clark eram ideais.

— Hum... sr. Edwards, eu, hum... — começou ela.

— Sim — disse Clark, ainda olhando pela janela.

— Eu estava... eu só precisava fazer uma pergunta.

— Claro — disse ele, sem voltar o rosto para ela.

— É só que... hum... eu sempre quis saber... o senhor é parente de John Edwards?*

Clark virou-se, contendo uma risadinha.

— Não que eu saiba. Mas é engraçado. Você é a primeira pessoa que me pergunta isso.

— Só acho que ele se parece um pouco com o senhor — disse Neni, esfregando o cotovelo contra a barriga no lugar onde o bebê a estava chutando, talvez por ser tão idiota.

— Engraçado — repetiu Clark, antes de sugerir que ela fosse oferecer os pãezinhos aos outros em caso de estarem querendo prová-los. Neni assentiu e correu de volta para a cozinha.

— Como foi? — Anna logo perguntou.

Neni fez que não com a cabeça e escondeu o rosto contra a geladeira.

— Você não disse a ele?

Neni fez de novo que não.

— Bem — disse Anna —, a gente tentou.

* Político democrata norte-americano que já foi pré-candidato à presidência. (N. T.)

Vinte e cinco

Ela passou o dia limpando o apartamento, fazendo compras no mercado e preparando um jantar de despedida de cinco pratos para Vince. Passou a tarde inteira na cozinha, fazendo *egusi* cozido com peru defumado, *garri* e sopa de quiabo, banana-da-terra madura frita com feijão, arroz *jollof* com moela de galinha e *ekwang*, que levou duas horas para preparar porque ela precisou descascar os carás, ralá-los, embrulhar firme e meticulosamente colheres de cará ralado em folhas de espinafre, depois cozinhá-las em fogo baixo com óleo de palma, peixe seco, lagostim, sal, pimenta, *maggi* e cebolinha por uma hora. Teria preferido que Jende houvesse dado mais tempo para ela preparar tudo, mas só na noite anterior ele lhe dissera que Vince vinha visitar. Ele perguntara a Clark, ao deixá-lo em casa, se tudo bem que ele e Neni recebessem Vince para um pequeno jantar, só para desejar-lhe tudo de bom e fazê-lo comer uma comida camaronesa, que ele dissera que adoraria provar, e Clark dissera que não tinha objeção se Vince estivesse interessado em ir. Ele e Cindy levariam Vince e Mighty para jantar fora no domingo, mas era improvável que viesse a ser um jantar de despedida festivo, então seria bom que Vince fosse a algum lugar onde houvesse um ambiente mais alegre. Quando Jende ligou para Vince para convidá-lo, Vince disse claro que sim, ele na verdade estaria livre por algumas horas à noite, então viria para provar um pouco da doce comida camaronesa, obrigado, cara.

Às três horas, duas antes de quando Vince deveria chegar, o telefone de Jende tocou, e era ele.

— Não sei, Vince — Neni ouviu Jende dizer na sala de estar. — Deixe perguntar primeiro para minha mulher o que ela acha.

Com a mão no bocal do telefone, Jende chegou perto de Neni na cozinha.

— Vince quer saber se tudo bem ele trazer Mighty.

— Não!

— Foi o que eu disse a ele.

— Deus nos livre! Você quer que a sra. Edwards nos mate? O bebezinho dela no Harlem? À noite? Por favor, Deus, ah, não vou participar disso. Não, não, não. Eu não quero nenhum problema.

Jende voltou para a sala, falou com Vince por meio minuto, depois retornou à cozinha.

— Ele diz que os pais não precisam saber. O sr. Edwards está no trabalho e a sra. Edwards está num jantar e eles não vão ficar sabendo de nada. Ele está dizendo que Mighty ia brincar na casa de um amigo, mas foi cancelado, então simplesmente vai ficar em casa com a babá.

— Que faça isso, então.

Jende virou-se para sair, mas hesitou.

— Deixe o menino vir, Neni — disse ele.

— Eu disse que não.

— Ele nunca esteve num metrô, ele nunca veio ao Harlem. Deixe o irmão trazê-lo. Vince vai embora na semana que vem, e eles não vão se ver por sabe-se lá quanto tempo. E é só por uma hora.

— E você acha que não pode acontecer alguma coisa em uma hora? — retrucou Neni, transpirando sobre o fogão enquanto esfregava a sujeira de toda a cozedura e fritura.

— Se alguma coisa acontecer, será responsabilidade de Vince. Vou dizer isso a ele.

— É isso que você vai dizer quando tentarem nos botar na cadeia?

— Não se preocupe, eu vou para a cadeia sozinho por nós dois — disse ele, dando uma piscadela.

Neni virou o rosto e continuou a esfregar o fogão com fervor ainda maior. Era a cara dele achar que tinha todas as respostas. Ela o ouviu dizer a Vince que tudo bem, estavam todos empolgados em vê-los às cinco horas, e mais tarde dizer a Liomi que o convidado especial de que tinham falado traria outro convidado, então era melhor ele vestir roupas ainda mais bonitas. Quando Vince e Mighty chegaram, Neni havia tomado uma ducha e trocado de roupa, também, e seu estado de espírito estava muito mais animado que receoso.

— Neni! — exclamou Mighty quando ela abriu a porta, correndo para abraçá-la.

— O que vocês estão fazendo aqui na minha casa? — ela os provocou enquanto Vince lhe dava um abraço e saudava Liomi batendo a mão espalmada.

— Não posso acreditar que estou no Harlem! — disse Mighty. — Você fez *puff-puff*?

Neni e Jende riram.

— Isso é para o café da manhã — explicou Jende. — Esta noite temos comida que você vai comer e a sua barriga vai ficar tão cheia que vai explodir.

— Legal!

Se os garotos Edwards ficaram desconcertados com os óbvios sinais de pobreza no apartamento (o carpete marrom gasto; a TV antiga sobre a mesinha de café diante do sofá; o ventilador no canto empenhando-se em dar conta do serviço de um ar-condicionado; as flores artificiais penduradas na parede sem contribuir em nada para alegrar a sala), não o demonstraram. Agiram como se estivessem em qualquer apartamento que costumavam visitar em Park ou Madison, como se fosse apenas um tipo diferente de apartamento bonito em outro tipo de bairro. Mighty correu para o quarto com Liomi para ver seus brinquedos e gritou para o irmão, uau, aqui todo mundo dorme no mesmo quarto, que bacana! Vince sentou-se com Jende no sofá verde surrado, tomando Malta e comendo amendoim torrado, falando sobre os Estados Unidos, o ótimo país, Estados Unidos, o péssimo país, Estados Unidos, o país que ninguém questionava ser o mais poderoso do mundo.

Quando Neni terminou de pôr a comida nas travessas e levá-las à mesa, Jende anunciou que era hora de comer.

— Nós vamos comer ao estilo camaronês — disse ele a Vince e Mighty. — Em Camarões geralmente não sentamos em volta da mesa, como vocês aqui nos Estados Unidos. Cada um pega a sua comida e senta onde bem quiser, numa cadeia ou no chão. Cada um come como gosta, com garfo ou colher ou com as mãos...

— Eu quero sentar no chão e comer com as mãos! — disse Mighty, e Liomi imediatamente acrescentou que queria fazer a mesma coisa. Assim, Neni pôs uma toalha de mesa no chão, tirou a comida da mesa e todos se sentaram em círculo no chão; comeram, rindo alto de boca cheia enquanto Jende lhes contava histórias de sua infância, de como ele e Winston costumavam furtar mangas quando tinham onze anos e de como uma vez seu pé ficou preso numa armadilha para animais e ele teve de correr todo o caminho de volta com a armadilha presa no pé, só para chegar em casa e levar uma surra do pai antes de ir buscar o dono da armadilha para vir buscá-la. Vince ria de forma contida, e Mighty e Liomi gargalhavam tanto que quase engasgaram, mas Neni só revirava os olhos porque já tinha ouvido a história antes e ela sempre tinha um final diferente.

— Papai tem as melhores histórias! — exclamou Liomi.

— Quero ouvir mais! — pediu Mighty.

Vince olhou o relógio, depois para Jende e Neni, e balançou a cabeça.

— Desculpe, *bo*, mas temos que ir embora agora.

— Por quê?

— Sinto muito, eu tenho outros planos. Preciso levar você para casa e entregar para a Stacy.

— Mas Neni! — Mighty gritou, olhando para Neni, que evitou seu olhar. Vince levantou-se e foi até a cozinha lavar as mãos.

— Eu não quero ir embora ainda — Mighty disse a Jende e Neni, olhando com ar de súplica de um para outro. — Por favor, posso ficar um pouco mais?

— A sua mãe e o seu pai não vão ficar nada contentes, Mighty — disse Jende.

— Mas eles não vão chegar em casa antes da meia-noite. Papai talvez nem venha antes de amanhã, e a mamãe disse que talvez não chegasse antes das duas da madrugada. Eu ouvi ela dizendo isso pra Stacy. Então posso ficar até as onze e eles nem vão saber.

— Sinto muito, *bo* — disse Vince, saindo da cozinha. — Eu tenho outros planos. Foi gostoso, não foi? Eu pego você segunda-feira à noite e vamos fazer de novo alguma coisa legal, tá?

Mighty não respondeu. Fez um beicinho e virou a cara, esfregando os dedos, que estavam totalmente cobertos de óleo de palma do *ekwang*.

— Quem sabe eu vou na sua casa pra gente brincar, também — Liomi disse a Mighty, talvez numa tentativa de animá-lo ou talvez porque Mighty mencionara ter o mais novo modelo de alguns dos brinquedos que Liomi possuía, a maioria dos quais Cindy tinha dado para Neni. Qualquer que fosse sua intenção, ele disse isso de forma tão meiga e sincera que Neni quase riu, mas vendo o quanto Mighty estava aborrecido, achou melhor não rir abertamente da inocência de seu filho em acreditar que algum dia receberia um convite para ir brincar na casa dos Edwards. Mas então, pensou ela, não podia ter tanta certeza de que Cindy não convidaria Liomi. Sem jamais conhecer o menino, Cindy lhe mandara roupas e brinquedos, alguns dos quais novos em folha. Na ocasião em que Liomi ficara de cama com pneumonia quando mal fazia um mês que Jende tinha começado a trabalhar para eles, Cindy mandara Jende para casa uma noite com uma cesta de frutas e vários tipos de chás e comidinhas saudáveis. Escrevera uma carta para Liomi depois que ele lhe enviara um cartão de agradecimento feito a mão, elogiando a sua caligrafia e dizendo que devia estar fazendo um belo trabalho na criação do garoto.

— Por que Jende não pode me levar para casa mais tarde? — indagou Mighty ainda de cara amarrada, ignorando os pedidos de Vince para se levantar e lavar as mãos. — Eu vou para casa e vai ser uma chatice ficar lá sentado...

— Mas você me disse que se diverte com a Stacy — disse Neni.

— É, mas não assim. Por favor, Neni. A gente nem fez *puff-puff*.

— Talvez eu vá outra vez aos Hamptons no próximo verão — Neni disse. — Aí vamos fazer tudo de novo, certo?

— Certo, certo.

Jende levantou-se e estendeu a mão para ajudar Mighty a se erguer.

— Vai haver outras vezes, Mighty — disse ele ao menino. — Com a graça de Deus, haverá muitas outras vezes.

Mighty levantou-se e seguiu Jende até a pia da cozinha, onde lavou as mãos.

Depois de uma hora e meia de divertimento, os Jonga despediram-se dos Edwards com abraços e desejaram a Vince uma boa estada na Índia, e os garotos Edwards agradeceram aos Jonga pelo jantar tão gostoso.

Quando estavam prestes a sair, Mighty lembrou-se de algo.

— Como é que vai haver outra vez igual a esta se o Vince está indo embora? — perguntou ele a Neni. — Minha mãe e meu pai nunca vão me trazer aqui.

Sorrindo, Neni lhe disse que então teria de pegar o metrô e vir totalmente sozinho, o que fez Mighty dar um sorriso sem graça — a ideia de pegar o metrô sozinho do Upper East Side até o Harlem para comer comida camaronesa deve ter soado totalmente assustadora.

Vinte e seis

Aconteceu no meio de setembro, mais ou menos na época em que o ar noturno começa a apagar rudemente as memórias do verão e os sininhos alegres dos carros de sorvete começam a soar como elegias.

Duas semanas antes de acontecer, ele teve um sonho muito real, o tipo de sonho do qual se recordaria em detalhes até meses depois. Estava de volta em Limbe, passeando pelo mercado com seu amigo Bosco que, estranhamente, era alto e magro e não se parecia nem um pouco com o parrudo tronco de árvore que lembrava na vida real. Era dia de mercado, terça ou sexta-feira — era possível saber pela multidão que apinhava o mercado e a lentidão com que os carros se moviam através dele, motoristas tocando impacientes as buzinas e botando a cabeça para fora da janela para se xingar, gritando *Some da frente antes que dou uma porrada na sua cara; ya mami ya; ya mami pima!*

Enquanto caminhavam pela loja revestida de tijolos que vendia musse de chocolate, vinho importado e outras comidas de luxo, Bosco comentou que não havia apostadores cantando no mercado naquela tarde. Jende olhou para o ponto onde os apostadores que cantavam geralmente se reuniam, perto das vendedoras de *jaburu* e *strong kanda* e peixes defumados variados. Não havia ninguém ali. Nenhum homem de algum lugar desconhecido, vestindo *agbada*, batendo seu tambor *djembe* e cantando em perfeita harmonia enquanto tentavam convencer os passantes a vir gastar um pouco em jogos capazes de arrancar uma boa soma de dinheiro.

— Acho que se mudaram para outro lugar — disse Jende. — Hoje é dia de mercado: eles não podem perder a chance de vir no dia em que todo mundo aparece com carteiras grandes.

— Nunca gostei desses apostadores que cantam — disse Bosco —, mas pelo menos eles não são tão ruins quanto os duplicadores de dinheiro*. Eu odeio duplicadores de dinheiro.

— Você não deveria odiar ninguém!

— Mas odeio! Realmente odeio duplicadores de dinheiro! — Bosco gritou, a face de súbito retorcida desagradavelmente como a de uma criança prestes a ter um ataque de raiva. — A minha mãe dava a eles as minhas mensalidades da escola para duplicar para poder usar a segunda parte para as da minha irmã, mas eles nunca traziam o dinheiro de volta. Minha mãe perdia tudo! Foi por isso que nunca terminei a escola. Eles roubavam o dinheiro das minhas mensalidades!

— Mas a culpa é da sua mãe por dar o dinheiro a eles.

— Não, a culpa não é dela! A culpa é dos duplicadores. Eles prometiam duplicar o dinheiro. E não duplicavam! Pegavam o dinheiro e gastavam e nos deixavam sem nada.

Bosco sentou-se na calçada e começou a chorar. Jende tentou acalmá-lo esfregando seus ombros, mas ele se recusava a ser consolado, empurrando as mãos de Jende, lamentando e xingando histericamente os duplicadores de dinheiro vezes seguidas. Uma multidão juntou-se ao seu redor, perguntando o que havia de errado. Duplicadores de dinheiro, duplicadores de dinheiro, ele gritava. A multidão começou a rir. Sujeito idiota, chora que nem bebezinho, diziam. Duplicadores de dinheiro, eles sabem como passar a conversa. Se querem nosso dinheiro, nós vamos e damos.

— Não! — Bosco implorava. — Não deem o seu dinheiro para duplicadores. Duplicadores são gente má. Deus vai castigá-los! Eles vão ter diar-

* Prática financeira ilegal muito comum na Nigéria. (N. E.)

reia eterna pelo que fizeram com a minha mãe! Eles nunca mais vão dormir à noite. Os filhos deles vão ter mortes horríveis!

Envergonhado, incerto de como fazer a multidão deixar o amigo em paz, Jende começou a correr. Correu através do mercado, dando uma cotovelada numa moça com uma bandeja de pimentões amarelos na cabeça e num homem corpulento carregando metragens de tecido nos ombros. O vento soprava forte contra ele, como que para impedi-lo de seguir em frente, como que para impedi-lo de desertar seu amigo e deixá-lo como carcaça para os escarnecedores, mas ele forçava sua passagem, correndo mais rápido que um homem fugindo de gatos selvagens famintos, saltando para ver o mar e ficando aliviado pela visão deste. Finalmente, sem fôlego, chegou à praia. Mas não havia água ali, apenas um monte de lixo no lugar, fedorento e estendendo-se até o horizonte.

Jende acordou suando.

Enquanto tomava sua ducha naquela manhã, pensou no sonho e concluiu que era porque não cumprira sua promessa para Bosco. O amigo ligara para ele dois meses antes, pedindo dinheiro para levar sua mulher a um especialista no Hospital Batista de Bingo por causa de dores e inchaço no seio direito. O médico no hospital público na Mile One não fora capaz de explicar o que havia de errado com o seio, e a mulher de Bosco vinha chorando incessantemente havia dias, incapaz de mover a mão direita. Tão dizendo já começou a ficar podre de dentro, Bosco tinha dito, a voz falhando enquanto a mulher berrava ao fundo. Jende prometera ver o que podia fazer. E não fizera nada. Na noite anterior ao sonho, conversara com Sapeur, que lhe dissera que a Morte estava chegando para a mulher de Bosco a qualquer dia agora. O sonho era portanto sua culpa se manifestando, concluiu Jende. Pensou em ligar para Bosco para ver o que podia fazer, mas seu cartão de ligações estava sem crédito. Além disso, não achou que tivesse algum dinheiro da ordem que pudesse salvar a vida da mulher de Bosco. E precisava correr para o trabalho.

No serviço, continuava a pensar no sonho enquanto levava Mighty junto com Stacy para brincar com um amigo, imaginando o que mais poderia significar. Talvez um de seus amigos lá na sua terra dera dinheiro para um duplicador. Não ficaria surpreso se fosse esse o caso. As pessoas não aprendiam, mesmo depois de todas as histórias que circulavam por Limbe de como os duplicadores tinham enganado a senhora Fulana ou o senhor Beltrano. *Por que as pessoas não conseguiam aprender?*, perguntou a si mesmo. Segundo todos os relatos, ninguém em Limbe jamais dera dinheiro a um duplicador e recebera o dinheiro duplicado. Ninguém jamais dera dinheiro e recebera de volta *qualquer* dinheiro. E ainda assim as pessoas continuavam a dar, caindo na cilada de jovens hábeis que se dirigiam a elas na rua e as visitavam em casa, prometendo retorno rápido e elevado para seu dinheiro por meios incompreensíveis. Uma mulher na Sapa Road ficou tão encantada por dois rapazes charmosos de terno que a visitaram em casa que dera todas as economias de sua vida para duplicarem num prazo de três meses. Sua esperança, dizia a história em Limbe, era que usaria o dinheiro duplicado para comprar uma passagem para que seu filho único se mudasse para os Estados Unidos. Mas os duplicadores não retornaram no dia marcado. Nem no dia seguinte. Nem um mês depois. Devastada, a mulher tomou veneno de rato e morreu, deixando o filho para enterrá-la.

Quando Jende acordou no dia em que o Lehman desmoronou, tinha guardado o sonho e Bosco no fundo da sua mente. Não estava pensando nada sobre duplicadores de dinheiro e suas insondáveis vítimas, meramente satisfeito de não precisar ir trabalhar numa segunda-feira. Cindy lhe dera o dia de folga, dizendo que Clark estaria ocupado demais no escritório para ir a algum lugar, e assegurando-lhe que ela e Mighty se arranjariam bem com táxis, considerando que tinha apenas um compromisso e a professora de piano de Mighty estava de férias.

Jende aceitou a oferta de Cindy de bom grado — uma folga num dia de semana seria ótimo para ele. Com Liomi na escola, podia passar algum tempo sozinho com Neni e ajudá-la na casa: limpar o banheiro, lavar a roupa e, se desse tempo, cozinhar e congelar algumas refeições para Neni não ter de se preocupar com a cozinha até pelo menos a próxima semana. As costas dela vinham doendo sem parar desde que retornara dos Hamptons, e ele lhe pedira para parar de trabalhar e pegar somente o número mínimo de aulas necessárias para manter o visto de estudante. Mulheres grávidas não devem fazer nada cansativo nos últimos meses, ele lhe dissera, mesmo que sua mãe tivesse continuado a lavrar a terra até o dia em que deu à luz cada um de seus cinco filhos e, de fato, dera à luz o irmão caçula debaixo de uma goiabeira no seu sítio atrás de Mawoh Quarters.

— Mas eu gosto de trabalhar — protestara Neni, censurando a si mesma por ter ligado para a agência dizendo que não estaria disponível por alguns meses. O trabalho vai estar à sua espera quando estiver pronta, ele garantira. E escutava pacientemente sempre que ela começava uma triste e comprida ladainha sobre como estar grávida sem trabalhar a fazia sentir-se gorda e preguiçosa e inútil; e dizia para ela se lembrar de quanto às vezes detestava seu serviço; e garantia a ela que não trabalhar tinha sido a melhor decisão porque sua saúde era a coisa mais importante. Eu prefiro ir lá e trabalhar em quatro empregos antes de deixar você se esforçar com dor e desconforto, ele lhe prometera.

Uma semana depois de ela deixar o serviço, ele levou sua dedicação a ela um passo adiante e a informou de que ela usaria os próximos semestres de primavera e verão para ficar em casa depois de o bebê chegar em dezembro.

— Não! — ela imediatamente reagiu, levantando-se do sofá onde estavam se abraçando. — Não vou pegar folga nenhuma da escola!

— Eu já pensei nisso e resolvi — ele informou calmamente, recostando-se no sofá e cruzando as pernas.

— Você resolveu, é? — disse ela, olhando para ele, com as mãos nos quadris, enquanto ele pegava o controle remoto e ligava a TV. — O que você quer dizer com "resolvi"? Quando foi que você resolveu isso? Você sabe que eu não gosto disso. Não gosto nem um pouco quando você resolve alguma coisa sobre mim sem me perguntar. Eu não sou sua filha!

— Você é a minha esposa, e está carregando meu filho — ele disse sem olhar para ela, zapeando displicentemente como se ele e a esposa estivessem discutindo o que comer no jantar. — Eu quero que a minha esposa fique em casa com meu filho novo por algum tempo.

— Por quê?

— Acho que vai ser o melhor para você e para o bebê.

— E o que eu acho que é melhor? — ela rebateu, zangada com ele por tomar uma decisão sobre a vida dela sem consultá-la e, pior ainda, por obrigá-la a acrescentar mais um ano ao tempo que levaria para se tornar farmacêutica. — Como você pode resolver que vou parar dois semestres sem me perguntar se isso vai me deixar contente?

— Você vai ficar em casa com o bebê por alguns meses — ele disse novamente, o caráter final da decisão evidente no seu tom. — Bebês precisam começar a vida nas mãos da mãe, e eu quero que você curta o bebê enquanto estiver se recuperando da gravidez!

— Ninguém precisa se recuperar da gravidez! E eu não posso parar durante dois semestres inteiros!

— Eu já resolvi.

— Eu não quero! Você sabe que eu não posso!

— Você pode, sim.

— Não posso! Você sabe que vou perder o status legal de estudante e perder o meu visto, e como vai ser então?

Ela não perderia o status legal, ele lhe disse. Já havia discutido o assunto com Bubakar, que os ajudaria com o que precisassem para que a agência estudantil internacional do Bureau Universitário aprovasse uma licença médica para ela.

Não posso acreditar que esteja fazendo isso comigo, ela chorou enquanto ele continuava zapeando, incapaz de encontrar algo interessante para assistir e sem se comover com as lágrimas dela. Por que eu não posso pelo menos pegar o número mínimo de aulas que preciso para o meu visto, como estou fazendo agora? Por que você está sempre agindo como se fosse o meu dono?

Tendo antecipado sua reação, ele a ignorou, deixando claro que pensara sobre o assunto por dias e que não mudaria de opinião. Finalmente, ela se calou e foi para a cama derrotada, porque não havia nada que pudesse fazer. Ele a trouxera para a América. Ele pagava suas anuidades escolares. Ele era seu protetor e defensor. Ele tomava decisões para a família. Às vezes discutia com ela acerca de suas decisões. A maioria das vezes fazia o que julgava melhor. Ela nunca tinha escolha a não ser obedecer. Era isso que ele esperava dela.

À medida que seus pés ficavam mais inchados e sua barriga maior, suas queixas às amigas sobre o comportamento dele se multiplicaram — havia coisas demais que ele queria que ela fizesse ou não fizesse, tanto para o bem--estar dela quanto da criança. Ele insistia que ela comesse salmão e sardinha nos jantares que preparava para ela, dizia, porque tinha lido numa revista que a sra. Edwards jogara fora que faziam bem para gestantes e que os fetos cujas mães comiam peixes oleaginosos cresciam para se tornar adultos inteligentes. Ele queria que ela por favor lavasse bem a alface antes de fazer a salada, porque e se houvesse germes nocivos nas folhas? Ela não podia usar mais salto alto pois temia que ele começasse os esporros sobre como ela poderia machucar a si mesma e o bebê, e valia a pena arriscar a vida de uma criança ainda na barriga só para ter um visual melhor? Era como se ela tivesse virado um ovo capaz de se quebrar a qualquer momento. E por que você reclamar disso?, Fatou lhe dizia. Betty e Olu, outra amiga da escola, diziam a mesma coisa. Por que você está fazendo tanto estardalhaço quando ele está simplesmente cuidando de você, diziam elas. Você disse que sofreu as duas últimas vezes que esteve grávida e deu à luz morando na casa do seu pai, Betty lhe recordou, e agora que o seu marido a está tratando como uma rainha para não sofrer de novo, você está reclamando? Se você gosta tanto de uma vida dura, venha e pegue a minha, e eu pego a sua pelos próximos meses.

Por fim, envergonhada, ela decidiu dar ouvidos à sabedoria dele, sabendo que poucas mulheres (inclusive as ricas) tinham o privilégio de estar casadas com um homem exageradamente protetor, que não só fazia tudo que podia para assegurar o conforto da esposa como também passava horas limpando as paredes cobertas de poeira do apartamento e matando as baratas que disparavam de um canto a outro da sala como atletas de corrida, tudo para proteger a saúde do seu filho ainda na barriga. Embora não conseguisse nem entender nem apreciar sua decisão de tirar dois semestres de folga do curso, aos poucos permitiu-se não sentir culpa por ser uma dona de casa numa cidade cheia de mulheres independentes, e não ser, pelo menos por enquanto, uma mulher de carreira bem-sucedida como Oprah ou Martha Stewart. Ela decidiu curtir o indesejado privilégio de ficar em casa o dia todo assistindo a muitas horas de programas de entrevistas, séries e noticiários, o que era exatamente o que estava fazendo na manhã de segunda-feira em que as notícias surgiram na CNN.

— Jende — ela chamou da sala de estar. — Jende, ah!

— Hein? — ele respondeu, saindo correndo do quarto, onde estava dobrando as roupas limpas que acabara de trazer da lavanderia do prédio. Sua voz de pânico o deixou nervoso; sempre que ela chamava seu nome desse jeito, ele temia que tivesse algo a ver com o bebê.

— Olha isso! — ela disse, apontando para a TV. — Alguma coisa sobre o Lehman Brothers. Não é lá que o sr. Edwards trabalha?

Sim, era, disse ele, ainda sem entrar em pânico, sem querer pensar que a notícia tinha algo a ver com o que Leah vinha temendo. Ouviu um jornalista dizendo que o colapso era um terremoto maciço que reverberaria pelo mundo durante os próximos meses. Ouviu outra jornalista falar sobre a queda catastrófica nos preços das ações e a possibilidade de uma recessão. Uma ex-funcionária do Lehman Brothers estava sendo entrevistada. Ela não podia imaginar isso, disse a moça. As pessoas estavam desconfiadas, mas ninguém pensava que realmente pudesse chegar a isso. Somente hoje haviam lhes dito que estava tudo acabado. Ela não tinha ideia do que faria. Ninguém sabia o que fazer agora.

Neni pôs a mão no peito.

— Isso quer dizer que o sr. Edwards não tem mais emprego?

Nenhum dos dois fez a pergunta seguinte — isso queria dizer que Jende também não teria emprego? O medo dentro deles não permitiu soltar as palavras. Perguntas similares penetrariam nas mentes de muitos em Nova York nas próximas semanas. Muitos ficariam convencidos de que a praga que caíra sobre os lares dos ex-funcionários do Lehman estava a apenas algumas quadras dos seus próprios lares. Donos de restaurantes, artistas, professores particulares, editores de revistas, diretores de fundações, motoristas de limusines, babás, governantas, agências de empregos, praticamente todo mundo que vivia ao longo do trajeto onde circulava o dinheiro que ia e vinha de Wall Street entrou em pânico e afligiu-se nesse dia. Para alguns, os temores eram justificados: seu pão e vinho de fato iriam desaparecer, junto com os bilhões de dólares que sumiram no dia que o Lehman morreu.

— Tenho que ligar para o sr. Edwards — disse Jende, pegando rapidamente o celular da mesa de refeições.

Clark não atendeu ao celular, mas Cindy atendeu quando ele ligou para o número da casa.

— Você ainda tem um emprego — ela lhe disse.

— Ah, obrigado, madame. Muito, muito obrigado.

— Nada vai mudar — disse ela. — Clark vai ligar para você para dizer quando ele quer que você volte ao trabalho — acrescentou ela, antes de desligar rapidamente para atender outra chamada.

Jende pôs o celular sobre a mesa e sentou-se ao lado de Neni. Estava tonto, grato porém atordoado. Acabara de lhe ocorrer o quanto seu destino estava intimamente ligado ao de outro homem. E se alguma coisa acontecesse com o sr. Edwards? Sua permissão de trabalho expiraria em março e ele talvez não conseguisse renová-la, dependendo de como corresse seu caso no tribunal. Sem documentos de trabalho, ele jamais poderia arranjar outro emprego que pagasse tanto. Como cuidaria de sua esposa e de dois filhos? Quantos empregos de lavador de pratos em restaurantes ele teria de arrumar para ter dinheiro?

— Por favor, não vamos pensar assim — disse Neni. — Por enquanto você tem um emprego, sim? Enquanto tivermos o sr. Edwards, teremos emprego. Não estamos melhor hoje do que toda aquela gente saindo do Lehman? Olhe para eles. Eu sinto pena deles. Mas então, também não sabemos o que está nos esperando. Simplesmente não sabemos. Vamos ficar felizes por termos sido poupados hoje.

Vinte e sete

Nenhum deles disse muita coisa ao outro no primeiro dia que passaram juntos depois da queda do Lehman Brothers. Não havia muito a dizer e certamente pouquíssimo tempo para dizer, com Clark suspirando e martelando o teclado do laptop como se as teclas estivessem obstinadas. Ele parecia ter envelhecido dez anos em sete dias — um vinco profundo era subitamente visível em sua testa — e Jende não conseguia parar de se perguntar por que o homem estava fazendo isso consigo mesmo, por que, com todo o dinheiro que tinha ganhado, não podia simplesmente pegar as coisas e ir viver uma vida tranquila, livre de estresse, em algum lugar longe de Nova York. Era isso que ele faria se estivesse no lugar do sr. Edwards. Quando estivesse perto de ser milionário, daria um firme aperto de mão no sofrimento e diria adeus. Por que um homem haveria de viver intencionalmente sua vida com um tipo de ansiedade seguido de outro? Mas parecia que homens como Clark Edwards não pensavam assim. Parecia não se tratar mais de dinheiro. Sua vida em Wall Street, por mais sufocante que fosse, parecia ser o que estava lhe dando ar.

— Sinto muito, senhor — Jende por fim forçou-se a dizer, dez minutos depois que já estavam juntos no carro, enquanto iam para o novo emprego de Clark, no Barclays, o gigante britânico que engolira o Lehman depois que este fora legalmente declarado morto.

— Obrigado — Clark respondeu, sem erguer os olhos do laptop.

— Espero que todo mundo fique bem, senhor.

— Ficarão.

Jende sabia o que queria dizer a resposta seca: pare de falar. Então fez precisamente isso. Manteve os olhos no caminho e dirigiu em silêncio pelo resto da semana — do Sapphire no Upper East Side até o Barclays em Midtown East; de uma reunião com ex-executivos do Lehman para uma reunião com os executivos do Barclays; de um almoço com funcionários do Tesouro em Washington, D.C. para um jantar com advogados numa churrascaria em Long Island. Clark pouco disse além de rápidos cumprimentos, ou ordens para se apressar, ou lembretes para retornar a certa hora depois de buscar Cindy ou deixar Mighty em casa. Uma vez, bradou para Jende ultrapassar outro carro, mas, na maior parte dos dias, transpirava no banco traseiro, resmungando sozinho quando não estava ao telefone, passando de uma ponta do banco para a outra, falando em tons apressados e ansiosos com várias pessoas, abrindo e fechando o *The Wall Street Journal*, rabiscando no seu bloco de notas. Jende não entendia nada do que o ouvia falar — após meses aprendendo sozinho com o *Journal*, chegara a compreender o conceito de comprar na baixa e vender na alta, mas as coisas de que Clark falava nesses dias, coisas como derivativos e regulações, cotações e lixo supervalorizado, eram indecifráveis. As únicas coisas decifráveis na sua voz eram o sofrimento e a exaustão.

— Você devia tê-lo visto na noite em que aconteceu — disse Cindy a Cheri enquanto Jende as levava para Stamford para uma visita à mãe de Cheri. — Eu nunca o vi tão apavorado.

— É claro que tinha que estar — disse Cheri. — Tudo pelo que ele trabalhou simplesmente se foi pelo ralo. E o Lehman, entre todas as empresas? Eu fiquei totalmente sem fala!

— Você, eu e o mundo inteiro!

— Por algum motivo essas coisas sempre acontecem quando estou no exterior. No 11 de Setembro, eu estava fora. Oklahoma City, eu estava fora. Desta vez, eu estava fora.

— Talvez não seja algo tão ruim — disse Cindy. — Às vezes é melhor estar longe do centro da loucura.

— Não — contestou Cheri. — Prefiro estar em casa. Não é nada agradável atravessar Florença correndo para chegar logo ao hotel e assistir à TV, ver o que está acontecendo no seu país. Eu preferia estar em casa e ir dormir apavorada na minha própria cama.

— Acho que sim.

— Tentei ligar para você assim que aterrissei ontem à noite.

— Eu sei. Desculpe, eu não estava com vontade de conversar. Mas mandei uma mensagem de texto para você. Você não viu?

— Não, não vi nenhuma mensagem de texto. Se você não tivesse ligado hoje de manhã, eu teria ido de trem sozinha. Imaginei que você talvez tivesse mudado de ideia, com tudo que está acontecendo.

— Ah, não, eu preciso disto — Cindy disse. — Preciso sair da cidade. É simplesmente demais.

— É sim.

— Eu teria saído sozinha ontem para um fim de semana prolongado, mas Mighty e eu marcamos um cinema com jantar no sábado, e preciso ajudá-lo a se preparar para sua audição para a orquestra juvenil. Além disso, prometi à sua mãe que eu voltaria. Preciso parar de pensar em mim mesma um pouquinho. Tem sido horrível. Tem sido *tão* difícil estar junto com o Clark.

— Ele deve ter ficado um lixo quando aconteceu — disse Cheri, e Cindy assentiu.

Clark voltara cedo do trabalho duas noites antes, ela contou a Cheri, por volta das nove horas. Tirou a camisa e sentou-se na beirada da cama com a cabeça baixa, as costas despidas encurvadas como a de alguém esperando para pegar uma carga. Não se moveu nem falou, nem mesmo quando ela entrou, disse olá, e foi para a cama. Ela tinha uma mamografia marcada cedo na manhã seguinte, e precisava de um bom descanso, então não estava no espírito de conversa fiada, e foi por isso que não lhe perguntou por que estava simplesmente lá sentado daquele jeito, soturno, calado e imóvel. Em vez disso, ela pegou a *The New Yorker* — ainda não tivera a chance de ler o perfil de Obama — e folheara a revista.

O Lehman vai declarar concordata, ele disse abruptamente, a cabeça ainda baixa. Ela engasgou, largou a revista e cobriu a boca com a mão.

Sentou-se ereta na cama, olhando para a nuca dele. Você ouviu direito, ele disse sem se virar para encará-la. Eles fizeram tudo. A empresa não podia ser salva. O anúncio viria em alguns dias. Ainda estavam tentando lutar, segurar a barra, mas... E balançou a cabeça.

— Coitado dele — disse Cheri.

— Eu não tinha ideia do que fazer ou dizer para ele — Cindy continuou.

Tudo que conseguiu foi engasgar novamente, ao absorver a notícia. Olhou para suas mãos — não tinha percebido que estavam tremendo. Havia um milhão de perguntas cruzando a sua mente: Quanto eles perderiam? O que aconteceria com a carreira dele? Ele estava bem? O que estava sentindo? Como aquilo tinha sido possível? Havia chance de o Fed* tomar uma decisão de último minuto para intervir e impedir a concordata? Eles tinham feito uma intervenção no BS, não tinham? Ela quis chegar perto e abraçá-lo para poderem estar juntos com medo, mas não tinha certeza de que ele quisesse ou precisasse daquilo, então deslizou para a beirada da cama e sentou-se ao lado dele.

— Você sabia alguma coisa disso? — Cheri perguntou. — Que as coisas estavam tão mal assim?

Na realidade, não, respondeu Cindy. Ela sabia das dificuldades do Lehman, mas não em detalhes, certamente não como estavam próximos do fim. Ele lhe dissera apenas que a empresa estava navegando em águas perigosas, e pediu a ela que entendesse quando ele precisasse cancelar planos para poder trabalhar. Mas como podia saber que as vezes que ficara para trabalhar durante o verão eram diferentes de todas as outras vezes em que ela tivera de cancelar planos de jantar e adiar férias e comparecer a festas sozinha por causa do trabalho dele?

— Esse é o perigo de lidar com workaholics — disse Cheri. — É duro confiar neles.

— Bem-vinda à minha vida — disse Cindy tristonha. — Ou ao que resta dela.

* Sistema de bancos centrais dos Estados Unidos. (N. E.)

— Tudo vai acabar bem, Cindy. Nós ficaremos bem. Sean também precisa ficar constantemente me lembrando. Ele diz que tenho que parar de checar nosso portfólio de ações vinte vezes por dia, mas eu não consigo. Acordava toda manhã em Florença em pânico, com medo de perder tudo. É claro que ligo para Sean para conversar e ele está dormindo. Não tenho ideia de como ele ainda consegue dormir tão tranquilamente. Não acho que dormi mais de quatro horas por noite a semana toda.

Cindy não respondeu imediatamente; parecia perdida num labirinto de uma centena de pensamentos.

— Gostaria de ter a calma do Sean — disse finalmente. — Parece que nunca nada o perturba.

— É, mas você não vai acreditar no que ele me sugeriu ontem — disse Cheri.

— O quê?

— Ele acha que talvez seja melhor dispensar a Rosa por alguns meses, para economizar.

— Você está brincando? Ele falou sério?

Cheri riu.

— Incrível — disse ela. — Nem me dignei a responder quando ele disse isso.

— Sei, é exatamente isso que precisamos agora, certo? — disse Cindy. — Cozinhar e limpar e lavar roupa enquanto estamos perdendo dinheiro e sono. Seria maravilhoso!

As duas riram juntas.

— Mas dá medo pensar em quão ruim as coisas podem ficar — disse Cheri, o tom ficando sério enquanto a risada ia sumindo. — Quando as pessoas começam a falar em voar na classe econômica e vender casas de veraneio...

— Dá medo, sim, mas a Anna não vai embora de jeito nenhum, não importa o quanto as coisas fiquem ruins ou o que todo mundo comece a fazer para sobreviver. Eu não sei o que faria sem ela.

— A Rosa também não vai. Acho que a gente deve ter esperança de que as coisas vão se arranjar, por pior que pareçam.

Cindy concordou. Clark havia dito a mesma coisa, contou ela. Quando ela lhe perguntara naquela noite se a concordata iminente iria prejudicar a economia, ele dissera que sim, acreditava que a economia ficaria realmente mal; tudo estava em vias de mudar, de um jeito ou de outro, para todo mundo no país, pelo menos por algum tempo. Quando uma casa poderosa como o Lehman desmorona, ele dissera, as pessoas começam a questionar se de fato as outras casas também têm tanto poder. Haveria pânico no mercado. O valor das ações cairia pela metade. Um monte de coisa maluca que poderia destruir os investimentos e o sustento de milhões de pessoas boas e inocentes. Poderia ser muito ruim. Mas eles ficariam bem. Gente como eles perderia dinheiro no curto prazo, mas acabaria ficando bem, mais cedo do que se pensava, ao contrário daqueles pobres diabos nas ruas.

— Espero que ele tenha razão — disse Cheri. — E realmente espero que ele fique bem logo.

— Não sei — disse Cindy após uma pausa. — Não conversamos muito desde aquela noite, ele está tão estressado e de pavio curto que chego a ter medo de dizer alguma coisa. Passei três dias sem vê-lo na semana passada.

— Ele deve estar muito ocupado nessa transição para o Barclays.

— Eu sei... é isso que ele diz. Mas... nunca se sabe. Espero que seja apenas isso e não também porque...

— Deixa disso, Cindy.

— É em tempos assim, Cher — Cindy sussurrou. — É em tempos assim que eles começam a se voltar para aquelas... — Interrompeu o que estava dizendo, talvez ao perceber que Jende poderia estar escutando, o que aliás ele estava, atentamente.

— Você tem que parar de fazer isso consigo mesma — disse Cheri. — Tudo vai acabar bem. Ele não é o único que está lidando com a crise. Nós não somos as únicas. Há um longo caminho pela frente, mas todo mundo vai ficar bem. Clark vai ficar bem.

Jende sorriu para si mesmo quando Cheri disse isso, com essa mesma esperança, também, desejando ardentemente que o sr. Edwards encontrasse uma saída para o desânimo pelo qual estava tomado nos últimos meses.

Na noite anterior, depois do trabalho, Clark ligara para o seu amigo Frank para ponderar se não era hora de sair de Wall Street. Não valia mais a pena, dissera, e ele estava ficando cansado de toda a porcaria que vinha junto com o resto. Nunca tinha se incomodado com o que as pessoas pensavam dele, mas, de repente, começara a se incomodar — estava assistindo àqueles babacas da rede MSNBC e concordando com eles, e o fato de o país inteiro ter se virado contra gente como ele era perfeitamente justificável. Não podia deixar de se sentir um pouco responsável pela merda que estava ocorrendo, dissera a Frank, não porque tivesse feito pessoalmente alguma coisa para machucar alguém mas porque era parte do sistema, e não importava quanto detestasse admitir ou quanto desejasse que o Lehman não tivesse perdido seus princípios ou quanto quisesse que houvesse mais consciência em Wall Street, ele era parte daquilo, e por causa do seu envolvimento em montes de merdas com as quais nem mesmo concordava, por menor que tivesse sido o seu envolvimento, aquilo tinha acontecido. Ele não tinha certeza do futuro no Barclays; não tinha nada a ver com o banco, tinha a ver com ele. Talvez estivesse apenas ficando velho. Talvez estivesse começando a questionar o sentido da vida. Por que de repente estava começando a soar como Vince?

Ouvir o nome de Vince fez Jende imaginar como o rapaz estaria se saindo na Índia. Pensava em Vince toda vez que via uma menção ao país no jornal, mas não julgava correto perguntar a Clark a respeito dele e abrir as eventuais feridas que ainda podiam estar cicatrizando.

E pensava em Leah, também, nos dias que se seguiram à queda do Lehman, mas não tinha como contatá-la a não ser pelo número do Lehman. A ideia de ligar para lá lhe dava uma sensação funesta, como se fazer isso fosse parecido com ligar para um amigo morto no cemitério. Mas se preocupava com ela, com sua pressão alta e seus pés inchados, então alguns dias depois de voltar ao trabalho, ligou para o número da empresa, esperando uma mensagem gravada que o dirigisse diretamente a ela.

— Leah! — exclamou ele, ao mesmo tempo chocado e eufórico por ela ter atendido o telefone. — O que você está fazendo aí? Eu pensei... eu estava com medo...

— Ah, sim, docinho — ela disse. — Eu também entrei no rolo. Meu último dia é amanhã. Eles querem que eu limpe algumas coisas antes de ir. Senão, não precisaria estar aqui nem por um minuto.

— Sinto muito, Leah.

— Eu também... mas o que se vai fazer? Às vezes é melhor quando acontece, sabe? Você passa meses perdendo o sono, com medo do que vem pela frente. Pelo menos agora já aconteceu e acabou e... Não sei... Finalmente vou poder dormir e dar o fora desta merda de lugar.

— É o medo que mata a gente, Leah — disse Jende. — Às vezes acontece e nem é tão ruim quanto o medo. Foi isso que eu aprendi nesta vida. É o medo.

Leah concordou, mas disse que não podia falar muito nesse momento. Deu a Jende o número de sua casa para ligar mais tarde, o que Jende fez na mesma noite.

— O que você vai fazer agora? — ele perguntou.

— Alguma coisa realmente bacana — ela respondeu, soando mais animada do que parecia naquela manhã. — Tenho mais de vinte anos de experiência, docinho. Não estou preocupada. Vou tirar um mês para relaxar antes de começar a procurar emprego.

— Faça isso mesmo.

— Vou fazer, talvez vá visitar a minha irmã na Flórida. Essa é a coisa boa de uma vida sem marido nem filhos, ninguém para segurar, me fazer sentir que não posso ir aonde quero, a hora que quero, fazer o que quero. Vou me divertir em Sarasota, e quando voltar, vou tirar o pó do meu velho currículo.

— Você vai arranjar um emprego novo rapidinho assim que voltar — disse Jende. — O sr. Edwards com certeza vai dizer a todo mundo que você á uma boa secretária.

— É melhor que diga mesmo.

— Quando você voltar, me ligue, por favor, tá? Você me liga para dizer que está tudo bem?

Leah prometeu que sim, e Jende lhe desejou uma boa estada na Flórida.

No dia seguinte, enquanto ia buscar os Edwards, Jende pensou em Leah e nos ex-funcionários do Lehman. Pensou na situação da cidade e na situação do país. Pensou em como era estranho, triste e assustador ouvir os americanos falando em "crise econômica", uma expressão que os camaroneses ouviam no rádio e na TV praticamente todo dia na década de oitenta, quando o país entrou numa prolongada recessão financeira. Pouca gente em Limbe compreendia a origem do buraco, ou o que o governo estava fazendo para tirar o país dele e evitar sua recorrência, mas todo mundo sabia que comprar comida e outros gêneros necessários era para lá de difícil, graças à evaporação de largas somas de dinheiro. Agora estava acontecendo nos Estados Unidos. E estava ruim. Muito ruim. Ninguém podia dizer quanto tempo levaria até acabar esse pandemônio evitável causado pela queda do Lehman. Poderia levar anos, diziam os especialistas na TV. Talvez até cinco anos, diziam alguns, especialmente agora que a crise estava se espalhando pelo mundo e as pessoas estavam perdendo empregos seguros, perdendo economias de uma vida inteira, perdendo famílias, perdendo a sanidade mental.

Mas ele... graças a Deus, ainda tinha emprego.

Sua gratidão transbordava toda vez que pegava o carro na garagem, sabendo que poderia estar desempregado como tantos outros pelo país. Lia diariamente acerca do desemprego no *Journal* que Clark descartava, e assistia a matérias sobre demissões na CNN após o serviço.

Toda noite ia para a cama com a esperança de que tudo melhorasse em breve, mas nas semanas seguintes as coisas iriam apenas piorar.

Mais empregos seriam perdidos, sem esperança de serem retomados num futuro próximo. O índice Dow Jones cairia em percentuais titânicos. Subiria e cairia e subiria e cairia e subiria e cairia, vezes e mais vezes, como uma onda demoníaca. Valores de aposentadorias cairiam pela metade, desaparecendo como se tivessem sido roubados por alienígenas maléficos. As aposentadorias teriam de ser adiadas; a visão de dias ociosos na praia sumiria ou seria suspensa por uma década. Os fundos de educação universitária seriam sacados; muitas mãos jamais teriam a sensação de um desejado diploma. Casas de sonhos nunca seriam compradas. Planos de casamento teriam de ser reconsiderados. Férias sonhadas não seriam tiradas, não importando quantos dias a pessoa tivesse trabalhado no ano anterior, não importando quão necessário se fizesse o repouso.

Sob muitos aspectos distintos, seria uma praga sem precedentes, uma calamidade como aquela que recaíra sobre os egípcios no Velho Testamento. A única diferença dos egípcios antigos e dos americanos de agora, raciocinou Jende, era que os egípcios tinham sido amaldiçoados por sua própria maldade. Haviam chamado uma abominação para sua terra ao venerar ídolos e escravizar seus semelhantes humanos, tudo para poderem viver em esplendor. Haviam escolhido a riqueza acima da retidão, a voracidade acima da justiça. Os americanos não tinham feito nada disso.

E mesmo assim, pelo país inteiro, salgueiros chorariam pelo fim de muitos sonhos.

Vinte e oito

Foram até o Chelsea Hotel pelo menos uma dúzia de vezes nas primeiras cinco semanas depois que o Lehman desmoronou. Clark parecia precisar desses compromissos mais à medida que a histeria do mercado crescia e a carga sobre seus ombros enfraquecidos ficava mais pesada; ele parecia necessitar desesperadamente deles, como uma terra árida ansiando por chuva. Era como se fossem seu único caminho para a vivacidade, seu único meio de se sentir são num mundo desvairado — só quando ligava para confirmar cada compromisso é que seu tom mudava de moroso para ansioso. Sempre, ele confirmava o encontro já a caminho. Sempre, ele verificava com a pessoa ao telefone que a moça executaria os atos que prometia no website. Sempre, ele meneava a cabeça, e às vezes sorria, quando a pessoa lhe assegurava que seu dinheiro valeria a pena, que a moça o deixaria muito, muito feliz.

No banco do motorista, Jende fingia não ouvir nada. Seu trabalho era dirigir, não ouvir. Antes de cada compromisso ele parava diante do hotel, deixava Clark, e procurava uma vaga para estacionar na rua. Ali, esperava até receber uma ligação de Clark para pegá-lo em cinco minutos. Quando Clark entrava de novo no carro, Jende via um homem que parecia relaxado mas, sob outros aspectos, não era diferente do homem que tinha saltado antes. Seu cabelo estava penteado para trás, como ao sair do carro. A camisa azul sem nenhum amassado, o colarinho impecável. Não havia culpa evidente em sua conduta.

Jende o levava aonde ele precisava estar em seguida e não fazia perguntas. Não tinha o direito de fazer perguntas. Às vezes quando Clark voltava a entrar no carro fazia comentários sobre o tempo, os Yankees, os Giants. Jende sempre respondia rapidamente e concordava com o que quer que o patrão dissesse, como que dizendo, tudo bem, senhor, está perfeitamente bem, senhor, o que o senhor está fazendo. E conseguia perceber que Clark sentia isso em relação a ele; que Clark confiava nele e que ninguém jamais saberia. Sem falar no assunto, seu vínculo fora firmemente estabelecido — eram dois homens ligados por esse segredo, pela sua dependência mútua de seguir adiante todo dia e conduzir um ao outro para a realização de objetivos diários e vitais, pela relação que haviam forjado depois de quase um ano rodando por pistas expressas e esperas no trânsito nas horas de rush.

Era um vínculo tão sólido quanto podia ser um vínculo entre um homem e seu chofer, mas não sólido o bastante para o chofer se aventurar num território delicado. Foi por isso que Jende não disse mais que o necessário na noite em que Clark voltou para o carro sem a gravata.

Em qualquer outro dia Jende não teria reparado na ausência da gravata, pois pouco se importava com elas. Winston lhe dera uma — depois do que Clark lhe dissera na entrevista de emprego, que deveria arranjar uma gravata de verdade se tinha esperança de progredir em sua carreira — mas rejeitara a oferta de Winston de lhe ensinar a fazer o nó, acreditando ainda lembrar-se de como fazer das poucas vezes que usara uma em Limbe. Na manhã do seu primeiro dia no emprego, porém, nem ele nem Neni conseguiram descobrir como dar o nó. Neni sugeriu que procurassem no Google, mas ele não tinha tempo para isso. Fora ao trabalho com a gravata de presilha, e Clark o havia cumprimentado pela "aparência mais profissional", o que Jende considerou como uma validação para tudo o que estava vestindo. Mais tarde naquela semana, Winston ofereceu-se mais uma vez para lhe ensinar, mas ele declinou porque achou desnecessário e, além disso, porque um homem tinha de amarrar um pano no pescoço feito um bode? Poucas gravatas pareciam valer a pena pelo desconforto, mas a gravata azul do sr. Edwards chamara a sua atenção naquela manhã, quando o pegara em casa.

Era uma gravata com muitas bandeiras, e num farol vermelho Jende a observara pelo retrovisor e reconheceu a Union Jack britânica, a Stars and Stripes americana, a *Drapeau Tricolore* da França, *il Tricolore* da Itália — bandeiras que ele conhecia de anos assistindo à Copa do Mundo. Procurou a bandeira verde, vermelha e amarela de Camarões com uma estrela na faixa vermelha, mas ela não estava lá, embora, por alguma razão, a bandeira do Mali estivesse. Enquanto aguardava Clark diante do Chelsea Hotel naquela noite, considerou conversar sobre a gravata quando o patrão voltasse ao carro, em parte para diluir o constrangimento que muitas vezes se instalava entre ambos nos primeiros minutos depois do retorno de Clark, e em parte porque se ia gastar dinheiro numa gravata de verdade, queria que fosse algo notável, e tinha esperança de que o sr. Edwards pudesse lhe dizer onde poderia arranjar uma versão barata da gravata dele, já que provavelmente era de uma daquelas lojas de gente rica na Quinta Avenida.

Mas Clark retornara ao carro sem a gravata.

Jende abrira a boca para dizer alguma coisa e imediatamente a fechou. Não tinha o direito de comentar a aparência do patrão. E não cabia a ele especular sobre onde a gravata poderia estar, embora não conseguisse parar de se perguntar. Não podia estar na maleta de Clark — ele nunca levava a maleta para o hotel. Não podia estar no bolso — não faria sentido. E ele não poderia tê-la dado à quem acabara de...

— De volta para o escritório, senhor? — Jende perguntou enquanto saía da vaga diante do hotel, perguntando a si mesmo quanto prazer o homem devia ter obtido para chegar a esquecer a gravata.

— Não, para casa.

— Para casa, senhor?

— Foi o que eu disse.

Imediatamente, Jende pôde ver o que estava para acontecer. Clark entraria em casa e Cindy, sendo mulher e inquisitiva como as mulheres não conseguiam deixar de ser, lhe perguntaria onde estava a gravata. Clark gaguejaria e rapidamente murmuraria uma mentira, na qual Cindy não acreditaria.

Cindy começaria uma briga, talvez sua terceira briga do dia, e amanhã os ouvidos de Jende estariam sujeitos a mais detalhes do casamento que seriam escutados servilmente em silêncio. E o pobre Clark, como se já não estivesse sofrendo o bastante, teria mais uma briga para enfrentar.

Ou talvez Cindy nem notasse.

Já eram dez horas, e ela poderia estar dormindo. Clark voltaria para casa, se despiria, tomaria uma ducha e, felizmente, a pobre mulher não saberia de nada.

Vinte e nove

Cindy pediu-lhe que subisse num fim de tarde no começo de novembro, uma semana depois do sumiço da gravata. Isso foi três dias depois de Barack Obama ter sido eleito presidente e os nova-iorquinos terem dançado na Times Square, três dias depois que ele e Neni pularam como doidos pela sala vertendo lágrimas eufóricas por um filho de africano agora dirigir o mundo. Foi um dia depois de Clark lhe dizer que ele teria um aumento de dois mil dólares por ter sido um empregado excepcional durante todo o ano.

— Por favor, sente-se — disse Cindy, apontando para uma cadeira à mesa da cozinha.

Jende ajeitou-se na cadeira de couro preto da copa. Havia um vaso claro de lírios frescos de cor púrpura sobre a mesa retangular de mármore; e um caderno azul ao lado. Jende olhou para o caderno com capa de couro, e então para Cindy. Ele soube: ela tinha notado a gravata. Ela *deve* ter notado a gravata. Eles devem ter brigado por causa dela ou por causa de alguma outra coisa. Deve ter sido uma briga feia, talvez como aquela que Neni lhe contou que tiveram nos Hamptons sobre Vince mudar-se para a Índia. Era sempre fácil saber quando uma pessoa casada tinha tido uma briga feia com seu cônjuge — a pessoa ficava como se o mundo inteiro a tivesse deserdado, como se não tivesse nada nem ninguém. Era essa a aparência de Cindy nessa noite.

Ela não parecia mais a deslumbrante sra. Edwards da época em que ele começara a trabalhar para eles. Sua pele ainda era bonita, sem rugas e sem manchas, mas havia um vazio nos seus olhos, que até mesmo sua maquiagem bem-feita e o delineador não conseguiam ocultar, e ele pôde ver que algo havia acontecido com a madame, algo estava acontecendo com ela. Mesmo com as ondas soltas do seu cabelo loiro cintilante caindo sobre um lado da face, as pérolas assentadas sobre seu peito, seus lábios pintados de vermelho, para Jende estava claro quanta dor ela estava sentindo e como ela precisava desesperadamente que algo acontecesse para lhe trazer paz.

— Como foi o seu dia? — ela indagou.

— Eu agradeço a Deus, madame.

Ela fez um meneio, pegou sua caneca de café da mesa e, segurando-a com as duas mãos, deu um gole.

— Sua esposa e filho estão bem?

— Estão muito bem, madame. Obrigado por perguntar.

Cindy fez outro meneio. Não disse nada por uns dez segundos, talvez, e baixou a cabeça com as mãos ainda fechadas em torno da caneca.

— Vou precisar que você me faça um favor — ela disse delicadamente, erguendo a cabeça para olhar nos olhos de Jende. — Um enorme favor. E preciso que você comece amanhã.

— Qualquer coisa, madame. Qualquer coisa.

— Bom... muito bom...

Ela fez uma nova pausa, assentindo de cabeça baixa. Ele esperou, olhando para a gola da sua blusa amarela de algodão em vez de seu rosto. Ela manteve a cabeça baixa. Ele olhou em volta pela cozinha, para o tampo vazio do balcão e para o trio de luminárias de vidro pendentes acima dele. Justo quando parecia que ela permaneceria de cabeça baixa por um minuto inteiro, ergueu a cabeça, puxou o cabelo para trás e olhou nos olhos dele.

— Quero que você anote aqui — ela disse, empurrando o caderno azul na sua direção — todos os lugares aonde você leva Clark. Todo mundo com quem você o vê. Quero que você anote tudo, aqui.

Jende remexeu-se na cadeira e sentou-se ereto.

— Você não precisa contar a ele o que estou lhe pedindo, o.k.? Isto vai ser entre nós dois. Só faça o que estou dizendo. Tudo vai ficar bem. Você vai se dar bem.

Sua voz estava gutural, o nariz avermelhado na ponta. Ela puxou um lenço de papel de uma caixa sobre a mesa, assoou o nariz, levantou-se, jogou o lenço na lata de lixo e voltou para o seu assento. Jende pegou o caderno e o examinou. Folheou as páginas vazias, virou-o de um lado e de outro como que para se assegurar de que era realmente um caderno. Com cuidado, colocou-o de volta sobre a mesa, respirou fundo, bateu as mãos no seu colo, e esperou que a coragem se apoderasse dele para que pudesse dar a resposta certa.

— Sra. Edwards — disse ele —, o que a senhora está me pedindo para fazer é muito difícil.

— Eu sei.

— O que a senhora está me pedindo é... Na verdade, madame, eu posso perder meu emprego com o sr. Edwards se fizer algo desse tipo. O sr. Edwards deixou bem claro para mim...

— Você não vai perder o seu emprego — disse ela. — Isso eu posso garantir. Você trabalha para toda a família, não só para ele. Me dê o que eu quero, e eu vou assegurar que você mantenha o seu emprego.

— Mas, madame... — Sua voz falhou; de repente ficara muito pesada para fluir. — Madame — ele recomeçou. — Seguramente a senhora sabe que é uma época muito difícil para o sr. Edwards. Eu vejo o quanto ele trabalha, madame. Posso ver como esses tempos estão difíceis para ele. Ele tem o aspecto cansado, está trabalhando tão duro, sempre falando no celular, sempre no computador, uma reunião atrás da outra.

— Não preciso que você me diga que meu marido é um homem que trabalha duro.

— Sim, madame. É claro, madame.

— Há outra mulher — disse Cindy. Fez uma pausa e virou o rosto para o outro lado, como que envergonhada por confessar seu medo a um mero chofer. — O que você sabe? — ela perguntou.

— Eu não sei de nada, madame.

— Aonde você o tem levado?

— Eu juro para a senhora, madame...

— Não minta para mim!

As mãos dela tremiam. As dele estavam geladas; ele não conseguia se lembrar de outra ocasião em que tivessem estado tão geladas dentro de casa. Ele ansiou estender os braços sobre a mesa e firmar as mãos dela, dizer-lhe para não se preocupar nem ter medo. Não conseguiu se forçar a fazê-lo — não tinha o direito de tocar a madame. Ainda assim, precisava adverti-la.

— Madame — ele disse. — Espero que a senhora não tome isto do jeito errado. Mas, por favor, não se preocupe demais.

Cindy balançou a cabeça e riu, uma risada fraca e ridícula.

— Eu só acho, madame, que o que quer que a senhora pense que o sr. Edwards está fazendo ou onde quer que a senhora ache que ele está, ele está só trabalhando e trabalhando o tempo todo. Não é fácil para uma mulher, qualquer mulher, madame. Para minha esposa, também é difícil eu chegar tarde em casa a maior parte do tempo, e às vezes preciso trabalhar nos fins de semana. Mas ela entende que eu preciso fazer isso para tomar conta da minha família, exatamente com o sr. Edwards tem que fazer.

Cindy assentiu.

— A sua esposa está grávida, certo? — disse ela.

— Sim, madame — respondeu Jende, forçando um sorrisinho débil. — O bebê vai chegar no mês que vem.

— Que bom. E vocês ainda não sabem se é menino ou menina?

— Não, madame, ainda não sabemos. Vamos descobrir na hora que o bebê nascer.

— Bem, Jende — disse ela. — Pense na sua mulher grávida e no seu bebê. Pense na sua família e na sua situação. Pense com muito cuidado, e me avise se você gostaria de ter um emprego para sustentá-los.

Ela se levantou. Desejou-lhe boa-noite e saiu da copa.

Trinta

Nessa noite ele voltou cedo para casa, por volta das oito horas, para descobrir que Winston estava lá sentado à mesa comendo *kwacoco* e sopa *banga*. Havia duas tigelas esmaltadas azuis sobre a mesa — uma com enrolados de purê de inhame, de vinte centímetros, a outra com sopa de coco de palma com pedaços de pescoço de peru defumado com uma camada de óleo boiando na superfície. Havia também uma travessa de caracóis fritos em tomate, cebola, coentro e shitake.

— Você nunca vai adivinhar quem eu vou ver no próximo fim de semana — disse Winston enquanto Jende lavava as mãos para juntar-se a ele à mesa e Neni punha mais um prato.

— Maami? — Jende perguntou.

— Como você adivinhou?

— Como se eu tivesse te conhecido ontem. Que outra mulher faria seus olhos brilharem desse jeito?

Winston sorriu.

— Eu a encontrei no Facebook — explicou ele.

— Facebook? — disse Jende. — Esse tal de Facebook é uma coisa, hein? Neni, você não acabou de encontrar o seu primo que se mudou para a Checo, Checslo... algum país desses?

Neni assentiu sentada no sofá, sem tirar os olhos de sua revista da Oprah.

— Ele não liga para casa nem manda dinheiro para a mãe — disse ela —, mas o *mbutuku* tem tempo de mostrar ao mundo todo fotos dos seus sapatos e roupas novas no Facebook.

— Estou dizendo, esse Facebook é uma coisa. *Wahala* — Winston disse. — Eu entro no negócio, em um minuto já vejo um amigo do BHS, conecto com outro amigo, e logo estou olhando para a foto de Maami, o *makandi* dela ainda como *manyaka ma lambo* como era no colégio. *Kai!* — E bateu palmas e separou as mãos para mostrar a largura total das nádegas. — Na mesma noite eu ligo para ela, e ficamos falando até as duas da manhã.

— Ela não está casada?

— Ela diz que tem um namorado, uma coisinha branca lá no Texas. Vamos ver como fica isso quando ela botar de novo os olhos em cima de mim.

Jende conteve uma gargalhada.

— Quando você encontrar com ela — disse depois de ter engolido — só peça para ela comparar as cobras. Quem tiver a cobra mais comprida capaz de deslizar para dentro e para fora mais depressa, ganha.

— Jende! — exclamou Neni arregalando os olhos e apontando os lábios para Liomi.

— O tio tem uma cobra? — Liomi perguntou, desviando o rosto da TV.

— Sim — Winston respondeu, rindo —, e você não tem permissão para vê-la.

— Mas tio...

— Pare de fazer perguntas idiotas para gente grande e vá fazer sua lição de casa — berrou Jende.

— Não berre com ele por causa disso — Neni rebateu depois que Liomi foi para o quarto. — Foram vocês que começaram.

— Então ele deveria ter tapado os ouvidos.

— Por que deveria tapar os ouvidos?

— Porque crianças...

— Pessoas casadas! — exclamou Winston erguendo as mãos cheias de óleo. — Parem com essa briguinha ridícula antes de eu jurar que nunca vou casar. Estou implorando!

Neni lançou um olhar maldoso para Jende e voltou à sua revista.

— Como está *bolo, bo*? — Winston perguntou a Jende.

— A condição é crítica — Jende respondeu, antes de relatar a história da sua reunião com Cindy.

Neni pôs a revista de lado para escutar.

— Você precisa contar a ela o que sabe — Neni disse depois que Jende acabou de contar a história. Sua mão estava sobre a barriga, os pés inchados numa banquetinha. — Eu acredito que tenho o direito de saber tudo sobre você. É direito dela saber tudo sobre o marido, também.

Winston aquiesceu enquanto tirava a pele e separava a carne de um pescoço de peru.

— Ah, vocês mulheres — disse Jende. — Vocês se preocupam demais. Por que querem saber tudo que o homem faz, hein? Eu não quero saber tudo que você faz. Às vezes ouço você conversar com as suas amigas no telefone, e nem quero ouvir o que você diz a elas.

— Bem, isso é você — replicou Neni. — Não significa que seja a mesma coisa para todo mundo. Eu não quero saber aonde você foi e quem você viu todo dia e tudo isso, mas algumas esposas querem saber. Alguns maridos também querem saber. Por mim, tudo bem.

— Então você não se importa se eu começar a perguntar para suas amigas sobre você?

— Se você quiser ligar para as minhas amigas já e perguntar a elas alguma coisa sobre mim, pode ligar. Minhas mãos estão limpas. Não há nada que as minhas amigas lhe digam que seja diferente do que você pensa que eu sou.

— É mesmo?

— O que você quer dizer com "é mesmo"?

— Quero dizer que, se eu perguntar às suas amigas elas não vão me contar que você andou fazendo umas coisinhas sujas com um daqueles afro-americanos na rua com as calças caindo pelas pernas? — ele disse, piscando para ela.

Winston riu.

— Gente de Nova York, venham ouvir uma coisa! — disse Neni, levantando as mãos. — Por que eu haveria de fazer uma coisa dessas? Por que eu haveria de pegar um desses desempregados com cinco mãezinhas adolescentes? Ah, céus. Se algum dia eu quiser experimentar algo novo, vou achar um velho branco simpático cheio da grana e com um cilindro de oxigênio.

— Não é má ideia — disse Winston. — Poderíamos todos dividir o dinheiro quando ele se for. — Neni e Winston riram juntos e espalmaram as mãos no ar.

— Falando sério — disse Jende —, as mulheres precisam aprender a ter mais confiança. Precisam confiar que os maridos estão sabendo o que fazem.

— Eu tenho que concordar com Neni, *bo* — disse Winston. — Você precisa contar a ela.

— Gente, vocês andaram bebendo *kwacha*? Eu não posso dizer nunca nada do que ele faz. Para ninguém! Eu não tenho nada que ficar falando dele. Eu assinei um contrato quando ele me aceitou no trabalho. Vocês se lembram?

— Sim — disse Neni, levantando-se para tirar a mesa. — E daí?

— O contrato diz que eu não posso contar nada sobre ele com ninguém, nem com a esposa.

— Esqueça o contrato — disse Winston.

— Ah, *bo*, como você pode dizer uma coisa dessas sendo advogado? Como você pode me dizer para fazer uma coisa que você sabe que pode me fazer perder o emprego?

— Mas o que você tem medo de contar a ela? — indagou Neni, voltando da cozinha. — Você sabe de alguma coisa que ele está escondendo dela?

Jende não respondeu; ele já queria contar a ela fazia tempo.

Quando descobriu sobre as mulheres, pensou que seria bom ela saber para poderem fofocar sobre isso tarde da noite, rir do sr. Edwards marcando um encontro com uma mulher alta ou uma mulher loira. Sempre que ele deixasse o sr. Edwards no Chelsea Hotel, contaria a ela e dariam risada juntos, e ela ficaria grata por ele nunca fazer uma coisa dessas porque era um homem bom, um homem honrado, um homem íntegro. Porém quanto mais pensava naquilo, mais percebia como seria diferente a reação dela se ele lhe contasse. Ela poderia ficar desconfiada, até mesmo ansiosa. Pensaria: E se o sr. Edwards oferecesse uma prostituta para ele também, como uma espécie de agrado ou gratificação? E se o sr. Edwards o doutrinasse, o contaminasse, o fizesse sentir que era direito divino de todo homem satisfazer-se sempre que necessitasse? Ele podia vê-la ficando desnecessariamente apavorada, sobretudo agora que seu rosto tinha engordado, suas pernas tinham engordado, e todo seu corpo parecia que se manteria gordo pelos próximos anos. O que não o incomodava. Não o incomodava em absoluto. Mas ele sabia que ela pensava que ele se incomodava, e era por isso que ela comprava todas aquelas revistas com mulheres esqueléticas na capa e tomava o cuidado de não botar óleo de palma demais na comida. Agora ela falava sobre perda de peso e calorias e colesterol e sem açúcar isto sem gordura quilo e besteiras sobre as quais ninguém em Limbe falava. Agora ela estava começando a se preocupar com absurdos. Estava virando uma esposa temerosa.

Ele a amava tanto (ele não a teria trocado nem por um passaporte americano), mas podia entender por que ela estava com medo. Ele era o único homem que ela já tinha amado, assim como o pai dela era o único homem que sua mãe tinha amado. E então, o que aconteceu? Vinte e quatro anos de casamento, no ano em que o pai perdeu o emprego no porto, a mãe dela descobriu que ele havia engravidado uma adolescente que vivia no bairro de Portor-Portor. Sua mãe ficara humilhada; Neni ficara mais humilhada que a mãe, se é que algo assim era possível. Sua mãe a surpreendera chorando e gritara com ela. Enxugue essas lágrimas, disse ela. Os homens são governados por uma coisa que não podem controlar. Neni quis berrar de volta com a mãe e dizer-lhe que parasse de justificar as ações do marido como se a infelicidade dele fosse culpa de todo mundo. Quis gritar com a mãe por permanecer casada com um homem raivoso que a criticava na frente dos filhos, mas sabia que apenas com seu emprego de secretária de meio período e oito filhos, sua mãe teria de lutar muito para começar uma vida nova. Então Neni enxugou os olhos, e naquele dia decidiu que havia uma coisa que ela queria acima de tudo num homem: lealdade. E era nisto em que Jende era melhor, melhor que todos os outros homens que ela já tinha conhecido: cumprir suas promessas.

— Você sabe de alguma coisa? — ela perguntou de novo.

— Por que ele haveria de dividir os segredos dele comigo? — Jende respondeu. — Eu sou seu motorista, não seu amigo.

— E então? — ela insistiu. — Conte para ela. Se eu fosse você, não ousaria deixar a sra. Edwards zangada.

— Concordo com Neni — disse Winston. Ele estava agora sentado no sofá com Neni, enquanto Jende estava sozinho à mesa. — No momento em que Neni nos contou sobre a mulher e as drogas dela, eu soube que alguma coisa não estava em ordem.

— Isso não significa...

— Isso significa, *bo*, que essa mulher pode fazer você perder o emprego.

— Besteira!

— Não é besteira, Jends.

— As mulheres podem ser muito determinadas — continuou Winston. — Se você não lhe der o que ela quer, pode perder o emprego. Ele contratou você, mas ela pode demitir você. Estou lhe dizendo.

— Mas o que é que eu devo fazer em relação a isso? — Jende perguntou. — Por que ela não pode perguntar ao próprio marido sobre o que a está preocupando?

— Quem sabe que tipo de casamento é o deles? Os tipos de casamento que as pessoas têm neste país, *bo*, são muito estranhos. Não é como lá na nossa terra, onde o homem pode fazer o que bem entende e a mulher vai atrás. Aqui é o contrário. As mulheres dizem aos maridos o que querem e os homens fazem, porque dizem que esposa feliz é vida feliz. Esta sociedade é engraçada.

— Então o que acha que eu devo fazer? — Jende perguntou a Winston.

Winston olhou para o primo intensamente e fechou a cara.

— Acabei de pensar numa coisa — disse ele, cruzando as pernas e os braços.

— O quê? — quis saber Jende.

Winston descruzou as pernas, levantou-se e arrumou a camisa.

— Esta casa — disse ele — é tão quente que dá para fritar *puff-puff* no ar. — Foi até a janela e a abriu alguns centímetros. — Vocês deveriam deixar esta janela...

— Esqueça a janela e venha nos dizer algo de útil! — exigiu Neni.

— Tudo bem, tudo bem, eis o que eu estou pensando — disse ele, curvando-se enquanto voltava para o sofá e sentava-se ao lado de Neni, afrouxando a gravata no processo. — É isto que você deve fazer... mas deve fazer sem *nenhuma* preocupação se alguma coisa der errado.

— Este aqui? — disse Neni em tom de chacota. — A preocupação dele é uma coisa. Só diga o que fazer. Se ele não conseguir, eu faço.

— Não, ele mesmo tem que fazer.

Winston ajeitou-se no sofá e debruçou-se para a frente.

— É isto que você vai fazer — disse ele, olhando para Jende. — Você sobe para falar com ela. Não amanhã. Talvez daqui a uns dois dias, para ela saber que você teve tempo de pensar no assunto, certo?

Jende aquiesceu novamente.

— Será que dá para você simplesmente me dizer a ideia?

— Você diz a ela "Madame, pensei no que a senhora quer e compreendo. Mas sinto muito, madame, não posso fazer." — Aqui Winston abriu os braços e deu de ombros. Depois franziu o cenho. — Ela vai dizer: "Como você se atreve, este é o seu fim, seu emprego acabou." E então você olha bem dentro dos olhos dela e diz: "Madame, não quero magoá-la, mas se a senhora me demitir, vou contar para todo mundo a respeito das drogas."

— O quê! — exclamou Jende.

— Mamami, hein, Winston! — Neni disse, espalmando com Winston no ar.

— Vocês ficaram malucos?

— Você quer manter o seu emprego ou não?

— Eu quero manter o meu emprego, mas...

— Mas o quê? — disse Neni.

— Eu não vou fazer isso com uma coitada de uma mulher que parece já ter muitos dos seus próprios problemas. Quer dizer, vocês estão aí sentados falando como se ela fosse só uma estranha da rua para mim.

— Ela não é nada sua! — retrucou Neni. — Você acha que se amanhã você perder o emprego, ela vai lembrar o seu nome?

— Você é só um negro que leva ela de carro daqui para lá — completou Winston. — Estou lhe dizendo, *bo*, se você souber as coisas que eu sei sobre esse tipo de gente, não ficaria preocupado com ela.

— Eu não estou preocupado com ela! — replicou Jende. Uma risca de suor escorreu pelo lado direito de seu rosto. — Vocês acham que sou idiota? Eu sei que sou só um chofer. Mas isso não significa que não devo ter pena dela. Quer dizer, hoje eu estava olhando para ela enquanto ela falava comigo, e os meus olhos se encheram de lágrimas.

— Ah, é? — disse Neni, curvando o lado esquerdo do lábio superior. — Então você tem pena dela, hein? Sabe o que, *bébé*? Se ela resolver que você vai perder o emprego, adivinhe os olhos de quem vão se encher de lágrimas. Os meus!

— O sr. Edwards nunca vai me demitir por causa da esposa.

— Espero que não — disse Winston, olhando para o celular.

— Ele nunca vai fazer isso. Ele não é esse tipo de homem.

— Não confie em outro homem desse jeito, *bo*. As pessoas têm diferentes cores.

— Vamos esquecer esse tópico, por favor. Eu lido com ele. Não vou perder o emprego.

— Eu mostrei para vocês a foto de Maami? — perguntou Winston. Pegou seu iPhone e digitou algumas vezes até aparecer uma foto de sua namorada de colégio, um belo rosto pintado com um longo cabelo trançado e um generoso decote. Mostrou a foto para Neni, que assentiu e passou o celular para Jende que, sabendo que os olhos de Neni estavam em cima dele, confirmou displicentemente que Maami daria uma belíssima sra. Winston Avera.

— Você tem que fazer o que o Winston está dizendo — Neni voltou ao assunto, os braços ainda dobrados sobre a enorme barriga. — O único jeito de você fugir disso é fechar a boca dela, porque se você disser a ela alguma coisa que o sr. Edwards não quer que ela saiba, é o sr. Edwards quem vai despedir você por quebra de contrato. E se ela descobrir que você sabia de algo e não contou para ela, despede você por mentir. Ela não vai se importar se você tem uma família ou se...

— Neni, por favor! Me deixe descansar, estou implorando. Minha cabeça está doendo, o.k.?

— A minha também está, o.k.? Eu não gosto nem um pouco dessa situação. Eu conheço a sra. Edwards. Sei o tipo de mulher que ela é. Ela parece que é fraca, mas consegue das pessoas o que quer, de um jeito ou de outro. Você não pode cometer um erro com seu emprego neste momento, quero dizer isso. Um errinho só, você perde o emprego numa época em que...

— Você acha que eu não sei disso!

— Todo mundo tem que se acalmar — interferiu Winston. — E, *bo*, por favor, não fale desse jeito com a sua mulher. Especialmente quando ela está carregando o seu querido bebê americano.

— Talvez uma mulher carregando um bebê devesse saber melhor quando parar de falar.

Neni olhou para Jende da cabeça aos pés, sem ocultar seu momentâneo desprezo. Endireitou-se e começou a se levantar do sofá. Winston levantou-se e a puxou para ficar de pé.

— Ponha um pouco de juízo nessa cabeça de coco dele — ela disse a Winston. — Porque se eu disser mais alguma coisa para ele, eu juro, a minha boca vai começar a sangrar feito uma vaca no matadouro.

Os dois abafaram o riso enquanto Neni desejava boa-noite a Winston e ia para o quarto.

— Como é que eu fui acabar envolvido desse jeito nos problemas de casamento dos outros? — Jende perguntou a Winston depois de Neni ter fechado a porta do quarto. — Isso está além da minha compreensão.

— As mulheres podem ser muito traiçoeiras — disse Winston. — Se você não quiser lhe dar o que ela quer, ela vai até o marido e inventa uma história sobre você para poder mandar você embora.

— Vou ser igualzinho a José no Egito.

— Sim, vai ser como José no Egito. Mas em vez de interpretar um sonho sobre sete anos de fartura e sete de escassez, você vai viver sete anos de sofrimento.

Trinta e um

Na manhã do seu trigésimo oitavo aniversário, ele permaneceu fora do carro e segurou a porta traseira para Clark Edwards, como fazia todas as manhãs. Vestia um terno cinza de lã que Neni comprara para ele na Target como presente de aniversário, combinando com uma camisa branca e uma gravata vermelha de presilha, completando com um par de sapatos sociais marrons. Mais cedo naquela manhã, enquanto estava diante do espelho se admirando, Neni entrou no quarto e disse que ele estava mais charmoso do que nunca, e ele concordou, dando-lhe um longo beijo de obrigado.

— Hoje é meu aniversário, senhor — ele disse a Clark.

— Então, feliz aniversário — Clark respondeu sem tirar os olhos do laptop, que estava inicializando. — Não vou perguntar quanto anos você tem.

— Obrigado, senhor — respondeu Jende, sorrindo. Enquanto esperavam o farol abrir na esquina da Park com a rua Setenta, ponderou qual seria a melhor maneira de abordar o assunto.

— Sei que é uma época de muito trabalho para o senhor — disse —, mas há uma coisa que eu queria discutir com o senhor.

— Vá em frente — disse Clark, ainda sem levantar os olhos do laptop.

— É sobre a sra. Edwards, senhor.

Clark continuou a olhar para o laptop.

— O que tem ela?

— Senhor, acho que ela quer saber aonde o senhor vai. E quem o senhor encontra. E todo esse tipo de coisa, senhor. Ela quer que eu lhe conte sobre o que eu vejo o senhor fazer.

Clark olhou para Jende no retrovisor.

— É mesmo?

Jende assentiu.

— Eu não sei o que fazer, senhor. É por isso que eu estou lhe perguntando.

Ele quis se virar para ver a reação na fisionomia de Clark — raiva? decepção? frustração? — mas não podia; só podia captar de relance os olhos do patrão no espelho.

— Conte a ela o que ela quer saber — disse Clark.

— Posso contar a ela, senhor? O senhor quer que eu, senhor... quer que eu...

— Você pode responder às perguntas dela.

— Quer dizer que eu posso contar tudo, senhor?

— Claro que você pode contar tudo. Aonde você me leva que não pode dizer a ela? Com quem você me vê?

— Foi isso que eu disse para ela, senhor. Eu disse que só levo o senhor para prédios de escritórios nos bairros comerciais e no centro, e às vezes...

— Nunca mencione o Chelsea.

— Eu nunca mencionei o Chelsea, senhor. E nunca vou mencionar.

O carro permaneceu em silêncio por um minuto, os dois assumindo sem palavras o que cada um sabia que o outro sabia. Jende queria que Clark soubesse mais; queria lhe assegurar da sua lealdade, prometer-lhe que seu segredo sempre estaria seguro. Queria dizer ao sr. Edwards que, pelo fato de ter lhe dado um bom emprego que mudara a sua vida e estava lhe permitindo cuidar da sua família, mandar a esposa para a escola, mandar para o sogro um presente em dinheiro a cada tantos meses, substituir o telhado e as paredes podres de madeira da casa de seus pais, e economizar para o futuro, ele sempre o protegeria de toda forma que pudesse.

Ele não disse, mas Clark Edwards disse "Obrigado" mesmo assim.

O suor que escorria pelas costas de Jende secou.

— Muito obrigado, senhor, por entender — ele disse. — Eu não estava dormindo bem. Sem saber o que fazer. Estou contente de deixar tanto o senhor quanto a sra. Edwards satisfeitos.

— É claro.

— Eu estava com tanto medo de perder o emprego se não fizesse a coisa certa.

— Não há do que ter medo. Seu emprego está garantido. Você tem sido excelente. Continue a fazer o que eu lhe peço, e você não terá que se preocupar com nada.

Ambos ficaram novamente calados enquanto o carro se arrastava pela loucura do centro: turistas comprando e passageiros habituais apressados e vendedores ambulantes e ônibus urbanos e ônibus de turismo e táxis amarelos e carros pretos e crianças em carrinhos e mensageiros de bicicleta, e muita coisa de tudo.

— Senhor — Jende continuou —, a sra. Edwards está bem?

— Sim, está ótima. Por quê?

— Me pareceu, senhor, como se...

O celular de Clark tocou e ele pegou o aparelho.

— Você falou com Cindy? — ele perguntou à pessoa na linha. — Ótimo... acho que ela vai por vocês no Mandarin Oriental, não sei bem por que... Não, tudo bem, se é onde todo mundo prefere. — Escutou mais um pouco e então riu. — Parece bem o jeito da mamãe — disse ele. — E a visita do papai a Nova York nunca é completa sem um passeio pelo Central Park... É, vou garantir que Jende esteja disponível para pegar todo mundo no aeroporto... Eu também, estou animado; vai ser ótimo... Também não consigo me lembrar da última vez. Talvez no ano em que Mighty e Keila nasceram e ninguém estava no espírito de enfrentar as multidões do feriado com bebês de colo?... Não se preocupe em trazer nada, e diga para a mamãe também não se preocupar. Cindy e June vão cuidar de tudo. Elas já estão com o cardápio pronto... Não acho que precisem de ajuda; há anos que fazem isso... Ah, tudo bem... Então, vá em frente. Eu não sabia que você já tinha sugerido isso para ela. Estou contente que todo mundo esteja em sintonia... Escute. Cec, preciso desligar... Parece uma boa.

— Desculpe por isso — disse Clark para Jende depois de desligar. — Estamos muito empolgados por estar juntos em Nova York pela primeira vez em tantos anos.

— Eu entendo essa empolgação, senhor.

— Você estava dizendo alguma coisa sobre Cindy?

— Sim, senhor — Jende respondeu. — Eu só estava dizendo, senhor, não sei se é a coisa certa a dizer, mas tive a impressão de que ela perdeu um pouco de peso, então só queria ter certeza de que ela está bem. Ficarei contente de fazer qualquer coisa que seja necessária se ela não estiver bem e... se precisar que eu ajude na casa, senhor.

— Não será necessário, mas obrigado. Ela está bem.

— Fico contente em saber, senhor, porque estava um pouco preocupado...

— A recessão é difícil para todos nós, mas ela está bem.

— Graças a Deus, senhor, todos nós estaremos bem em breve.

Clark pegou o *Wall Street Journal* no banco ao seu lado. Após alguns minutos de leitura, ergueu a cabeça e olhou para Jende. — Você deveria dizer a ela que ela perdeu peso — disse. — Ela vai ficar contente de ouvir isso.

Jende sorriu.

— Talvez eu diga, senhor — respondeu. — A sra. Edwards é uma boa mulher.

— É sim — disse, retornando ao jornal. — É uma boa mulher.

Trinta e dois

Duas vezes por dia, durante o intervalo de almoço e antes de estacionar o carro no fim do dia, ele anotava tudo que achava que Cindy gostaria de ler: informações favoráveis, viagens banais. Fornecia detalhes que iam muito além do necessário; incluía horários, locais e nomes que não tinham qualquer utilidade; acrescentava descrições de pessoas cujas ações e comportamentos não contribuíam em nada para a narrativa. Era a primeira vez que tinha a chance de escrever algo diariamente desde seus tempos de estudante na Abrangente Nacional, então aproveitava a oportunidade para empregar frases e expressões que aprendera lendo o dicionário que possuía desde a escola secundária; exibir sentenças e tempos verbais que tinha tirado de jornais e que esperava que provassem para a madame que pensava com cuidado ao escrever.

Numa terça-feira, escreveu:

> Pego sr. Edwards às 7h05, mas o tráfego lento desconcertou o sr. Edwards porque ele tem reunião às 7h45. Deixo senhor Edwards no trabalho às 7h42. Antes, quando ainda estamos no carro, ele liga para a nova secretária (continuo esquecendo seu nome) e diz para ela que vai se atrasar. Quando o deixo na frente do escritório, uma mulher negra vestindo terninho está do lado de fora. Parece que ela também acabou

de sair de um carro. Vejo ela e o sr. Edwards dizerem olá um para o outro e então entrarem juntos no escritório. Eu já vi essa mulher antes. As minhas células cerebrais disparam o dia todo e eu lembro onde a vi. Ela também trabalhava no Lehman. Agora são 14h30 e eu não vi o sr. Edwards porque ele reservou toda essa hora para ficar no escritório.

Numa noite de sexta-feira, depois de levar Clark do Chelsea Hotel para o escritório, escreveu:

> Às 16h sr. Edwards e eu deixamos Washington, D. C. Ele recebe uma porção de chamadas telefônicas mas nada parece preocupante ou suspeito. Tudo soa como trabalho. Alguém para quem ele diz isso, outra pessoa para quem diz aquilo. Diferentes coisas profissionais. Eu não falo com ele durante toda a viagem de volta com medo de proferir perturbações para ele. Quando retornamos para a cidade, já são mais de 20h. Eu o levo para a academia. Ele sai da academia às 22h e então o levo de volta para o trabalho.

Sempre que podia, punha a academia no lugar do Chelsea Hotel, mas nas semanas em que Clark ia ao hotel mais de uma vez, ele inventava outros motivos, toda semana algo novo. Uma noite, receando que Cindy podia ter tentado falar com Clark enquanto ele estava no hotel, escreveu que tinha ficado preso no trânsito no Túnel Holland, que tem uma "recepção telefônica atordoantemente deficiente". Numa outra vez escreveu que Clark tinha que se apressar para uma reunião, "então saltou depressa dentro de um táxi amarelo quando eu voltava de ter ido buscar Mighty, então não tenho uma maneira indubitavelmente sólida de saber aonde ele ia ou com quem ia se encontrar. Mas sou inequívoco na minha crença de que ele estava indo para uma reunião muito crucial."

Jende carregava consigo o caderno azul em todas as suas horas de trabalho, e o apresentava a Cindy toda manhã para ela poder lê-lo a caminho do trabalho. Às vezes ela parecia ler todos os detalhes, meneando a cabeça e referindo-se a páginas anteriores. Sempre, ela o devolvia sem comentários além de um rápido agradecimento e um lembrete para ele continuar escrevendo.

— Vou continuar a escrever, madame — ele sempre dizia enquanto segurava a porta aberta para que ela saísse do carro. — Tenha um bom dia, madame.

E os dias pareciam, sim, estar ficando ótimos, desde mais ou menos a época em que ele começou a lhe apresentar suas anotações.

Conversas telefônicas com as amigas não eram mais salpicadas de sussurros lacrimosos sobre "o que ele está fazendo comigo" e dúvidas sobre "quanto tempo mais vou conseguir aguentar isso". Ela ria um pouco mais, e quando Jende completou três semanas mostrando-lhe as anotações, ela já ria bem mais, e mais alto. Sua aparência não tinha voltado para como estivera no ano anterior (a pele, embora ainda elástica, tinha perdido um pouco do brilho, e os ossos dos ombros estavam ainda mais saltados), e ela não parava de falar em Vince, preocupada por ele não ter respondido seus e-mails por três dias, mas ela encontrava motivos para sorrir, como o fato de June e Mike terem se reconciliado, e que ela, Mighty e Clark iriam para St. Barths no Natal. Iam ser dias maravilhosos, ela dizia às amigas, e Jende desejava ardentemente que fossem, também, porque depois de meses ouvindo seus gemidos e suspiros, e vendo-a pousar a cabeça contra a janela com a mão na face e os olhos fixos no mundo feliz lá fora, balançar a cabeça, e dizer, desanimada, que seja, Clark, faça o que quiser; depois de ver demais da sua dor persistente que ela escondia tão bem quando não estava em torno da família e das amigas próximas, ele queria muito que a madame tivesse dias maravilhosos.

E foram dias assim que ela parecia ter tido quando ela e Clark compareceram a uma noite de gala do Waldorf Astoria na segunda-feira após o dia de Ação de Graças.

Os pais de Clark tinham vindo para o feriado, junto com sua irmã e suas sobrinhas, e dias depois, Mighty contou a Jende sobre o dia de Ação de Graças incrível que a família tivera. Haviam celebrado o dia junto com a família de June, como sempre faziam (as duas famílias se revezavam todo ano nos deveres de anfitriãs), e sua mãe, avó e tia tinham passado o dia cozinhando e assando pães e bolos, rindo e contando histórias. Foi o primeiro dia de Ação de Graças que a família do pai passava reunida em séculos, porque com seus avós na Califórnia e sua tia em Seattle, vinha sendo muito difícil reunir todo mundo, considerando horários de trabalho e o fato de seu pai e sua tia detestarem viajar nos feriados. Mas este ano todo mundo disse que precisava fazer isso, e tinha sido muito gostoso. Jende ficou surpreso de saber que Cindy e sua sogra se adoravam, porque em Limbe as sogras muitas vezes eram motivo para as esposas passarem a noite acordadas chorando, mas Mighty lhe disse que não, sua mãe chamava os sogros de "mamãe e papai" e sempre tinha o cuidado de lhes telefonar pelo menos uma vez por mês além dos aniversários e comemorações de casamento. Ela sempre insistia para que Mighty e Vince fizessem o mesmo, e quando esqueciam, ela os repreendia, lembrando-lhes que família era tudo.

De fato, Jende podia ver na nova alegria de Cindy, dias depois de Ação de Graças, que a segurança da família era a sua maior fonte de felicidade. Graças a essa alegria redescoberta, seu casamento não era mais uma coisa que coxeava de um dia para outro, e sim saltava e chutava e valsava noite após noite ao som das "Vozes da Primavera" de Johann Strauss.

No dia da noite de gala no Waldorf Astoria, ela e Clark entraram no carro radiantes, mais felizes que Jende jamais os vira, separados ou juntos, em mais de um ano trabalhando para eles. Talvez as informações do caderno tivessem espantado seus medos, pensou Jende, assegurando-lhe que o marido era um homem bom. Ou talvez a reunião familiar a tivesse lembrado de tudo pelo qual valia a pena lutar. Ou talvez se devesse a alguma outra coisa que acontecera entre ela e o marido, algo que Jende não tinha como saber. Fosse o que fosse, era mais que suficiente para transformá-los em jovens amantes, cochichando e dando risadinhas durante a viagem até o Waldorf Astoria; ela, reluzente num vestido vermelho sem alças; ele, jovial e suave num smoking de caimento impecável. Voltaram a entrar no carro cinco horas depois numa felicidade ainda maior, rindo de coisas que haviam transcorrido na pista de dança.

— Eu nunca pensei que fosse chegar o dia de ver o sr. e a sra. Edwards tão felizes — Jende disse a Neni quando chegou em casa depois da meia-noite.

— Eles estavam se beijando e fazendo todas aquelas coisas no banco de trás? — Neni perguntou enquanto punha seu jantar na mesa.

— Não, Deus me livre. Eu poderia ter sofrido um acidente rapidinho se tivesse visto isso. Estavam só encostados um no outro e falando baixinho no ouvido, e ela ria alto de tudo que ele dizia. Ele brincava com o cabelo dela... De qualquer modo, eu não quis ficar olhando demais, mas a coisa toda estava realmente me chocando.

— Eu fico imaginando o que será que aconteceu. Você acha que talvez ela tenha posto algumas gotas de poção do amor na comida dele? Aquela realmente forte que faz o homem ficar caído por você, e tratar você como rainha?

— Ah, Neni! — Jende disse, rindo. — As mulheres americanas não usam poções do amor.

— Isso é o que você pensa — disse Neni, rindo também. — Elas usam, sim. E chamam de lingerie.

Trinta e três

Não seria nada além de um pico num longo período de tédio, um breve adiamento da agonia de uniões pútridas. Dois dias depois da noite de gala no Waldorf Astoria, viria a aparecer uma história num tabloide diário, e a borboleta na qual seu casamento estava se tornando voltaria a metamorfosear-se numa lagarta.

Foi uma história que, em tempos normais, teria sido desprezada como puro lixo. Porque, na verdade, ninguém com um senso de realidade do mundo poderia ser ingênuo o bastante para pensar que tais coisas não aconteciam. Se não tivesse havido um desejo coletivo de julgar desprezíveis os presumidos arquitetos da crise financeira, poucos teriam se incomodado de ler a história. Sua regurgitação em jornais de renome e em blogs de reputação teria sido outro lembrete de que a sociedade americana como um todo nunca poderia chamar a si mesma de erudita, do motivo pelo qual a fácil disponibilidade de histórias da vida privada dos outros estava transformando adultos, que em outras circunstâncias estariam enriquecendo suas mentes com conhecimento que valesse a pena, em adolescentes necessitados da satisfação de saber que outros eram mais patéticos que eles.

Mas a história, embora tenha aparecido inicialmente num tabloide ignóbil, não foi desprezada. Ao contrário, foi comentada em barbearias e bancos de parques infantis, passada adiante para vizinhos e colegas de classe. Era uma época de angústia em Nova York, e aqueles que puseram a história na primeira página sabiam para onde queriam que fluísse a raiva dos maltratados pela sorte.

— Você viu? — Leah disse a Jende depois que ela viu sua chamada perdida e ligou de volta para ele durante o horário de almoço.

— Viu o quê? — perguntou Jende.

— A história da prostituta. É suculenta!

— Suculenta?

— Coitado do Clark! Sinceramente espero que ele não...

— Não sei do que você está falando, Leah.

— Ah, benzinho, você obviamente não leu — Leah disse excitada. — Bem, você não vai acreditar, mas essa mulher, essa acompanhante — eu detesto quando usam essas palavras enfeitadas para prostitutas —, em todo caso, ela alega que tem um monte de clientes do Barclays e, escute só, seus clientes estão pagando seus serviços com dinheiro de programas de ajuda financeira!

— Dinheiro de programas de ajuda financeira?

— É. Dinheiro de programas de ajuda financeira! Dá para acreditar?

Jende balançou a cabeça mas não respondeu. A coisa do dinheiro resgatado estava todo dia nos noticiários, mas ele ainda não entendia se era uma coisa boa ou ruim.

— E você quer ouvir a parte mais doida? — Leah continuou, sua voz cada vez mais aguda de entusiasmo. — Um dos executivos que ela menciona como cliente habitual é Clark!

— Não — disse Jende de imediato. — Não é verdade.

— Ela diz isto bem aqui.

— Não é verdade.

— Como você sabe que não é verdade?

— Ela mencionou o nome dele?

— Não, ela só os menciona pelo título deles, e eu sei o título do Clark.

Jende abafou uma risada para si mesmo.

— Ah, Leah — disse ele. — Você não deve acreditar em tudo que lê no jornal. As pessoas escrevem todo tipo de coisas...

— Ah, nesta aqui eu acredito benzinho. Eu conheço esses homens, o que eles fazem... Ninguém vai me fazer pensar que isto é impossível...

— Não há como isso ser verdade; o sr. Edwards nunca usaria dinheiro resgatado para suas coisas pessoais. E mesmo que outros homens no Barclays saiam com essa prostituta, como ela sabe de que bolso veio o dinheiro? O sr. Edwards tem seu próprio dinheiro. Ele nunca tocaria no dinheiro do governo.

— Talvez não, mas e quanto a tocar nas prostitutas? Você acha que ele nunca saiu com uma ou duas ou cem? Eu aposto que você já viu...

— Eu nunca vi nada.

— Coitada da Cindy.

— Coitada dela por quê?

— Quando ela ler isto. Vai enlouquecer!

— Ela não vai acreditar em nada disso — Jende afirmou, aborrecendo-se e imaginando se Leah estaria entusiasmada com a derrocada de uma família ou apenas adorando a fofoca. — É gozado neste país, como pessoas escrevem mentiras sobre outras pessoas. Não está certo. No meu país, a gente fofoca muito, mas ninguém jamais faria por escrito do jeito como fazem aqui nos Estados Unidos.

— Ah, Jende — Leah disse, rindo. — Você realmente acredita no Clark, hein?

— Eu não gosto quando as pessoas inventam histórias sobre outras pessoas — Jende respondeu, ficando cada vez mais agitado com o contentamento de Leah. — E como essa mulher pode saber qual é o título do sr. Edwards?

— É, isso é que é gozado, não é mesmo? As cafetinas não dão o nome dos clientes para as garotas. As garotas simplesmente são informadas da hora e do lugar em que devem aparecer... Por favor, benzinho, não me pergunte como eu sei de tudo isso. — Leah riu para si mesma. Jende não acompanhou a risada.

— Mas, Cindy — Leah prosseguiu —, ela não vai se importar com nada disso. A mulher é a paranoia em pessoa e, deixa eu te avisar, ela vai fazer um monte de perguntas para você. Ela costumava me encher de perguntas sempre que tinha chance, e eu tinha de dizer a ela "Mulher, eu não trabalho para você, você não pode tirar vinte minutos do meu tempo..."

— O que ela vai me perguntar?

— Ah, toneladas de coisas, benzinho — disse Leah, e Jende pôde sentir seu sorriso, talvez deliciando-se com a ideia do interessante drama que provavelmente estava para se desenrolar. — Ela vai lhe perguntar se você alguma vez o levou para um hotel, se você alguma vez viu uma dessas piranhas. Eu realmente tomaria cuidado se fosse você, porque...

— Ah, Leah, por favor, pare de se preocupar comigo — disse Jende, forçando-se a soar indiferente. — Se ela tiver alguma pergunta, ela vai perguntar ao marido.

— Pobre mulher. Eu detestaria estar no lugar dela. No lugar de qualquer um deles. Agora você vê porque eu nunca me preocupei em me casar?

Na verdade, pensou Jende, você nunca se casou porque ninguém quis se casar com você, ou você não encontrou ninguém que amasse o suficiente para se casar, porque nenhuma mulher com um cérebro intacto diria não para um homem que ela ama se esse homem quisesse se casar com ela. As mulheres adoram fazer alvoroço por independência, mas toda mulher, americana ou não, aprecia um bom homem. Se não fosse assim, por que tantos filmes terminam com uma mulher sorrindo por ter finalmente conseguido um homem?

— Quer dizer, casamento é bom, não me interprete errado — Leah continuou, enquanto Jende mal escutava porque estava rezando para que a história fosse falsa e que Cindy fosse capaz de dizer que havia alguém por aí querendo ferir homens como Clark. — Eles passaram por muita coisa, sabe. Clark uma vez quase morreu: o apêndice rompeu, estourou; tiveram que levá-lo correndo para uma cirurgia de emergência. E eu acho, se me lembro com clareza, que foi no ano em que Mighty nasceu prematuro. Aparentemente, Cindy só queria um filho, e não tinham planejado Mighty: pelo menos foi o que eu ouvi. Mas aposto que Cindy está agradecendo aos céus por ter tido um segundo filho, agora que Vince fugiu para a Índia e só sobrou Mighty... De qualquer modo, a coitada passou um mês inteiro no hospital. Clark e Cindy, Deus os abençoe, eles atravessaram muita coisa juntos. Mas casamento é isso, não é? Ele me dizia para botar as chamadas dela na caixa postal, mas quando você os via nas festas da empresa, pensaria que são o casal mais feliz do...

— Desculpe, Leah — interrompeu Jende, olhando para o relógio e dando partida no carro.

— Algumas pessoas são realmente boas em encobrir a merda que fazem, e essas pessoas, se você não estivesse na minha posição, não saberia de nada a julgar por como elas riem e...

— Desculpe, Leah — Jende repetiu —, eu realmente preciso ir pegar Mighty.

— Ah, desculpe-me, benzinho! — Leah cantarolou. — Vá em frente, mas prometa que vai me ligar e me contar o que vai acontecer quando a Cindy descobrir. Estou morta de curiosidade!

Jende automaticamente prometeu ligar e desligou depressa, lembrando só alguns minutos depois que não havia perguntado como andava sua busca por emprego. Da última vez que tinham falado, Leah parecera deprimida por não receber retorno das ligações depois de enviar mais de cinquenta currículos, mas hoje parecia animada, graças aos detalhes sórdidos sobre a vida dos outros. Mulheres e fofocas.

Mas e se Leah não estivesse só inventando fofocas para passar o tempo? Jende ligou para Winston enquanto conduzia o carro para longe do centro, na esperança de lhe pedir que lesse a história on-line e o aconselhasse sobre o que devia fazer, mas Winston não atendeu. Pensou em ligar para Neni, mas resolveu que seria inútil: o que ela poderia dizer além de algo na linha do que Leah tinha dito?

Ele precisava decidir o que diria a Cindy quando a apanhasse às cinco. Tinha de presumir que ela lera a história. Tinha de imaginar que ela teria perguntas para ele enquanto se dirigiam ao Lincoln Center, onde ela se encontraria com uma amiga para jantar e ir à ópera. Tinha de estar preparado para mais uma vez lhe assegurar que nunca vira Clark com uma prostituta, e isso era verdade: Ele nunca vira o sr. Edwards com uma prostituta com seus próprios olhos. Tinha de estar pronto para Cindy duvidar dele, mas tinha de tentar ao máximo convencê-la de que não sabia de nada sobre aquilo, e tudo que escrevera no caderno azul era absoluta verdade.

— Boa noite, madame — disse ele enquanto segurava a porta do carro aberta para ela.

Ela não respondeu. Seu semblante estava duro como mármore, seus olhos cobertos com óculos escuros na tênue escuridão, seus lábios apertados com tanta força que era inimaginável que algum dia tivessem se rompido num sorriso.

— Lincoln Center, madame?

— Me leve para casa.

— Sim, madame.

Ele aguardou suas perguntas, mas nada veio — nem uma única palavra durante uma viagem de quarenta e cinco minutos com trânsito pesado até o Sapphire, nem mesmo uma palavra ao telefone. Ele imaginou que ela o desligara, e não podia culpá-la por silenciar o mundo numa hora dessas — suas amigas provavelmente estavam tentando falar com ela para manifestar seu choque, dizer-lhe o quanto lamentavam terrivelmente, dizer todo tipo de coisas que nada fariam para afastar sua desgraça. De que lhe adiantaria escutar tudo aquilo? E se não estavam ligando para ela, estavam ligando umas para as outras para dizer, você acredita? Justo Clark, entre todo mundo? A coitada da Cindy deve estar completamente arrasada! Mas como ele pôde fazer isso? Você acha que a história é verdade? O que ela vai fazer agora? E continuaram falando e falando, dizendo as mesmas coisas que as amigas da sua mãe costumavam dizer na cozinha em Limbe quando o marido de uma delas era surpreendido em cima de uma mulher de pernas abertas. Em New Town, em Nova York, todas as mulheres pareciam concordar que a amiga devia achar um jeito de seguir em frente, esquecendo que os destroços de uma traição tão devastadora não podem ser removidos com facilidade.

Ao se aproximarem do Sapphire, Jende olhou para Cindy no retrovisor, esperando que ela dissesse alguma coisa, qualquer coisa, para lhe dar a oportunidade de professar sua inocência, mas ela permaneceu em silêncio. Ele não tinha previsto esse silêncio e, mesmo que tivesse, não teria imaginado que ele seria mais apavorante do que as perguntas.

Chegaram a um quarteirão do Sapphire e ela ainda se mantinha calada, o rosto baixo e voltado para a janela, para o mundo frio e escuro lá fora.

— Vou levar a senhora para o escritório amanhã às onze e meia, madame? — ele perguntou enquanto estacionava diante do prédio.

Ela não respondeu.

— Tenho o caderno com todo o relatório de hoje, madame — ele disse enquanto segurava a porta aberta para ela sair. — Anotei tudo que ele...

— Pode ficar com ele — ela disse enquanto se afastava. — Não tem mais utilidade para mim.

Trinta e quatro

Primeiro ele achou que era só um resfriado — o menino vinha fungando o tempo todo desde que saíram da frente do Sapphire. Depois achou que Mighty estava fazendo sons de brincadeira para se divertir, então não fez perguntas. Na maioria das manhãs, Jende teria lhe perguntado como ele estava, se estava bem, mas hoje sua mente não estava em nada além do atoleiro no qual ele se debatia e nas adversidades que com toda certeza o envolveriam se não conseguisse se desvencilhar do casamento dos Edwards e proteger seu emprego. Tinha de falar com Winston o mais rápido possível, logo que estivesse sozinho no carro, ouvir seu conselho sobre o que dizer ou fazer, ou não dizer nem fazer, quando fosse pegar Cindy mais tarde naquela manhã.

— Você tem lenços de papel? — Mighty indagou num farol.

Jende tirou um dos porta-luvas e se virou para dá-lo ao menino.

— Mighty — disse ele, surpreso ao ver uma lágrima correndo pela face esquerda dele. — Alguma coisa errada? O que aconteceu?

— Nada — Mighty sussurrou, enxugando os olhos.

— Ah, não, Mighty, por favor, me conte. Você está bem?

Mighty fez que sim.

Jende estacionou junto ao meio-fio. Precisavam estar na escola em dez minutos para não chegarem atrasados, mas ele não ia deixar uma criança ir para a escola chorando. Seu pai uma vez fizera isso com ele, deixara-o chorar o caminho todo até a escola quando tinha oito anos, um dia após a morte do seu avô. Ele tinha implorado ao pai que o deixasse ficar em casa naquele dia, mas o pai recusara: ficar sentado em casa e não aprender a ler e a escrever não vai trazer o seu *mbamba* de volta, dissera Pa Jonga a Jende e seus irmãos ao sair de casa com outros parentes homens para ir cavar uma sepultura. Jende tinha implorado à mãe que o deixasse ficar depois que o pai saíra, mas sua mãe, que nunca desobedecia o marido, enxugara os olhos do filho e lhe dissera para ir à escola. Mesmo agora, trinta anos depois, ainda se lembrava da prostração daquele dia: secar os olhos com a bainha do uniforme enquanto subia a Church Street a pé com sua *mukuta* escolar; os amigos lhe dizendo "ashia ya" vezes e mais vezes seguidas, o que o fazia chorar ainda mais; chafurdando em tristeza enquanto os colegas empolgados erguiam as mãos para responder questões de aritmética ou dizer ao professor quem descobriu Camarões ("Os portugueses!"); sentado debaixo do cajuzeiro durante o recreio, pensando no seu *mbamba* enquanto os outros meninos jogavam futebol.

Jende desligou o carro e passou para o banco de trás.

— Conte-me o que há de errado, Mighty — disse ele. — Por favor.

Mighty fechou os olhos para conter as lágrimas.

— Alguém disse alguma coisa para você? Alguém está perturbando você na escola?

— Nós não vamos mais... — Mighty disse. — Não vamos mais para St. Barths.

— Ah, eu sinto muito ouvir isso, Mighty. A sua mãe acabou de lhe dizer isso?

Ele fez que não com a cabeça.

— Eles não me disseram. Eu simples... sei disso. Eu ouvi tudo na noite passada.

— Você ouviu o quê?

— Tudo... os gritos dela... ela estava chorando... — Seu rosto estava totalmente vermelho, a narina se dilatando e encolhendo enquanto ele lutava para se recompor e aguentar a mágoa com o máximo de dignidade que um menino de dez anos era capaz. — Eu fiquei do lado de fora da porta deles. Ouvi a mamãe chorando e o papai dizendo... que talvez era hora de parar com tudo, que ele não aguentava mais ficar fazendo jogos... e a mamãe, ela só chorava e gritava tão alto...

Jende pegou o lenço de papel que Mighty tinha na mão.

— Pessoas casadas brigam o tempo todo, Mighty — disse ele enquanto enxugava as lágrimas que escorriam pelas bochechas do menino. — Você sabe disso, não é? Ainda uma noite dessas eu e Neni, nós tivemos uma briga, mas na manhã seguinte já tínhamos feito as pazes outra vez. Você sabe que a sua mãe e o seu pai vão fazer as pazes de novo, certo?

Mighty balançou a cabeça.

— Se eu fosse você, não me preocuparia tanto. Eles vão fazer as pazes, eu garanto. Você vai para St. Barths, e vai me contar toda a diversão...

— Vai ser o pior Natal do mundo!

— Ah, Mighty — disse Jende, trazendo o menino para junto de seu peito. Pensou momentaneamente que alguém poderia vê-lo e chamar a polícia, um homem negro com um menino branco contra o peito, dentro de um carro de luxo, parado no meio-fio de uma rua no Upper East Side, mas esperava que ninguém visse, porque ele não ia afastar o garoto com as lágrimas jorrando abundantemente. Ia deixar Mighty dar uma boa chorada, porque às vezes tudo que a pessoa precisa para se sentir melhor é realmente de uma boa chorada.

— Posso ir visitar você e Neni este fim de semana? — perguntou Mighty, limpando o nariz com as costas da mão depois de parar de chorar e Jende ter secado novamente seus olhos.

— Eu e Neni ficaríamos tão contentes se você viesse, Mighty. É uma ótima ideia. Mas os seus pais, não podemos mentir para eles.

— Por favor, Jende, só um pouquinho?

— Sinto muito, Mighty. Eu realmente gostaria que você viesse, mas não posso fazer uma coisa dessas.

— Nem mesmo por uma hora? Talvez Stacy pudesse vir junto?

Jende balançou a cabeça.

Mighty assentiu com tristeza, secando a última lágrima do seu rosto.

— Mas sabe o que poderíamos fazer? — Jende disse, sorrindo. — Neni podia preparar um pouco de *puff-puff* e banana-da-terra frita para você, e eu trago amanhã. Talvez você possa comer um pouco no carro a caminho da escola, e o resto quando estiver voltando para casa. Isso deixaria você feliz?

O menino ergueu os olhos para ele, assentiu e sorriu.

Trinta e cinco

Deram-lhe o nome de Amatimba Munyenge, na esperança de que fosse sua filha morta que tivesse voltado para trazer-lhes felicidade: Amatimba significava "ela voltou" e Munyenge significava "felicidade", ambas as palavras no seu bakweri nativo. Eles a chamariam de Timba, para facilitar.

Ela nasceu no dia dez de dezembro no Harlem Hospital, a duas quadras do apartamento deles. No dia doze de dezembro foram a pé do hospital para casa, o pai levando a recém-nascida num *sling* junto ao peito, a mãe segurando o primogênito pela mão. No apartamento estavam os amigos, que tinham ido comemorar com o casal. Winston estava em Houston no feriado, tentando reconquistar Maami, mas havia nove amigos amontoados na sala de estar escaldante para comer e se rejubilar e dar a Timba as boas-vindas ao mundo.

— Tire quanto tempo de folga você achar necessário — disse Clark quando Jende telefonou para dar a notícia. — Logo Mighty vai entrar nas férias de inverno, e Cindy está pegando uma folga do trabalho. Vamos ficar bem.

— Eu agradeço tanto, senhor — Jende respondeu, sem se sentir surpreso pela generosidade do patrão. — Feliz Natal para o senhor e para a sra. Edwards.

Jende ligou para Cindy, também para contar pessoalmente a novidade. Ela não retornou sua mensagem de voz, mas dois dias depois Anna deu uma passada com uma caixa de fraldas tamanho P, que ele e Neni presumiram que era dos Edwards.

— Como poderemos algum dia agradecer ao sr. e à sra. Edwards? — perguntou Neni depois que Anna paparicou Timba e saiu apressadamente para não perder o trem para Peekskill.

— Nunca poderemos — disse Jende. — Vamos apenas nos lembrar de sempre agradecer a Deus por eles e por tudo que temos.

— É verdade, temos que agradecer — ela concordou.

No dia seguinte chegou para ele uma carta da Imigração.

Tendo sido admitido nos Estados Unidos em agosto de 2004 com autorização para permanecer por um período não superior a três meses e tendo ficado além de novembro de 2004 sem autorização posterior, foi decidido que ele está sujeito à remoção dos Estados Unidos, dizia a carta. Ele deveria comparecer perante um juiz de imigração para mostrar por que não deveria ser removido do país.

A data estava marcada para a segunda semana de fevereiro.

— Não há nada com que se preocupar, meu irmão — Bubakar assegurou mais uma vez quando Jende ligou naquela noite para discutir a carta. — Já lidei com casos como este antes. Eu sei o que fazer.

— E o que você vai fazer? — quis saber Jende.

— Não há muito o que fazer durante esta primeira audiência, é só uma primeira audiência formal. O juiz só quer verificar seu nome, seu endereço, e nos perguntar se admitimos ou negamos a acusação contra você; diversas coisas de protocolo como essa. Aí ele vai marcar outra data para você comparecer de novo para sabe-se lá quando. Como eu já disse antes, irmão, entre o acúmulo de serviço no tribunal e eu peticionar uma apelação depois da outra se precisarmos, vamos ganhar um bocado de tempo neste país para você.

Quanto tudo isso iria custar? Jende queria saber. Se tivessem de peticionar apelações, uma depois da outra para ganhar tempo, quanto custaria cada uma?

— Vai custar um bom dinheiro, irmão. A Imigração não é barata. Você só precisa fazer o que tem de fazer e pagar por isso. Eu sei que os meus honorários não são baratos como os de alguns desses patetas que vão lá e ficam gaguejando na frente do juiz, mas você fica comigo e eu ajudo você a passar por isto, minha promessa é essa. Estamos nisto juntos, irmão. Passo a passo, juntos, hein?

Jende ligou para Winston depois de desligar o telefonema para Bubakar. Não sabia o que fazer, ele disse ao primo, se continuar acreditando em Bubakar ou mudar de rumo.

— Eu não sei, *bo* — disse Winston. — Acho que esse cara está levando você por um péssimo caminho.

— Mas ele diz que já lidou com muitos casos como o meu. E no fim todo mundo foi aprovado.

Winston estava incrédulo. Bubakar, ele tinha concluído, era um bufão tagarela inútil. Um ex-colega seu que deixara a Dustin, Connors e Solomon para começar um escritório de advocacia especializado em imigração recentemente lhe dissera que as solicitações de asilo não podiam ser ganhas com histórias disparatadas como a de um homem fugindo para a América porque estava com medo de que o sogro o matasse.

Quem ele acha que está sentado nos escritórios da Imigração?, perguntara o ex-colega depois que Winston lhe contara todos os detalhes pertinentes sobre o caso de Jende. É claro que não são os caras mais espertos na turma de funcionários federais, mas são muito inteligentes e já ouviram várias histórias falsas de perseguição e viram várias mulheres jovens e lindas proclamar amor infinito por velhos de noventa anos para conseguirem seus *green cards*, e são perfeitamente capazes de distinguir uma história inventada de uma que pareça verdadeira. E é claro, o ex-colega acrescentara, asilo tem sido concedido a requerentes que não estavam fugindo de nada, mas, pelo amor dos céus, uma história inventada tinha de ser muito melhor do que a porcaria ridícula que Bubakar dera a Jende. O inimaginável em relação ao caso, o homem continuou, era por que o processo de solicitação de asilo de Jende tinha levado tanto tempo. Ele ouvira falar de casos de imigração desaparecendo em buracos negros e requerentes esperando meses e anos por entrevistas e decisões, mas o caso de Jende era extremo, o que significa que ou ele é um sujeito muito azarado ou tem um advogado ridiculamente preguiçoso. Será que esse ex-colega poderia aceitá-lo como cliente? Indagou Jende quando Winston lhe contou tudo isso. Não, foi a resposta do ex-colega. Sua especialidade era vistos para investidores — ajudar bilionários e multimilionários estrangeiros a obter entrada e situação legal nos Estados Unidos por meio de investimentos, desenvolvimento empresarial e comércio; coisas mais lucrativas, sabe? O caso de Jende, dissera o ex-colega, era para um advogado de linha de frente muito mais esperto que Bubakar.

— Por que ele não usou uma história de asilo político? — Winston perguntou a Jende, uma pergunta que teria sido mais útil na sua primeira reunião com Bubakar. — Não é isso que a maioria das pessoas usa quando pede asilo? O irmão caçula de Langaman, o que está em Montana, está alegando que deixou o *pays* porque Biya estava para botá-lo em Kondengui por desafiá-lo. Aquele *paysan* nunca chegou nem perto de uma cabine de votação no *pays*, mas agora está dizendo que era membro da SDF e apresentando evidência de como seus amigos tinham sido surrados e trancafiados por meses, e como ele, também, poderia ser se voltasse para Camarões. Qualquer um que entre neste país pode inventar qualquer história sobre como era sua vida lá na sua terra. Você pode dizer que era um príncipe, ou alguém que dirigia um orfanato, ou um ativista político, e o americano médio vai dizer, uau, puxa! Caramba, eu conto *ngabs* o tempo todo dizendo que era ativista político em Camarões quando começam a me fazer perguntas do tipo. "Então, como está a situação política em Camarões?". Em vez de bolar uma coisa dessas para você, aquele idiota inútil lhe disse para se prender a uma história de fuga do sogro.

— Winston pode estar certo — disse Neni depois que Jende lhe contou sobre a conversa —, mas se um rio arrastou uma carga metade do caminho correnteza abaixo, por que não deixar que ele a arraste até o mar?

Jende concordou. O destino deles estava nas mãos de outros — de que adiantaria buscar mais uma opinião e ver-se pesando opção nula contra opção nula? Eles ficariam com Bubakar; tudo daria certo. Encorajaram-se esperançosamente a acreditar que um dia realizariam o sonho de se tornarem americanos. Mas naquela noite cada um teve pesadelos que não contou ao outro na manhã seguinte. Jende sonhou com batidas à porta e homens estranhos uniformizados levando-o embora para longe de sua esposa debilitada e das crianças que choravam. Neni sonhou com o regresso a uma Limbe largamente deserta, uma cidade destituída de gente jovem e ambiciosa, escassamente habitada por aqueles que eram velhos, jovens e frágeis demais para fugir para terras distantes em busca de riquezas que não podiam ser conseguidas em Limbe. Num sonho, ela se viu na regata anual de canoagem em Down Beach, dançando sozinha enquanto canoas vazias se aproximavam da margem. Quando acordou, puxou a filha adormecida para junto do colo e a beijou. Timba um dia entraria em Limbe como uma orgulhosa camaronesa-americana retornando para ver a terra dos ancestrais, disse Neni a si mesma. E não como a filha de um asilado fracassado expulso do país como comida que tinha azedado.

E Liomi um dia se tornaria um verdadeiro americano, ela sussurrou na escuridão. Ele se dera tão bem na América, mal sentindo falta de alguém ou de alguma coisa em Limbe. Estava feliz por morar em Nova York, empolgado por caminhar em ruas apinhadas de gente e ser bombardeado pelo incessante barulho. Falava como um americano, e sabia tanto sobre beisebol e todas as capitais dos estados que ninguém com quem ele topava acreditaria que não era americano, e sim filho de um imigrante em situação quase ilegal, na verdade basicamente ilegal, cujo futuro no país dependia de um juiz acreditar na inacreditável história de estar fugindo da perseguição do seu pai. Nunca o levariam de volta para Limbe. Se o levassem possivelmente não seria mais a criança feliz que era agora e tinha sido antes de vir para a América. Poderia se tornar raivoso, decepcionado e hostil, sempre ressentido com seus pais.

Na segunda noite após o recebimento da carta, Neni passou a maioria da madrugada fitando a escuridão, incapaz de parar de pensar nessas coisas. Na manhã seguinte, enquanto passava a ferro as roupas dos filhos, cantou os hinos que os frequentadores da igreja em Limbe cantavam quando a vida não lhes dava respostas para suas perguntas. Cantou uma canção sobre ter um Deus muito grande que estava sempre ao seu lado, e outra sobre Jesus nunca falhar mesmo que os homens no mundo a desapontassem. Cantar essas canções a fez se lembrar das vezes em que ia a uma igreja em Limbe e se sentia melhor, feliz e aliviada, porque durante duas horas estivera cercada de gente jubilosa que acreditava que suas circunstâncias estavam prestes a mudar porque um Ser onipotente estava no controle. Durante as cochiladas de Timba, procurou na internet uma igreja próxima para visitar. Havia muitas para escolher, a maioria professando aceitação de qualquer um com qualquer tipo de crença, todas aparentemente ansiosas para encher seus bancos de orações. Resolveu ir ao centro, a uma igreja em Greenwich Village chamada Igreja Judson Memorial, uma edificação marrom de frente para o Washington Square Park, porque gostava da música de rua no Village e adorava a fonte no centro do parque, onde levara Liomi para brincar em junho passado.

No domingo antes do Natal, enquanto Jende trabalhava, ela e as crianças foram à igreja. Sua mãe lhe avisara para não levar o bebê longe demais de casa antes de completar três meses, mas Neni ignorou o conselho. Embrulhou Timba dentro do *sling* e levou Liomi pela mão, desde a linha 3 do metrô até a linha A. Quando chegou à estação de West Fourth, saiu e marchou por Greenwich Village. Caminhava rápido, a respiração soltando leves nuvens na gelada manhã de dezembro, ansiosa para chegar ao local de orações onde pudesse encontrar refúgio.

Ao chegar lá, ficou decepcionada com o que viu. Em vez de uma casa de culto cheia com uma jovial e diversificada multidão de nova-iorquinos saltando e se balançando e gritando "Amém!", o vasto salão sem bancos estava cheio de pessoas brancas de meia-idade, não saltando nem se balançando, mas cantando hinos sem a mais leve tentativa de mexer os corpos e jogar fora suas preocupações e tristezas do jeito que os frequentadores das igreja em Limbe faziam todo domingo de manhã. Evitando olhares, Neni se instalou num assento no fundo da igreja, o bebê ainda no *sling*, Liomi quieto ao seu lado. A pastora era uma mulher de cabelo grisalho comprido e óculos de armação vermelha, que pregava acerca de alguma revolução que estava por vir, uma mensagem que Neni nem entendeu nem achou que se aplicava à sua corrente situação.

Depois do culto, a pastora veio até ela e se apresentou como Natasha.

Outros fieis da congregação também se aproximaram para cumprimentá-la e admirar Timba dormindo no *sling*. Um homem disse que havia trabalhado muitos anos em Camarões como voluntário do Corpo de Paz, bem mais ao norte na região de Adamawa. Neni ergueu as sobrancelhas e sorriu, surpresa e animada por encontrar num lugar como aquele alguém que estivera em seu país. Embora nunca tivesse estado na região de Adamawa, sentiu como se tivesse acabado de se reconectar com um amigo de infância há muito perdido.

— Não posso acreditar que esteve no meu país — disse ela ao homem enquanto entregava a um funcionário da igreja seu cartão de visitas preenchido. — Algumas pessoas que conheci aqui nos Estados Unidos nem mesmo sabem que existe um país chamado Camarões.

O homem riu. É, disse ele, os americanos não eram muito famosos por seu conhecimento de geografia africana. Ele até sabia de Limbe, acrescentou, embora nunca tivesse estado lá. Desejou ter ido lá para sentar-se nas praias de areia negra.

— Todo mundo ficou tão feliz de nos receber — Neni contou a Jende naquela noite.

— Talvez porque não tenham negros ali, e querem ter uma família negra — rebateu Jende. — Esse tipo de gente branca está sempre tentando provar aos amigos o quanto gostam de negros.

— Não me importa — disse Neni. — Eu gosto do lugar. E vou voltar lá.

— Para quê? Você nem ia à igreja em Limbe. Você não é batizada em nenhuma igreja.

— E daí que eu não seja batizada? Eu não costumava ir com você a Mizpah para o Natal e a Páscoa? E não ia às vezes à Igreja do Evangelho Pleno perto da nossa casa?

— Isso não quer dizer que você fosse o tipo de pessoa que vai à igreja.

— Então agora vou virar o tipo de pessoa que vai à igreja. Acho que é bom para nós começar a ir à igreja numa época como esta. Outro dia eu estava assistindo ao noticiário e vi a notícia sobre aquela família que devia ser deportada e correram para a igreja. O pessoal da igreja os deixou ficar lá dentro, o governo não pôde tocar neles ali.

Jende balançou a cabeça e soltou uma risadinha de desprezo.

— Então você acha que é isso que nós vamos fazer, hein? — perguntou. — Que ideia estúpida é essa? Eu não vou me esconder em igreja nenhuma. Quanto tempo as pessoas ficaram lá dentro?

— Não sei. Como é que eu vou saber?

— É você que acha que é uma boa ideia. Por que eu haveria de fazer uma coisa dessas? Um homem adulto como eu, escondido numa igreja? Para quê?

— Para quê? — ela repetiu. — Você quer saber para que, Jende? Pelos nossos filhos! É para isso. Para que os nossos filhos possam continuar vivendo na América!

Ela se levantou do sofá enquanto falava e sentou-se à mesa da cozinha, irritada pela declaração dele, não querendo mais sentar-se ao seu lado. Ele pareceu tomado de surpresa pela sua súbita raiva, furioso por ela ousar questioná-lo sobre o assunto.

— Você acha que eu não me preocupo com os meus filhos? — ele perguntou. — Você acha que eu não farei qualquer coisa para ficarmos aqui nos Estados Unidos?

— Não — ela respondeu, saltando da cadeira e apontando o indicador direto para ele. — Eu não acho que você vá brigar até o fim para que a gente fique aqui. Acho que quando chegar a hora, você vai desistir, porque se preocupa demais com o seu orgulho. Mas eu farei tudo que for preciso fazer para ficar nos Estados Unidos! Vou dormir no chão da igreja, não importa que eu tenha que... — Ela correu para o quarto e sentou-se na cama, perto da filha que dormia.

— Por que você está chorando? — disse ele, depois de segui-la até o quarto, olhando zangado sob o batente da porta. — Que lágrimas idiotas são essas, Neni?

Ela o ignorou.

— Você acha que eu também não quero ficar nos Estados Unidos? Você acha que eu vim para cá para poder ir embora? Eu trabalho como criado de pessoas, levando-as de carro de um lado para o outro o dia inteiro, às vezes a semana inteira, respondendo sim, senhor, sim, madame, curvando-

-me até para um menino pequeno? Para que, Neni? De que orgulho você está falando? Eu me rebaixo mais do que muitos homens se rebaixariam. Para que você acha que eu faço tudo isso? Por você, por mim. Porque quero que fiquemos aqui! Mas se o país diz que não nos quer aqui, você acha que vou seguir implorando a ele pelo resto da vida? Você acha que eu vou dormir na igreja? Nunca. Nem um único dia. Você pode ir e dormir no chão da igreja o quanto quiser. No dia que se cansar, você vem se encontrar comigo e com as crianças em Limbe. Que absurdo!

E bateu a porta atrás de si, deixando-a choramingando no quarto.

Sozinha no escuro, ela chorou até adormecer. Timba no seu colo, Liomi no catre ao lado da cama. Quando acordou, cedo na manhã seguinte, Jende estava na sala, dormindo no sofá.

Trinta e seis

Faltavam três dias para o Natal, e a escuridão que havia caído sobre a cidade parecia estar num hiato, ofuscada pela radiância das árvores iluminadas no centros Rockfeller e Lincoln, e dos hipnotizantes luminosos nas lojas ao longo da Quinta Avenida. Em todos os bairros havia lampejos firmes, ainda que tênues, de esperança brilhando pelas janelas dos apartamentos onde as pessoas viviam com a crença de que os bons tempos em breve voltariam. Mesmo os desesperados se forçavam a ir para as ruas, para ouvir algo ou ver alguém ou ir a algum lugar que os lembrasse de que o Natal estava aí, a primavera estava pela frente, e em pouquíssimo tempo voltaria a ser verão em Nova York.

"Bem-vinda e feliz Natal para você", a pastora Natasha escreveu num e-mail para Neni. "Estou tão feliz de você ter aparecido na Judson, gostaria de ter uma chance de conhecer você melhor. Por favor, marque uma hora para vir ao meu escritório para bater um papo."

Neni marcou o encontro para o dia seguinte e não disse nada a Jende.

No escritório da igreja, conheceu o pastor-assistente, um rapaz ruivo e barbudo de New Hampshire chamado Amos. Ele disse a Neni que tinha sido monge budista antes de concluir que o cristianismo progressista liberal estava mais alinhado com suas crenças do que o budismo. Neni ficou curiosa em relação à diferença entre os dois, mas achou prudente não perguntar

— perguntar poderia expor sua ignorância sobre religião e assuntos espirituais, revelando o verdadeiro motivo de sua vinda à igreja.

Em particular, a pastora Natasha era uma mulher muito mais contida do que a fogosa pregadora que ocupara o púlpito falando sobre a necessidade de uma revolução que sacudisse o país até as entranhas. Seu cabelo grisalho que chegava até o meio das costas era liso e dividido ao meio, e Neni não pode deixar de admirar sua coragem em deixar crescer tanto um cabelo grisalho, e deixá-lo grisalho numa cidade onde não havia falta de salões ansiosos em salvar mulheres de meia-idade do cinza dos cabelos. Nas prateleiras da sala havia fotografias emolduradas de famílias felizes, famílias de todo tipo: dois pais e um bebê; duas mães e uma criança de colo; um velho e uma velha com um cachorro; um rapaz e uma moça com um recém-nascido. Natasha disse a Neni que todos pertenciam à congregação. Perguntou a Neni sobre sua família e o que a trouxera à Judson. Acho que quero virar cristã, Neni respondeu, ao que Natasha replicou que ela não precisava se tornar cristã para juntar-se à família Judson. Neni ficou aliviada, embora ainda quisesse se tornar uma cristã batizada — e se as pessoas da Igreja do Evangelho Pleno perto de sua casa em Limbe estivessem certas quanto ao céu e o inferno? Ela queria ficar do lado seguro para poder entrar no céu se tudo acabasse se revelando real. Sua família não ia à igreja (exceto por um breve período depois que o pai perdeu seu emprego no porto), mas ela acreditava que havia um Deus com um filho chamado Jesus, apesar de ter dificuldade de acreditar que as pessoas falando línguas diversas realmente estivessem tomadas por algum Espírito. Você pode acreditar no que quiser, e nós a aceitaremos aqui, Natasha lhe disse. Aceitamos todo mundo. De qualquer lugar. Não nos importa se você acredita no céu e no inferno e em portões de pérolas. Nem mesmo nos importa se você acredita que o melhor jeito de chegar ao céu é de trem ou de metrô, ela acrescentou, o que fez Neni rir.

Tomando chá, elas falaram sobre maternidade e casamento. Foi tão franca a conversa sobre sacrificar sonhos para ter filhos e a perda da individualidade no casamento que Neni foi mais longe do que pensou que iria e contou à Natasha sobre o caso de deportação de Jende. Contou-lhe sobre a discussão no domingo e a vergonha que experimentaria se tivesse de voltar a Limbe; a sensação de fracasso da qual não poderia nunca fugir por não ter dado aos filhos uma vida boa, uma vida plena de oportunidades, o tipo de vida que seria absolutamente impossível em Camarões. Natasha escutava e assentia, permitindo que a mulher aflita liberasse meses e meses de lágrimas. Ofereceu a Neni um lenço de papel e segurou Timba quando o bebê, talvez sentindo a aflição da mãe, também começou a chorar.

— O sistema de imigração americano pode ser cruel — ela disse a Neni, esfregando o joelho —, mas a Judson vai apoiá-la e lutar com você. Ficaremos ao seu lado até o fim.

Neni Jonga saiu da Judson e entrou no Washington Square Park naquela tarde com a leveza de uma pipa lindamente confeccionada. Havia um homem tocando flauta num banco, e uma moça de jaqueta preta surrada tocando violino. Ela sorriu enquanto andava pelo parque escutando-os — não tinha percebido até então como a música clássica era divina. Do outro lado do parque, sob um arco, um grupo de jovens segurava cartazes, entoando frases de protesto contra o resgate do dinheiro dos bancos. Resgatem a gente, não os opressores! Por que vocês estão usando os nossos impostos para nos destruir? Morte a Wall Street! Paulson é o Anticristo!

Neni ficou parada ao lado da fonte vazia, observando-os, admirando sua paixão pelo país. Um deles em particular era uma beleza de assistir, um rapaz branco com cabelos rasta que se empinava e agitava os punhos contra seus inimigos ausentes. Algum dia, pensou Neni, se a Judson os ajudasse a ficar nos Estados Unidos, ela seria uma cidadã americana e também seria capaz de protestar como eles. Diria o que bem quisesse dizer sobre os poderosos e não teria medo de ser jogada numa prisão do modo que os dissidentes eram jogados em alguns países africanos por falar contra abomináveis regimes autoritários. Teve vontade de saltitar pelo parque, rejuvenescida pela esperança que lhe fora dada por uma compassiva mulher do clero, mas não conseguiu — Timba estava acordando por causa do frio, e ela precisava buscar Liomi no seu último dia de aula e fazer o jantar.

Quando Jende chegou em casa do trabalho, perto da meia-noite, ela rapidamente serviu sua comida e sentou-se à mesa enquanto ele tirava o paletó, incapaz de esperar mais para lhe contar as surpreendentes novidades de como as pessoas na Judson os ajudariam a permanecer nos Estados Unidos.

— Fui hoje até a igreja no Village — ela começou depois de ele comer algumas garfadas do jantar.

— Para quê?

— Não foi para nada. A pastora me mandou um e-mail de boas-vindas e disse para eu aparecer para uma visita, então eu fui.

— Você não acha que devia ter me contado antes de ir?

— Desculpe. Você ficou zangado da última vez. Não queria que você ficasse zangado de novo.

Ele lhe lançou um olhar irritado e voltou às suas batatas com espinafre. Ela fingiu que o olhar não fora nem metade tão desagradável quanto ele pretendeu que fosse. Ela precisava perdoá-lo com facilidade nesses dias ou seu casamento estaria condenado. Ela simplesmente devia fazer isso, porque ele não era mais o mesmo homem desde o dia em que chegara a carta da audiência de deportação. O peso da carta o estava esmagando, ela bem podia ver; ele era agora um homem permanentemente à beira de seu ponto de ruptura. Ele não estendia mais a mão para acariciar seu cabelo enquanto ela dava de mamar ao bebê. Não se importava mais de dar soquinhos de brincadeira nas costelas de Liomi. O marido que raramente proferia palavras como "estúpido" e "idiota" agora soltava essas palavras a torto e a direito, em rompantes de raiva e frustração, dirigindo-as a funcionários anônimos da Imigração, ao seu advogado, à sua família em Camarões, ao seu filho e, acima de tudo, à sua esposa. Recriminava a mãe por pedir dinheiro para consertar a cozinha e bradava contra Liomi quando o menino perguntava se o pai podia levá-lo a um parque de diversões. Afastava o prato de comida se achasse que faltava sal ou pimenta, e ignorava telefonemas dos amigos. Era como se a carta da audiência no tribunal o tivesse transformado de homem vivo e feliz em moribundo ultrajado pretendendo mostrar ao mundo sua raiva pela morte iminente.

— A pastora me disse que a igreja vai nos ajudar a ficar no país — disse Neni.

— Do que você está falando?

— Da nossa situação de *papier*. Eu contei à pastora sobre...

— Você fez o quê? — ele disse, batendo na mesa.

Ela não disse nada.

Ele empurrou a comida para o lado e se levantou.

— Você ficou maluca? — ele continuou, apontando para a têmpora. — Você está perdendo o juízo, Neni? Você perdeu o juízo? Como você ousa discutir a minha situação de *papier* com aquelas pessoas sem me perguntar antes? Você realmente perdeu o juízo? — Ele estava exasperado, respirando forte. Abaixo dele, ela permaneceu sentada como um cordeiro diante de um leão de dentes arreganhados. — O que há de errado com você? O que há de errado com você nos últimos dias? Você acha que tem o direito de sair por aí discutindo uma coisa como essa com outras pessoas sem me perguntar primeiro? Você sabe quem são essas pessoas realmente? Você acha que pelo fato de ir à igreja delas por um dia pode lhes contar meus assuntos privados? Hein, Neni? Você ficou maluca?

Ela não ofereceu nenhuma desculpa. Sabia que tinha ido longe demais — Bubakar os advertira para guardar sua história de imigração e não contá-la a ninguém. Você diz a pessoa que não tem o papel, o advogado dissera, no dia que você tem um papo furado com ela, ela vai e telefona para a Imigração, denuncia você. — Ninguém, exceto eu, você, o Todo-poderoso, e o governo americano devem saber como você entrou no país e como está tentando ficar — ele os havia avisado repetidamente. Ele sabia da consequência de o esquema vazar para o governo por meio de um indivíduo detestável: podia significar o fim não só para eles, mas também para o próprio advogado.

Neni tinha concordado com o conselho do advogado; acreditava no valor de manter certos assuntos em segredo para protegê-los de negatividade e de malevolência. Para ela, não era apenas prudente mas fácil, manter fatos cruciais ocultos para ela era tão tranquilo quanto cantar. Quando ainda era adolescente, não contara a ninguém exceto Jende sobre a gravidez de sua filha falecida. E tinha esperado para contar até mesmo aos pais até estar no quinto mês, escondendo habilmente a barriga que crescia com *kabas* de tamanho maior e sacolas de mão. Para ela era igualmente fácil esconder seus apuros com a Imigração em Nova York. Com exceção de Betty e Fatou, não tinha contado a ninguém. Quando perguntada por outras amigas sobre a situação legal da família, ela driblava a pergunta dizendo em tom casual que os documentos chegariam em breve.

Apesar de sua vergonha, ela contara a Natasha sobre sua difícil condição porque acreditava que havia americanos desejosos de manter imigrantes bons e trabalhadores no país. Ela os vira no noticiário, americanos compassivos falando de como os Estados Unidos deveriam ser mais receptivos com pessoas que vinham em paz. Ela acreditava que essas pessoas de bom coração, como Natasha, jamais os trairiam, e queria dizer isso a Jende, que as pessoas da Judson Memorial adoravam imigrantes, que seu segredo estava a salvo com Natasha. Mas sabia também que seria em vão argumentar com um homem irado, então resolveu ficar quieta, de cabeça baixa, enquanto ele desferia suas chicotadas verbais, chamando-a de idiota estúpida e burra desgraçada. O homem que prometera sempre cuidar dela estava sobre ela vomitando um desfile de insultos, soltando um veneno que ela nunca pensou que existisse dentro dele.

Pela primeira vez num longo caso de amor, Neni teve medo de que ele a surrasse. Ela estava quase certa de que Jende bateria nela. E se tivesse batido, ela teria sabido que não era o seu Jende quem a estava surrando, mas um ser grotesco criado pelos sofrimentos de uma vida de imigrante nos Estados Unidos.

Trinta e sete

Na manhã de Natal comeram bananas-da-terra fritas com feijão, mas não trocaram presentes porque Jende não queria que Liomi acreditasse que dar e receber presentes materiais tivesse algo a ver com amor. Qualquer um pode ir à loja e comprar alguma coisa e dar para qualquer outra pessoa, ele disse a Liomi, quando o menino lhe perguntou pela enésima vez por que não podia ganhar nem mesmo um caminhãozinho de brinquedo. A verdadeira medida de se alguém ama você realmente, pontificou Jende, é o que a pessoa faz por você com as mãos e diz a você com a boca e pensa em você no coração. Liomi havia protestado, mas na manhã de Natal, como em todas as outras manhãs de Natal na sua vida, não ganhou nenhum presente.

De tarde comeram arroz com guisado de galinha, como a maioria dos lares em Limbe. Neni também fez *chin-chin* e bolo, usando a receita na qual se baseava em Limbe nos tempos em que assava em fogo intenso numa panela de ferro. Na véspera, enquanto toda a família ficara sentada no sofá assistindo a *A felicidade não se compra*, Jende tinha pensado em convidar Leah para passar o dia com eles, já que provavelmente estava sozinha em seu apartamento no Queens, uma vez que não tinha marido nem filhos nem pais vivos. Odiava pensar que Leah estaria sozinha num dia em que todo mundo deveria estar com alguém, mas não queria pedir demais a Neni, porque tinha certeza de que se Leah aceitasse o convite,

Neni prepararia sete pratos diferentes para a americana que viria visitá-los, e ele sabia que se sentiria mal por ela estar fazendo tudo aquilo e ao mesmo tempo tomando conta de Liomi e da bebê. Então simplesmente telefonou para Leah pela manhã para desejar-lhe feliz Natal. Disse que o trabalho ia bem, então a ouviu contar sobre seus planos de ir ao Rockfeller Center, em tom empolgado, como se ficar parada no frio admirando uma árvore fosse algo tão maravilhoso.

Pelo resto do dia, contou a Liomi histórias e ninou Timba depois de ela se alimentar. Ninguém veio visitá-los como costumava acontecer em Limbe, com as pessoas indo de casa em casa dizendo "Feliz, feliz, oh!", e no entanto foi um Natal feliz para ele, muito mais feliz do que seu primeiro Natal na América.

Naquele dia, ficara deitado a manhã e a tarde toda na cama de cima de seu beliche, no apartamento no porão que dividia com os porto-riquenhos no Bronx, o tempo lá fora frio demais para dar um passeio, as pessoas nas ruas desconhecidas demais para comemorar com elas o espírito especial do dia. Winston fora para Aruba de férias com a mulher com quem estava namorando, ele não tinha ninguém com quem comer e rir, e recordar os natais da infância, que sempre envolviam exageradas comilanças, muita bebida e muita, muita dança. Deitado no quarto escuro, visualizara Liomi na roupa vermelha que lhe mandara para vestir em celebração ao dia; sorrira ao pensar no filho circulando pela cidade e contando orgulhoso a todo mundo que perguntasse que suas roupas tinham sido mandadas pelo papai da América. Imaginara Neni levando Liomi para New Town, para desejar feliz Natal à sua mãe, que certamente preparara uma refeição de guisado de galinha com inhame e um acompanhamento de *ndolé*, além de um prato de bananas-da-terra e *nyama ngowa*. Ansiava por ouvir suas vozes, mas não havia como falar com eles — as linhas telefônicas do mundo ocidental para grande parte de Camarões estavam superlotadas e estourando com as vozes de gente como ele, os solitários e nostálgicos, ligando para casa para participar das comemorações felizes do Natal, ainda que apenas com palavras. Frustrado, tinha jogado fora seu cartão telefônico e ficado na cama até as quatro da tarde, dando apenas um telefonema, para seu amigo Arkamo em Phoenix, um telefonema que não ajudou em nada a diminuir sua solidão, pois Arkamo estava se divertindo à beça numa festa de camaroneses, graças ao fato de viver numa cidade com uma grande comunidade daquele país de laços estreitos. Depois de uma ducha e um jantar com restos de comida chinesa, sentara-se junto à janela na área comum do prédio, envolto em seu edredom duplo, olhando para fora: para o tempo, tão feio; para as pessoas, vestindo roupas tão incolores; para o dia feliz, escorrendo entre os dedos tão depressa e esmagando-o de saudades.

Cinco dias depois do Natal, retornou ao trabalho, só para descobrir que não havia muito a fazer. Clark estava num hotel, Anna lhe contou quando ele ligou para saber por que o patrão não atendia às suas ligações; ele faria a maior parte do seu trabalho de lá, ela acrescentou. Cindy estava de folga do trabalho (provavelmente desde o dia da história do tabloide, adivinhou Jende, já que Anna lhe telefonara no dia seguinte, enquanto estava voltando depois de deixar Mighty na escola, e lhe dissera que não precisava vir para o Sapphire porque Cindy não precisaria do carro para ir ao escritório). A única pessoa que precisaria ir de um lugar para o outro nesse dia era Mighty, para ir e voltar da aula de piano. Tudo que Jende precisava fazer, disse Anna, era levar Mighty até o prédio da professora de piano no Upper West Side, entregá-lo a Stacy que iria encontrá-lo ali, e depois trazer Mighty e Stacy de volta para o Sapphire uma hora depois, a não ser que Mighty quisesse que Stacy o levasse para fazer alguma outra coisa, o que era improvável, já que Mighty não queria fazer nada nesse recesso de inverno exceto ficar sozinho no seu quarto. Depois disso Jende podia ir para casa, e o resto do feriado seria igualmente tranquilo porque, segundo Anna disse, sussurrando num tom assustado, não havia como saber por quanto tempo Clark ficaria no hotel nem quanto tempo mais Cindy se manteria trancada no apartamento agora que não saía sequer para fazer programas com as amigas, sendo que seu hábito de bebida estava piorando e o pobre Mighty tinha agora um pai e uma mãe que — Anna se conteve antes de falar demais e disse que precisava ir.

— Mighty, meu amigão — disse Jende depois que o menino se instalou no banco de trás. — Como foi o seu Natal?

— Eu não quero falar disso.

— Tudo bem, tudo bem, não há nada de errado nisso. Você não precisa me contar, exceto uma coisa: você conseguiu falar por Skype com Vince?

— Consegui, mamãe ligou para ele.

— Como ele está?

Mighty deu de ombros e não respondeu.

— Ele está se divertindo lá? Ele contou boas histórias sobre a Índia?

— Ele está com tranças rasta no cabelo.

— Tranças rasta? — perguntou Jende, quase rindo ao visualizar Vince com o cabelo rastafári. Ele gostava do visual de gente branca com tranças rasta, mas Vince Edwards, filho de Clark e Cindy Edwards, com esse cabelo? A cara de Cindy ao vê-lo devia ter valido uma fotografia.

— É — confirmou Mighty. — É isso mesmo, umas tranças rasta meio engraçadas.

— É mesmo? Ele ficou bem com as tranças? Tenho certeza de que ele continua bonitão, não é mesmo?

— Sei lá.

Jende concluiu que era melhor deixar Mighty em paz. Ele claramente não queria conversa, e as tentativas de animá-lo só pareciam deixá-lo ainda mais triste.

— Eles brigaram na cozinha ontem à noite — Mighty disse de repente, depois de minutos de silêncio.

— Quem? Sua mãe e seu pai?

Mighty fez que sim.

— Ah, Mighty, sinto tanto saber disso. Mas você se lembra do que eu lhe disse sobre as brigas de pessoas casadas? As brigas da sua mãe e seu pai não significam nada de ruim. Pessoas casadas às vezes gostam de brigar. Elas até gritam e berram uma com a outra, mas isso não quer dizer nada, certo?

Mighty não respondeu. Jende o ouviu fungar e torceu para que não estivesse chorando outra vez — o menino já tinha chorado o bastante.

— Eu ouvi a minha mãe chorando, jogando coisas na parede... acho que foram copos e pratos, as coisas se quebravam. Meu pai berrava para ela parar... mas ela estava... — O menino puxou um lenço de papel do pacote que Jende lhe ofereceu e assoou o nariz.

— Os seus pais vão fazer as pazes logo, Mighty — Jende disse, não só para convencer Mighty mas para convencer a si mesmo, também.

— Ela dizia "Eu não quero ver a cara dele nunca mais." Ela dizia para o meu pai que ele tinha que se livrar dele, se livrar dele imediatamente, ou então...

— Se livrar de quem?

— Eu não sei, mas ela ficava gritando e repetindo isso. E o meu pai dizia "Não vou fazer isso", e a minha mãe gritava que ele tinha que fazer, senão ela ia fazer alguma coisa...

— Eu lamento ouvir tudo isso, Mighty. Mas a sua mãe, ela só estava zangada, não é?

— Ela estava muito zangada. Ela chorava e gritava tão alto.

Jende inspirou e expirou.

— Eles não disseram o nome da pessoa?

Mighty fez que não com a cabeça.

— Mas eu acho que era Vince.

— Vince?

— É, a minha mãe estava realmente chateada por causa das tranças rasta. Ela disse que ele parecia um vândalo.

— Não, Mighty — disse Jende, com um leve riso. — De jeito nenhum a sua mãe pediria ao seu pai para se livrar de Vince. A sua mãe ama muito você e Vince...

— Eles vão se divorciar!

— Não, por favor, não diga isso — pediu Jende, segurando o volante com uma mão e estendendo o outro braço para trás para esfregar a perna de Mighty. — Não diga coisas desse tipo que você se aborrece. Eles vão ser felizes de novo. É só que os adultos são assim. Eles vão fazer as pazes.

— Não, não vão! Eles vão se divorciar!

— Por favor, não fique mais triste se preocupando com coisas que nunca vão acontecer — disse Jende enquanto se esforçava para guiar com uma mão só. — Tudo vai ficar bem, Mighty... tudo vai ficar bem... Todo mundo vai ficar bem... Por favor, enxugue os olhos.

Quando chegaram ao prédio na esquina da rua Oitenta e Nove com a Columbus, Stacy saiu para pegar Mighty. Jende observou o menino forçar um sorriso e dizer a Stacy que sim, estava superanimado com a peça que a professora tinha programado para aquele dia.

Jende voltou para o carro depois que Mighty e Stacy se foram, e ligou para Winston que, felizmente, atendeu no primeiro toque mesmo que mal tivesse pego no telefone desde o dia em que foi para Houston visitar Maami.

— Ah, *bo*, você e suas preocupações — disse Winston depois que Jende lhe contou que Cindy estava querendo se livrar de alguém. — Ela podia estar falando de dez pessoas diferentes. Talvez estivesse falando sobre...

— Tem que ser eu — disse Jende, sacudindo a cabeça, descrente. — Não há nenhum outro homem que trabalha para ela. Anna é mulher, Stacy é mulher, sua assistente é mulher. Todo mundo fora eu.

— Então talvez não seja alguém que trabalhe para ela. Mulheres como ela, elas têm um monte de gente que faz diferentes tipos de serviços para elas. Médicos que cuidam das rugas, gente que faz seu cabelo, pessoas que fazem a decoração...

— Você realmente acha que ela estaria gritando no meio da noite para dizer ao marido para se livrar da pessoa que faz a decoração? Ah, *bo*...

— Tudo bem, tudo bem. Só não quero que você fique preocupado, só isso. Você não pode ouvir uma história de um garotinho e começar a tremer feito uma folha, não é? Não faça isso consigo mesmo. Se você continuar agindo desse jeito, amanhã vai ter um ataque do coração, estou avisando. Você não sabe de nada. Você nem sabe se o garoto ouviu direito, não é?

— Sem este emprego, o que é que eu vou fazer? Meu corpo todo está tremendo. O que é que eu vou fazer se eles...

— Ei, para que toda essa *sisa*? Hein? Escute aqui, se você está com medo, posso telefonar para o Frank e perguntar a ele. Se a Cindy quer que o Clark demita você, Clark não vai esconder isso do Frank. E eu posso pedir ao Frank para ajudar você a convencer o Clark.

— Sim, por favor, essa é a melhor ideia. Foi ele que me ajudou a conseguir o emprego. E ele gosta de mim... Por favor, faça isso. Sempre que eu levo ele junto com o sr. Edwards, ele é simpático comigo.

— Então, não há nada para você se preocupar. Ligo para ele amanhã, tudo bem?

— Não sei como agradecer, *bo*.

— Entregue o seu filho primogênito para ser meu servo — disse Winston, forçando Jende a rir.

Depois de desligar o telefone, Jende recostou a cabeça no apoio do banco, fechou os olhos e disse a si mesmo para pensar somente em coisas boas. Seu pai sempre lhe dissera isso: mesmo quando as coisas estão ruins, pense apenas em coisas boas. E Jende fizera isso com o máximo de frequência que pôde durante seus dias mais sombrios — na prisão, depois de engravidar Neni; depois de sua filha ter morrido tarde da noite e o pai de Neni ter ordenado que ela fosse enterrada na primeira hora da manhã, negando-lhe a chance de dizer adeus; depois que o pai de Neni negara seu pedido de se casar com ela pelo que parecia ser a centésima vez; depois que recebera um telefonema das irmãs de Neni, sete meses após ter chegado à América, contando-lhe que Neni e Liomi tinham sofrido um acidente de ônibus indo visitar a tia de Neni em Muyuka. Nesses momentos ele fizera apenas o que estava em seu poder e pensado na quantidade incontável de coisas boas que haviam acontecido no passado, e nas muitas coisas boas que certamente aconteceriam no futuro.

Ele fizera isso sempre que se sentira impotente, como durante aqueles quatro meses que passara na prisão em Buea, esperando seu pai arranjar dinheiro emprestado suficiente para convencer o pai de Neni a pedir sua soltura. Tudo na prisão tinha sido muito mais horrendo do que ele imaginara: o ar frio da montanha, que provocava coceiras no corpo e o fazia tremer do anoitecer até a manhã; as porções inadequadas de comida que mal se conseguia comer; os dormitórios atulhados de homens roncando a noite toda; as doenças facilmente transmissíveis, como a disenteria que o atacara, que tinha durado duas semanas e o mantivera se contorcendo o dia todo com cólicas e febre alta. Foi durante as noites de doença que ele pensou na vida, o que faria com ela assim que fosse solto. Não conseguia pensar em nada que quisesse mais do que sair de Camarões, se mudar para um país onde rapazes decentes não eram jogados na cadeia por crimes pequenos, e onde, em vez disso, tivessem oportunidades de fazer alguma coisa da vida. Quando finalmente saiu da prisão — depois de seu pai ter dado ao pai de

Neni dinheiro suficiente para cobrir as contas da maternidade e as despesas da criança durante seu primeiro ano de vida, e depois de Pa Jonga ter prometido que Jende se manteria longe de Neni indefinidamente — Jende retornou a Limbe decidido a começar a poupar dinheiro para deixar o país. Arranjou um emprego no Conselho Urbano de Limbe, graças ao seu amigo Bosco, que trabalhava lá, e começou a guardar o máximo que podia para um futuro com Neni. Por um ano após sua libertação, porém, Neni não quis nada com ele, primeiro por causa da ameaça do pai de expulsá-la de casa se ela continuasse a desperdiçar a vida com Jende, e depois por causa de sua tristeza pelo bebê morto. Jende finalmente a ganhou de volta — graças às suas cartas de amor quinzenais entregues em mãos, recheadas de palavras como "infatigável" e "pulcritude" — mas seus sonhos de uma vida para ambos na América sempre pareciam mais distantes que a estrela mais próxima quando ele comparava suas economias com o custo de uma passagem aérea. Foi somente graças ao emprego de Winston como advogado em Wall Street, mais de uma década depois, que ele foi capaz de conseguir fundos para a viagem à América para começar uma vida nova.

Por mais libertadora que fosse, entretanto, a nova vida viera com sua dose de novas dores. Ela forjara novas formas de impotência que ele não havia considerado, como o medo e o desespero que experimentara quando Neni e Liomi estavam no hospital depois do acidente de ônibus. Embora seus ferimentos não tivessem sido críticos (um olho roxo e o rosto inchado para Liomi; o pescoço torcido e um punho quebrado, além de cortes e hematomas para Neni), ele não conseguia parar de pensar que poderia ter recebido um tipo diferente de ligação da irmã de Neni, um telefonema não para informá-lo das contusões e pedir dinheiro para as conta do hospital, mas para lhe dizer que estavam mortos e pedir dinheiro para as despesas do funeral. A ideia de ambos morrerem enquanto ele estava emperrado na América deixara seu sangue congelado. Assim, sempre que podia, dizia a si mesmo para pensar em coisas boas e somente em coisas boas.

E era exatamente isso que estava fazendo agora dentro do carro com os olhos fechados. Pensou no sr. e na sra. Edwards reconciliando-se e sendo felizes novamente, como Vince lhe dissera que eram quando viviam em

Alexandria, na Virgínia, antes de seu pai começar a trabalhar oitenta horas por semana no Lehman e viajar quatro, cinco vezes por mês, e antes de sua mãe parar de sorrir tanto quanto costumava sorrir, exceto quando estava com seus filhos ou suas amigas, ou quando estava num evento onde se sentia compelida a fingir para o mundo que era uma mulher feliz num casamento feliz. Jende não tinha certeza de que o casamento dos Edwards voltaria um dia àqueles dias felizes que havia muito se foram, quando havia menos dinheiro e mais companhia, e Vince era apenas uma criança, mas tudo bem, alguns casamentos não precisavam ser felizes. Precisavam apenas ser suficientemente confortáveis, e ele esperava que os Edwards ao menos encontrassem esse ponto.

Pensou em Vince na Índia e lhe desejou sucesso em sua busca da Verdade e da Unidade. Torceu para que a família estivesse reunida de novo algum dia e que ele continuasse guiando para eles por muitos anos. Jende adorava o emprego, e se Deus quisesse, teria a felicidade de permanecer nele enquanto morasse em Nova York. Havia dias difíceis, mas o sr. Edwards era um homem bom, os garotos eram bons garotos, e a sra. Edwards, mesmo agindo como se o mundo todo a tivesse decepcionado, era uma boa mulher.

Seu telefone tocou enquanto abria os olhos. Olhou a identificação da chamada. Era o sr. Edwards. Sorriu. Tinha acabado de pensar nele e agora ele ligava — isso queria dizer que o sr. Edwards teria uma vida longa.

— Como foi seu Natal? — Clark perguntou.

— Muito bom, senhor. Espero que o seu também tenha sido bom, não é?

— Bastante bom — disse Clark. Fez uma pausa, depois limpou a garganta. — Você está esperando o Mighty?

— Sim, senhor.

— Certo. Escute, faça-me um favor, sim? Depois de ter deixado o Mighty, pode vir até o escritório?

— Está no escritório agora, senhor?

— Estou, acabei de chegar, peguei um táxi. Não queria tirar você do Mighty.

— Entendo, senhor. Vou até aí assim que deixar Mighty em casa.

— Muito bom, ótimo. E... você pode estacionar o carro e subir até aqui? Eu preciso... nós precisamos conversar.

Trinta e oito

Ele se descobriu no centro da cidade sem saber como tinha chegado lá. Deve ter ultrapassado alguns faróis vermelhos sem se dar conta, mudado de pista sem dar a seta, ficado perto demais do carro da frente. Podia ter andado com o carro em cima da calçada e não teria notado, porque certamente não notou nenhuma das milhares de pessoas na Broadway. Estava atordoado a esse ponto.

Quando chegou à garagem, tirou sua maleta de sob o assento, e segurou-a no colo por um minuto inteiro. Possuir a maleta e levá-la diariamente ao trabalho — esse era um dos maiores orgulhos de sua carreira. Fazia com que se sentisse realizado, como se ele próprio fosse um homem importante, não só uma pessoa insignificante levando o homem importante de um lado para o outro. Dois meses depois de ter começado a trabalhar para os Edwards, ele fora às compras em busca da maleta perfeita e encontrara aquela numa loja no Grand Concourse, no Bronx, uma caixa retangular preta de couro falso com alça niquelada. Parecia uma daquelas que os funcionários de colarinho branco do Conselho Urbano de Limbe usavam para trabalhar, aquelas que ele ficava admirando enquanto seus proprietários entravam nos escritórios e ele permanecia do lado de fora, limpando ruas e esvaziando latas de lixo. Com sua própria maleta, ele se tornara também um profissional de colarinho branco. Toda manhã, antes de sair para trabalhar, guardava seu almoço dentro da maleta, ao lado do dicionário, um mapa da cidade, um lenço, um pacote de lenços de papel, canetas, um jornal velho e artigos de revistas que ele esperava poder ler. No metrô para o centro, vestindo seu terno e sua gravata de presilha, ele a segurava com firmeza, com o mesmo visual dos contadores e engenheiros e consultores financeiros sentados ao seu lado.

Colocou a maleta no banco do passageiro e abriu o porta-luvas. Era melhor tirar tudo seu do carro, disse a si mesmo. Não estava sendo medroso nem pessimista — simplesmente era melhor estar preparado para uma reunião que podia seguir qualquer rumo. Provavelmente o sr. Edwards só queria conversar, dizer-lhe algo que ele precisava começar a fazer, ou parar de fazer. A reunião com toda certeza terminaria com ele sorrindo, recriminando-se por transpirar antes mesmo de sair do carro. Mas e se a reunião não tivesse um final feliz? É claro que teria. Provavelmente teria... muito provavelmente teria... mas era melhor tirar tudo que era seu e dar uma arrumada no carro. Fez uma busca no porta-luvas, mas não havia nada de seu lá dentro, nada que tivesse jogado lá dentro e esquecido de tirar. Ele sempre fora diligente sobre esse aspecto, manter tudo que era seu, mesmo o lixo, dentro da maleta; mesmo passando horas do dia no carro, praticamente vivendo no carro o dia todo, estava sempre consciente de que o carro não era seu, e jamais seria.

Virou-se e checou o banco traseiro. Estava impecável, bem como os tapetinhos de borracha, graças a uma visita a um lava-rápido pouco antes do Natal. Se tivesse que ir embora, deixaria tudo em boas condições. Mas não iria embora. Apenas teria uma conversa com o sr. Edwards sobre alguma coisa. Uma simples conversa. Nada mais.

Vestiu as luvas e o chapéu, pegou a maleta e desceu do carro.

Pela primeira vez na vida estava agradecido por ser inverno, pelo ar frio que estava levando embora o suor da testa. Sentiu-se refrescado pelo leve vento que soprava para o sul ao dirigir-se para o Barclays no escuro do fim de tarde, passando por homens de terno, alguns carregando maletas, alguns com sacolas de mensageiro, alguns sem sacolas, provavelmente porque as tinham deixado em suas mesas, seguros de voltarem ao trabalho no dia seguinte.

No saguão de entrada do Barclays, o guarda, talvez pronto para sair e dar início a uma comemoração precoce do Ano-Novo que ia chegando, distraidamente assentiu quando Jende disse olá, e não pediu sua carteira de identidade. Escreveu errado o nome de Jende e lhe entregou um crachá de visitante sem olhar para ele, sua atenção voltada para a mulher com quem conversava e ria, uma guarda de segurança que jurava que 2009 seria o seu ano, o ano em que ela finalmente arranjaria um bom homem para si.

No elevador, ficou ao lado de dois homens conversando sobre suas gratificações de fim de ano. O sr. Edwards mencionara um aumento, mas não dissera nada sobre gratificação. Poderia ser este o assunto sobre o qual ele queria conversar? Seria muito gentil da parte dele, mas Jende não achava que precisava de uma gratificação somada a um bom salário, um aumento e um bom tratamento. Se o sr. Edwards lhe oferecesse uma gratificação, ele teria de fazer aquilo que os americanos fazem quando querem alguma coisa mas estão meio constrangidos de aceitá-la: ensaiaria um leve protesto, dizendo, ah, não, senhor, não é preciso; realmente, senhor, não é necessário; não precisa mesmo, senhor... e aí pegaria o dinheiro.

— Boa noite, senhor — ele disse enquanto a recepcionista fechava a porta atrás dele. Clark estava sentado à sua mesa, escrevendo num papel timbrado. Ergueu a cabeça, sorriu e, sem dizer nada, fez um gesto para que Jende se sentasse. E continuou escrevendo.

Jende sentou-se e disse a si mesmo para respirar, porque tudo que podia fazer era respirar.

Se havia luzes brilhando do lado de fora da janela adjacente à mesa de Clark, ele não as viu. Se havia quadros na parede, qualquer coisa de especial no novo escritório, ele não notou. A única coisa que notava era sua respiração e seu coração batendo forte como o tambor que ele costumava tocar na infância quando a lua estava cheia e as crianças dançavam nas ruas de New Town até a meia-noite.

Clark pôs de lado o bloco de papel timbrado, ergueu os olhos para Jende, e juntou as mãos sobre a mesa.

— Espero que você saiba, Jende — começou ele — que tenho uma ótima opinião a seu respeito.

— Obrigado, senhor.

— Você tem sido, de longe, o meu chofer favorito... realmente não há comparação, de nenhum modo imaginável. Você trabalha duro, é respeitoso, e é um sujeito bom de se ter por perto. Realmente, tem sido ótimo.

Por favor, diga logo o que quer dizer, depressa, antes que eu morra, Jende suplicou no íntimo, ao mesmo tempo que assentia, forçava um meio--sorriso e dizia:

— Fico muito contente que goste do meu trabalho, senhor.

Clark correu os dedos pelo cabelo. Expirou, balançou a cabeça e esfregou os olhos. Por um momento, Jende não teve certeza do que o homem queria dizer. Estaria doente e queria que ele soubesse como seria trabalhar para um homem doente? Estaria se mudando e querendo que Jende se mudasse com ele? Parecia que a discussão seria a respeito dele, não de Jende. Mas então Clark olhou para ele, e Jende pôde ver nos seus olhos.

— Eu realmente sinto muito, Jende — disse Clark —, mas vou ter de dispensar você.

Jende baixou a cabeça. Então estava acontecendo com ele. Estava *mesmo* acontecendo.

— Eu realmente sinto muito — repetiu Clark.

Jende manteve a cabeça baixa. Ele tinha se preparado para isso, e ainda assim, estava despreparado. Uma centena de emoções diferentes tomou conta dele, mas ele não estava seguro a qual delas se entregar.

— Sei que é uma época horrível para acontecer uma coisa dessas, com o recém-nascido...

— Por que, senhor? — Jende perguntou, levantando os olhos.

— Por quê?

— Sim, senhor! — disse. — Eu quero saber por quê!

Não conseguiu se controlar. A raiva derrotara as outras noventa e nove emoções, e não adiantava tentar contê-la. O suor nas palmas das mãos não era mais de medo, mas de fúria.

— Diga-me por que, senhor! — repetiu.

— É... complicado.

— É a sra. Edwards, senhor?

Clark não respondeu. Desviou o olhar para evitar os olhos de Jende.

— É por causa da sra. Edwards? — Jende perguntou de novo. Sua voz estava alta; não conseguia mantê-la baixa.

— É simplesmente que há muita coisa acontecendo agora, Jende... Eu realmente lamento. Estou tentando fazer o melhor que posso... realmente estou, mas aparentemente não basta, é... e tudo está sendo um pouco demais.

— Ainda não me disse que é a sra. Edwards, senhor!

— Estou só...é muito complicado...

— Não minta para mim, senhor! É ela! — Jende disse, levantando-se e empurrando a cadeira para trás. Pegou sua maleta do chão e a jogou sobre a mesa com tanta força que Clark se assustou.

— É o caderno, senhor! — disse ele enquanto abria a maleta e tirava o caderno azul. Jogou a maleta de volta no chão e ergueu o caderno na mão, olhando com raiva para Clark ao mesmo tempo que o sacudia vigorosamente. — É este caderno imbecil, não é, sr. Edwards? — berrou, a voz carregada de dor, irado, derrotado, traído. — O senhor me disse para escrever para ela, e eu escrevi. Escrevi apenas o que o senhor me disse para escrever. Foi isso que eu fiz, senhor! Então, por favor me diga, senhor! É este caderno, não é, sr. Edwards?

Clark não respondeu. Não pediu a Jende para baixar a voz. Cobriu o rosto com as mãos, esfregando novamente os olhos.

— Eu só fiz o que o senhor me mandou fazer, senhor! Faço isso pelo senhor, sr. Edwards! Mas ela não gosta porque acredita que há outra coisa, não é isso, senhor? Ela acha que eu sou um mentiroso. Ela acha que eu sou um mentiroso, certo, senhor? Mas eu não sou mentiroso! Eu juro pelo meu avô que nunca faria nada para causar problemas na casa de outro homem. O que eu fiz, eu fiz para o senhor não ter problema nenhum. E agora o senhor vai me punir, senhor? Vai me punir e fazer meus filhos sofrerem por fazer o que o senhor me mandou fazer?

— Eu lamento muito...

— Não tenha pena de mim! — gritou Jende, batendo o caderno na mesa. — Eu não quero pena. Quero um emprego! Eu preciso desse emprego, sr. Edwards. Por favor, não faça isso comigo! Por favor, eu lhe imploro, sr. Edwards, em nome da minha esposa e dos meus filhos e dos meus pais! Em meu nome e da minha família, por favor, por favor, senhor, eu estou implorando... não faça isso comigo!

Jende se sentou, transpirando e arfando. Seu lenço estava na maleta, mas não adiantava tirá-lo para enxugar o suor.

Clark abriu uma gaveta da mesa, tirou um cheque, e o entregou a Jende.

— Seu pagamento para o resto da semana — disse. — E mais.

Jende pegou o cheque sem olhar para ele, dobrou-o sem olhar o cheque. Levantou-se da cadeira e agachou-se ao lado da maleta, pegou a embalagem do almoço e o dicionário, que tinham caído quando jogou a maleta de volta no chão. Depois de enfiar o cheque dentro do dicionário, levantou-se, arrumou o terno e pegou a maleta.

Clark Edwards também se levantou e lhe ofereceu a mão.

— Obrigado por tudo, Jende — disse Clark, apertando a mão mole de Jende.

— Boa noite, senhor.

Trinta e nove

Regozijar-se com os outros em tempos de alegria ou mesmo em tempos de tristeza é uma marca do verdadeiro amor, Natasha pregava na Judson. Mostra uma capacidade de subjugar o ego e ver a própria individualidade não como uma entidade separada, mas como uma peça vital da Unidade Divina.

Neni queria contar a Jende sobre a mensagem de Natasha ao voltar da igreja para casa. Queria dizer que apesar das circunstâncias, deveriam estar felizes porque havia tanta felicidade no mundo e porque toda a humanidade era uma coisa só. Queria dizer tudo isso e mais, mas não conseguiu, porque não tinha certeza se acreditava. Ela estava desesperançada, e não havia nada que a felicidade dos outros pudesse fazer.

O Jende que voltara para casa na noite da sua demissão era um homem implacavelmente dobrado pela vida. Ela desconfiara de que algo estava errado naquela noite, mas não julgou certo forçar um homem exausto a falar, então o deixou em paz. Ele foi para a cama sem comer, sem dizer nada exceto que tivera um dia ruim e estava muito cansado.

— Não vou mais trabalhar para o sr. Edwards — ele disse às cinco da manhã do dia seguinte, quando ela acordou para dar de mamar a Timba.

O que aconteceu? ela quis saber. Ah, Deus. O que aconteceu? Como eles haveriam de se ajeitar? Como isso podia estar acontecendo agora? Com a data no tribunal de imigração dali a apenas dois meses?

Não aconteceu nada, ele disse. O sr. Edwards é um bom homem e tinha ficado muito contente com seu serviço. Simplesmente não precisava mais dele.

— Mas por quê?

— Ele não disse por quê. Só me agradeceu e disse que não vai mais precisar de mim.

— Ah, Deus Pai. Por quê, Deus Pai, por quê?

Eles sobreviveriam, ele lhe assegurou. O sr. Edwards lhe dera um belo cheque de despedida, equivalente a dois meses de salário. Quando o dinheiro acabasse, ele já estaria guiando um táxi no Bronx novamente. Só precisava ligar para o sr. Jones para ter o velho emprego de volta.

— Nós não chegamos até aqui? — ele perguntou, segurando-a pelos ombros e olhando-a nos olhos. — Se alguém nos dissesse na época que ainda estávamos em Limbe e eu recolhia lixo que estaríamos em Nova York, nós teríamos acreditado?

Ela sacudiu a cabeça e fechou os olhos para soltar as lágrimas. Timba estava arrulhando na cama ao lado deles, ainda vivendo num mundo perfeito.

— É a sra. Edwards! — Neni disse.

— Não tem importância, *bébé*.

— É ela!

— Venha — disse ela, puxando-a para o seu peito.

Quarenta

O sr. Jones, proprietário dos táxis de luxo, não tinha turno para ele.

— As pessoas estão fazendo fila ao redor do quarteirão para guiar um táxi — disse. — Há gente demais. Não tenho nem carros para alugar para todo mundo.

— Nem mesmo o turno mais morto? — perguntou Jende. — Eu pego qualquer coisa.

— Eu só tenho cinco carros. Cinco carros e catorze pessoas querendo guiá-los.

Jende tentou convencê-lo a tirar turnos de outros motoristas para lhe dar.

— Mas eu costumava cuidar bem do seu carro, sr. Jones, lembra? Nenhum acidente. Nenhum arranhão.

— Desculpe, irmão. Não há mais turnos. Nada para os próximos meses. Eu ligo se alguém telefonar cancelando, prometo. Mantenho você de reserva.

Neni entrou no quarto quando ele estava desligando. Sua cabeça pendia tão baixo que parecia que poderia se soltar do corpo e cair. Ela sentou-se ao seu lado na cama.

— Ainda temos uma boa quantia de dinheiro economizada — ela disse, pondo a mão no colo dele.

— E daí?

— Então, não vamos nos preocupar demais, hein?

— Sim — disse ele, levantando-se. — Não vamos nos preocupar até o dinheiro ter acabado.

Jende foi até a sala, sentou-se no sofá e ligou a TV. Menos de um minuto depois, ele a desligou — não conseguia assistir. Ficar sentado em casa, desempregado, parecia a pior punição de todas. O ócio. A indignidade. Assistir televisão quando outros estavam trabalhando dava uma sensação absolutamente profana — era o que faziam crianças pequenas, velhos e pessoas doentes, não homens capazes.

— Você quer que eu lhe prepare umas bananas-da-terra maduras fritas com ovos? — Neni sussurrou, agachando-se ao lado dele com as mãos nos seus joelhos. Ela estava tentando ao máximo, ele sabia. Não cabia a ela salvá-lo. Ele tinha de se salvar por si mesmo.

— Não — respondeu, levantando-se e indo até a porta. — Preciso de um pouco de ar.

Na semana seguinte, após uma série de longas noites de inquietude, conseguiu um emprego lavando pratos em dois restaurantes. Num deles tinha trabalhado quando chegara a Nova York, muito antes de tirar a carteira de motorista e começar a dirigir um táxi. No primeiro dia do retorno, uma colega comentou sobre uma possibilidade em outro restaurante em Hell's Kitchen. Jende pegou o metrô logo que seu turno acabou, e conseguiu também o outro emprego. Com os dois, trabalhava de manhã, de tarde e de noite. E também nos fins de semana. Durante seis dias da semana saía de casa antes de Liomi acordar e voltava quando ele já estava na cama. Pelo trabalho de todas essas horas, ganhava menos da metade do que costumava receber trabalhando para Clark Edwards.

Melhor assim do que ser como toda aquela gente sem emprego nessa economia ruim, ele se consolava. Ainda assim, era uma queda pouco digna. Vestir terno e carregar uma maleta diariamente, ir de carro a lugares importantes, escutar conversas importantes, para agora se encontrar raspando restos de pratos e enfiando-os na lavadora. Ter um dia guiando um Lexus para reuniões de executivos, para agora ficar de pé num canto limpando prataria. Ter tido horas de tempo livre para ficar sentado no carro e ouvir suas mensagens no celular, ligar para Neni para ver como estava o dia dela, ligar para seus pais para verificar como estavam de saúde, ligar para amigos em Limbe para saber as últimas novidades, para agora ter meros quinze minutos aqui e ali para descansar as mãos ou comer uma refeição gratuita da cozinha.

Três semanas nos empregos, e seus pés começaram a doer.

— Talvez seja artrite — sugeriu Neni, já que o pai de Jende sofria daquela condição. Os dedos das mãos e dos pés de Pa Jonga tinham se entortado por causa da doença, e Jende sempre temeu que fosse hereditário. — Você precisa ir a um médico — ela disse, depois de ele passar uma noite inteira gemendo, incapaz de adormecer.

Ele concordou, mas quando encontraria tempo?, perguntou a ela. Além disso, não achava que pudesse ser artrite. Ainda não tinha quarenta anos, era jovem e forte; a dor iria embora. Um pouco de massagem depois do trabalho já seria ótimo. Então Neni esfregou seus pés com óleo de coco, flexionando-os em todas as direções. Pela manhã, estavam melhores, prontos para doze ou mais horas de lavagem de pratos.

Ela lhe implorou que a deixasse voltar a trabalhar.

Ela podia ligar para a agência e conseguir com bastante rapidez outro emprego de cuidadora. Duas rendas seriam melhores que uma numa época como essa, argumentou. Ele disse não — queria que ela ficasse em casa. Ela era sua esposa; ele cuidaria dela. Não podia imaginá-la deixando uma recém-nascida numa creche que eles mal poderiam pagar, e correndo para o trabalho o dia todo só para voltar à noite cansada, angustiada e cheia de culpa. E então, não importando o quanto estivesse exausta, ainda teria de preparar comida para o bebê, para um menino e um homem adulto. Era responsabilidade dele protegê-la de tal vida. Se ele não conseguisse, então não estaria cumprindo seu dever, que era como se sentia nas noites em que retornava para casa para encontrá-la preocupada com as fraldas do bebê que estavam acabando, e com Liomi, que precisava de um novo par de sapatos e não havia dinheiro suficiente para comprar carne para ela preparar cozidos com arroz. Sempre que via a ansiedade dela, Jende ficava tentado a tirar algum dinheiro da poupança, mas resistia. Eles dariam um jeito com o pouco que ele estava ganhando nos restaurantes. No outono, ela teria de voltar à escola. Seu caso de deportação ainda não tinha terminado. O pior ainda estava por vir.

No dia de comparecer à audiência no tribunal, Jende vestiu o terno preto que havia usado no primeiro dia de trabalho com os Edwards. Neni tinha lavado e passado a roupa na noite anterior, arrumando-a sobre o sofá para que ele a vestisse pela manhã. Naquela noite, nenhum dos dois jantou, o apetite dominado pelos temores. Ele ficou ao telefone com Winston enquanto ela ficou no computador lendo histórias de indivíduos que perderam seus casos de deportação e famílias que se encontraram oscilando entre dois países porque um dos pais tinha sido deportado. O que quer que aconteça, vamos enfrentar como e quando vier, ele lhe disse antes de irem para a cama, e ela assentiu, os olhos enchendo-se de lágrimas.

— Você está dormindo? — ele sussurrou no meio da noite.

— Não. Não consigo dormir.

— O que vamos fazer? — ele lhe perguntou, a voz lamuriosa, claramente desesperado para ser lembrado de que tudo ficaria bem.

— Eu não sei o que vamos fazer... eu nem sei.

Não conseguiram se aproximar um do outro e adormecer num abraço confortador — a neném dormia entre eles — então deram-se as mãos em torno dela.

Na manhã seguinte ele se postou ao lado de Bubakar enquanto o advogado respondia à maioria das perguntas do juiz, falando com um inquestionável sotaque americano. Bubakar e o juiz e o procurador da Imigração alternaram-se dizendo coisas que Jende não entendeu. O juiz marcou uma data em junho para Jende voltar a se apresentar. Bubakar agradeceu ao juiz. O juiz chamou o caso seguinte. Toda a audiência durou menos de dez minutos.

— Está vendo o que eu lhe disse? — perguntou Bubakar, sorrindo marotamente enquanto saíam do prédio federal. — Eu continuo fazendo isso e nós continuamos a ganhar tempo. Por enquanto, você é um homem livre!

Jende assentiu, embora não se sentisse livre. Parecia-lhe uma maneira bastante patética de ser, adiar o inevitável. Ele preferia ser realmente livre.

Quarenta e um

Ela sentou-se no ônibus circular com a sacola de presente no colo, observando compradores entrando e saindo de butiques de roupas e bares de esquina, lojas de artigos eletrônicos e joalherias, lojas de produtos de beleza e lanchonetes fast-food. O tráfego na rua Cento e Vinte e Cinco era lento — o ônibus M60 movia-se e parava a cada quinze segundos — mas ela se manteve calma, escutando dois homens que conversavam atrás dela sobre a cerimônia de posse de Obama.

Eu não teria perdido por nada no mundo, disse o primeiro homem.

Meu filho me diz, não vou ficar parado durante horas no frio, disse o segundo homem.

Frio?

Dá prá acreditar nessas crianças? Um momento histórico e você fica falando bobagem sobre um tempo frio que não existe?

O primeiro homem deu uma risada contida.

Ainda fico todo arrepiado, pensando em quando o pastor veio fazer as preces, falando no milagre, como um dia como esse podia ser possível...

No nosso tempo de vida.

No tempo de vida da minha mãe.

Sabe, o que quer que aconteça de agora em diante, quase não importa.

Não, acho que não importa.

Porque em algum lugar lá em cima, o doutor King está olhando para baixo, vendo o irmão Barack e dizendo, esse é o meu garoto!

É isso mesmo. Nosso garoto chegou lá.

Na Lexington, Neni saltou do ônibus e pegou a linha 5 do metrô para o centro. Mais uma vez, segurou a sacola de presente no colo, a mão firme na alça. Quando desceu na estação da rua Setenta e Sete, conferiu o endereço dos Edwards e seguiu rumo à Park Avenue. Nunca estivera naquela parte da cidade e ficou impressionada com sua elegância — ruas sem sujeira; porteiros vestidos como homens ricos; uma mulher de salto quinze da Laboutin andando empertigada como se o mundo lhe tivesse sido oferecido numa bandeja incrustada de diamantes; tudo tão perto do Harlem e entretanto a dez mil quilômetros dali.

— Pois não, posso ajudar? — o porteiro do Sapphire lhe disse, sem se afastar da porta de fibra de vidro.

— Estou aqui para falar com a sra. Edwards, por favor — disse ela.

— Ela a está aguardando?

Neni fez que sim com a cabeça, na esperança de que a ausência de palavras ocultasse sua mentira.

— Entrada de serviço — o homem disse, apontando para a garagem à direita.

Seu coração bateu mais rápido do que de costume enquanto ela percorria o corredor de luz tênue rumo ao apartamento 25A. E se a sra. Edwards não estivesse em casa?, pensou. E se Anna tivesse mudado de ideia e se recusasse a deixá-la entrar? Anna lhe dissera que a sra. Edwards poderia estar no quarto principal e não querer ser perturbada, mas Neni podia dar uma passada, arriscar a sorte.

— Sua sortuda — Anna sussurrou ao abrir a porta. — Ela acabou de voltar para a sala de estar.

Neni tirou os sapatos no corredor de entrada e seguiu Anna até a cozinha.

— Pra que você quer ver ela? — Anna perguntou, olhando Neni com curiosidade.

— Só quero dar um presente para ela.

— Eu dou por você — Anna disse, estendendo a mão.`

— Não, eu quero dar pessoalmente — insistiu Neni, botando a sacola atrás das costas. Ela não podia contar seu plano a Anna — Anna decididamente tentaria demovê-la.

Anna telefonara dois dias depois de Jende perder o emprego para dizer o quanto lamentava e o quanto receava ser a próxima, porque Cindy vinha agindo como uma louca ultimamente (mal comia; raramente saía; algumas manhãs cambaleava pelo apartamento com os olhos vermelhos e ar esbaforido), e agora Anna não podia contar nada a Clark sobre o álcool porque se Cindy desconfiasse que Anna estava falando dela, todos os anos que tinha trabalhado para a família não significariam nada. Anna contou que agora vinha ligando às escondidas para agências de domésticas para ver se arranjava um novo emprego, ao mesmo tempo que atendia aos pulos cada palavra que Cindy dizia, para que ela não encontrasse nenhum motivo para demiti-la, pois precisava seriamente do emprego, especialmente agora que sua filha estava na faculdade e a construtora do filho mais velho estava em dificuldades, sendo que ele, a esposa e três filhos tinham se mudado para a casa de Anna. Neni, ainda atrapalhada e desinteressada em falar sobre alguém potencialmente perder o emprego quando o marido já tinha perdido o seu, com indiferença garantira a Anna que Cindy não iria despedi-la depois de vinte e dois anos, mas Anna dissera vezes e mais vezes que nunca se sabe, às vezes as pessoas fazem coisas esquisitas, então nunca se sabe.

— Espere aqui — disse Anna. — Vou ver se ela quer receber você.

Durante alguns minutos, Neni ficou na cozinha, examinando os utensílios de aço inoxidável e os armários de cor creme como puxadores de bronze, o balcão ultralimpo com uma fruteira que continha maçãs e bananas de aspecto perfeito; o fogão Wolf, com seus espalhafatosos botões vermelhos. A cozinha era mais bonita do que a de Southampton, que Neni tivera certeza que não podia ser ultrapassada em beleza. Perguntou-se se Cindy cozinhava aqui com frequência, ou se só a usava ocasionalmente, para preparar alguma receita para os meninos ou dar instruções detalhadas para auxílio durante preparativos de festas, como costumava fazer no verão.

— Vai pra sala de estar agora — Anna cochichou para ela. — Fala rápido e vai embora.

Neni entrou na sala de estar dos Edwards no Upper East Side pela primeira vez, e por um demorado instante tudo que viu foi a vista de Manhattan atrás da janela — um panorama de edifícios de aço e concreto fortemente comprimidos como as casas de tijolos e os casebres em New Town, Limbe. A sala cheirava à mais sutil, adocicada mistura de talco de bebê e perfume, e ela percebeu, como Jende dissera, que tudo ali era branco ou cinza: o grande lustre (cristais brancos, acabamento de prata reluzente); o piso (mármore acinzentado lustroso); o tapete de pelúcia (cor de neve); o sofá e a poltrona de dois lugares (brancos); as poltronas (cinza com detalhes brancos); a textura do revestimento das paredes (quatro tons de cinza); a mesa de centro em vidro e os vasos de prata sobre ela; os castiçais nos quatro cantos da sala (prata); o divã (cinza listrado); os quadros combinando atrás do sofá, com retratos em bico de pena de uma mulher nua deitada de costas e de lado (tela branca), e as cortinas e forros das janelas (prateados).

— Anna disse que você veio me dar uma coisa? — começou Cindy. Não levantou os olhos do livro que estava lendo.

— Sim, madame — confirmou Neni. — Bom dia, madame.

Cindy estendeu a mão para pegar a sacola.

— Foi feito pela minha mãe em Camarões, madame — Neni disse, entregando-a. — Achei que a senhora fosse gostar, porque disse que gostava quando eu usava esse tipo de vestido nos Hamptons.

Cindy espiou dentro da sacola e a colocou de lado, no chão.

— Obrigada — disse. — Diga a Jende que eu mando um alô.

Neni ficou parada no mesmo lugar, confusa.

Não tinha imaginado que o encontro começaria e terminaria daquele jeito. Sem considerar o quanto Cindy parecera gostar dela nos seus últimos dias em Southampton, e como tinha sido boa a despedida (com um abraço, um tanto desajeitado, que ela se sentira compelida a dar na madame como agradecimento pelos presentes e pela gratificação em dinheiro). Cindy perguntara por Liomi no *brunch* no apartamento de June, e dissera a Neni que mandaria para ele, por meio de Jende, alguns dos velhos casacos de inverno de Mighty, o que de fato fez três dias depois. Mas a sra. Edwards feliz daquele domingo não era a mesma sra. Edwards sentada em sua sala naquela terça-

-feira. Anna mencionara que Cindy perdera pelo menos cinco quilos desde que Clark se mudara para o hotel no dia seguinte ao Natal, e Neni podia perceber o quanto seu rosto estava esquelético mesmo sob a maquiagem.

— Mais alguma coisa? — Cindy perguntou, levantando os olhos para Neni.

— Sim... sim, madame — Neni respondeu. — Também vim falar com a senhora sobre uma coisa, madame.

— Sim?

Decidindo que precisava ser corajosa se era para dizer o que ela tinha ido dizer, Neni foi até o sofá e sentou-se junto a Cindy. Os olhos de Cindy se arregalaram pela audácia de sua ex-empregada, mas não disse nada.

— Vim aqui, madame, para ver se a senhora pode ajudar o meu marido — Neni falou. Estava com a cabeça inclinada, os olhos estreitos para implorar de uma maneira que as palavras não podiam. — Se a senhora pudesse, por favor, ajudar o meu marido... se pudesse ajudá-lo a ter o emprego com o sr. Edwards de volta.

Cindy virou o rosto para o lado e olhou pela janela. Enquanto os milhares de sons da cidade de Nova York se fundiam lá fora, Neni esperava a resposta.

— Você é engraçada, sabe — disse Cindy, virando-se para encarar Neni. Não estava sorrindo. — Você é uma moça engraçada. Está vindo aqui me pedir para ajudar o seu marido?

Neni aquiesceu.

— Por quê? O que você acha que posso fazer por ele?

— Qualquer coisa, madame.

— O seu marido perdeu o emprego porque Clark não precisa mais dos serviços dele. Não há nada que eu possa fazer em relação a isso.

— Mas madame — Neni disse, a cabeça ainda inclinada, os olhos ainda implorando —, quem sabe a senhora possa ajudá-lo a conseguir outro emprego? Quem sabe a senhora conheça alguém, ou uma de suas amigas, que talvez precise de um chofer?

Cindy assumiu um ar de escárnio.

— O que você pensa que eu sou? — perguntou ela. — Uma agência de empregos? Por que ele não pode sair por aí e arranjar um emprego como todo mundo?

— Não é que ele não possa arranjar um emprego sozinho, madame. Ele até achou alguma coisinha, lavando pratos em restaurantes, mas não é fácil, são horas demais, e os pés dele doem toda noite. Está tão difícil aí fora, madame. Está... difícil demais conseguir um bom emprego agora, e também está difícil para mim e para as crianças, sem ele ter um bom emprego que possa tomar conta direito de nós.

— Sinto muito — disse Cindy, pegando o livro. — É um mundo cruel.

A garganta de Neni se retesou e ela engoliu em seco.

— Mas lá nos Hamptons, madame, a senhora me disse para ajudá-la. Lembra-se de como eu lhe prometi, madame? De mulher para mulher. De mãe para mãe. Hoje estou pedindo a mesma coisa da senhora. Por favor, sra. Edwards. Para me ajudar da forma como puder me ajudar.

Cindy continuou a ler.

— De qualquer maneira, madame. Mesmo que seja um emprego para mim. Mesmo se...

— Eu sinto muito, o.k.? Realmente não posso ajudá-la. Gostaria de poder, mas não posso.

— Por favor, madame...

— Se você puder sair para eu continuar a minha leitura, eu apreciaria.

Mas Neni não saiu. Neni Jonga não sairia até conseguir o que queria. Virou-se, pegou sua bolsa do chão, e tirou seu telefone celular. Abriu-o, e ali, no arquivo de fotos, achou o que estava procurando. Seu momento chegara.

— Naquele dia, madame — disse ela, a cabeça não mais inclinada —, eu tirei uma foto.

Cindy ergueu os olhos do livro.

— Naquele dia nos Hamptons — Neni sussurrou, chegando mais perto de Cindy e segurando seu Motorola RAZR perto do rosto dela —, tirei esta foto aqui.

Cindy olhou a foto. No mesmo instante sua fisionomia passou de esquelética a fantasmagórica ao observar a imagem de si mesmo em estupor, a boca entreaberta, baba escorrendo até o queixo, a parte superior do corpo jogada contra a cabeceira da cama, um frasco de pílulas e uma garrafa de vinho quase vazia no criado-mudo.

— Como você se atreve?

Neni recolheu o celular e o fechou.

— Você acha que pode me chantagear? Quem você pensa que é?

— Sou só uma mãe, como a senhora, madame — Neni respondeu, pondo o telefone de volta na bolsa. — Só estou tentando fazer o que tenho de fazer pela minha família.

— Saia da minha casa imediatamente!

Neni não se moveu.

Cindy levantou-se e repetiu a ordem.

Neni permaneceu sentada e calada.

— Está tudo bem? — Anna perguntou, entrando às pressas na sala com um espanador. Estava falando com Cindy, mas olhava para Neni, lançando um olhar zangado de *Que diabos você está fazendo?* Neni a ignorou. Isso não tinha nada a ver com ela.

— Ligue para o 911! — Cindy berrou.

Ainda assim, Neni não se mexeu. Deu um sorrisinho e balançou a cabeça.

— Sim — Anna disse, correndo para a cozinha antes de parar no meio do caminho. — O que eu devo dizer?

— Uma invasora! Rápido. Mê o telefone! Você quer aprender uma lição, eu lhe ensino!

Neni permaneceu sentada.

— Eu pesquisei no Google, madame — ela disse, com um sorriso afetado.

— Consultou o quê?!

— Olhei como fazer isto bem feito... o que dizer quando a polícia chegar.

— Sua merdinha inútil!

— Eu sei o que a polícia vai me perguntar. E o que eu vou dizer. Antes de a polícia chegar, vou deletar a foto. Quando eles chegarem, vou dizer que não sei do que a senhora está falando. A polícia vai achar que a senhora é uma louca e vão ligar para o seu marido. Ou para suas amigas. E aí a senhora vai ter que contar. É isso que a senhora quer, sra. Edwards?

— Anna! Telefone!

Anna correu para a sala com o telefone da cozinha e o entregou a Cindy.

— Deixe-nos a sós — Cindy disse para Anna, que lançou outro olhar de repulsa para Neni antes de sair correndo da sala.

Cindy segurou o telefone, encarando-o como se discar 911 exigisse uma força que ela não conseguia mobilizar.

— Ligue para eles — disse Neni.

— Cale a boca!

— O que vai dizer a eles, madame? Que eu tenho uma foto da senhora drogada e bêbada? Não estou com medo. Quem deve ter medo é a senhora, porque se a polícia me levar, todo mundo vai saber por quê.

Cindy permaneceu de pé, segurando o telefone com força e respirando forte, o peito subindo e descendo como uma mulher disparando monte Camarões acima.

— Ligue para eles, madame — repetiu Neni. — Por favor, ligue para eles.

Se um olhar de raiva pudesse matar, desmembrar e cortar um corpo em pedaços, o corpo de Neni teria sido partido em um milhão de pedacinhos porque era isso que o olhar de Cindy teria feito com ela. Mas um olhar de raiva não podia fazer isso, e Neni percebeu que estava a meio caminho da vitória.

Cindy jogou o telefone no sofá e sentou-se tremendo.

— O que você quer? — disse a Neni. Até suas bochechas tremiam.

— Ajuda, madame. Qualquer tipo de ajuda.

— E você acha que é assim que se consegue? É isto que você planejou o tempo todo quando contratei você? Me chantagear? Achar um jeito de prejudicar a minha família?

Neni balançou a cabeça.

— Eu nunca tirei a foto por essa razão, madame. Naquele dia eu estava com medo e tirei a foto para que eu pudesse mostrar para a polícia a sua aparência quando entrei no quarto e as minhas mãos estariam limpas, se alguma coisa tivesse acontecido com a senhora. Eu nem lembrava que tinha tirado a foto até alguns dias atrás quando...

— Você deve achar que eu sou uma idiota de acreditar nisso.

— Acredite ou não, é a verdade, sra. Edwards.

— Chantagem... chantagem... — Cindy disse, balançando a cabeça e agitando o indicador para Neni. — Isso é crime... você vai pagar por isso... vou fazer você pagar por isso...

Por um tempo que pareceu milhares de segundos as mulheres ficaram se encarando; olhos castanhos diante de olhos de avelã, bochechas arredondadas diante de bochechas cavadas, semblante de determinação diante de semblante de derrota.

Cindy desviou o olhar primeiro.

— O que vai fazer com a foto? — perguntou, voltando-se para o contorno dos prédios do lado de fora, o pânico tomando conta de sua fala pela primeira vez naquela tarde.

Neni deu de ombros.

— Eu não sei, madame — disse ela, com outro sorriso afetado. — Mas conheci uma pessoa que trabalha para um site que escreve notícias sobre as pessoas nos Hamptons. Ele me disse que estão sempre procurando boas fotos de mulheres como a senhora.

— Sua puta imunda!

Neni sorriu. A mentira tinha funcionado. Era precisamente aonde ela queria que Cindy chegasse.

— Também desejo um bom-dia para senhora, madame — disse ela, pegando a bolsa. Levantou-se e ajeitou uma malha vermelha de gola rulê.

— Sente-se — ordenou Cindy.

— Sinto muito, madame. Preciso ir preparar o jantar para a minha família.

— Eu disse sente-se!

Neni sentou-se.

— Quanto você quer?

Neni olhou Cindy direto nos olhos, soltou uma espécie de risada, e não disse nada.

— Eu disse para colocar o seu preço.

— A senhora deve saber melhor do que eu, madame, quanto deve custar esse tipo de coisa.

— Uau — disse Cindy, balançando a cabeça novamente. — Uau. Estou muito decepcionada com você, Neni. Estou atordoada e tão, tão decepcionada.

Neni Jonga não seria enganada de novo. Uma coragem que ela não sabia possuir até então havia fincando raízes. Deu de ombros e puxou a bolsa para mais perto do peito.

— Depois de tudo que Clark e eu fizemos por você e Jende? É assim que você retribui?

Neni virou o rosto para o lado e remexeu-se como se estivesse se preparando para se levantar outra vez. Cindy se levantou, saiu correndo da sala, e voltou um minuto depois com um cheque. Sem olhar a quantia no cheque, Neni fez que não com a cabeça.

— Dinheiro vivo, madame — disse ela.

— Eu não guardo grandes quantias de dinheiro em casa.

— Não foi isso que eu ouvi, madame. Eu ouvi que gente rica guarda muito dinheiro em casa, no caso de alguma coisa ruim acontecer com os bancos.

— Não faça suposições a meu respeito baseada no que você leu.

Neni fez uma expressão de zombaria e sorriu. Estava gostando daquilo mais do que imaginara.

— Então espero a senhora ir ao banco. Ou podemos ir juntas.

Ela viu o punho de Cindy se fechar e por um momento pensou que a mulher ia quebrar seu queixo, ou pedir novamente a Anna para ligar para 911. Em vez disso, Cindy virou-se e retornou alguns minutos depois com um saco de papel.

— Só estou lhe dando isto — Cindy disse enquanto entregava o saco de papel — por causa da bondade do meu coração. Porque sei o quanto você precisa, e eu não gostaria que seus filhos sofressem por sua causa ou por causa da estupidez do seu marido. Mas se algum dia a vir de novo, eu prometo, você vai acabar na cadeia. Pode escolher acreditar ou não, mas vou garantir que você vá para a cadeia, e eu não vou dar a mínima. Agora me dê a foto e saia já da minha casa.

Neni tirou o cartão SIM do celular, entregou o telefone a Cindy e saiu do apartamento dos Edwards.

Quarenta e dois

Depois de colocar as crianças na cama, ela contou o dinheiro no banheiro, olhou-se no espelho e sorriu: nada como começar o dia angustiada sem dinheiro e terminar de forma triunfante, além do que poderia imaginar. Abriu o armário de remédios, tirou seu batom vermelho e o aplicou, franziu os lábios, sorriu de novo, passou perfume no pescoço e saiu para a sala de estar, onde Jende estava assistindo a um jogo dos Nets.

— O que é isso? — ele perguntou depois de ela colocar o saco de papel pardo ao seu lado no sofá.

— Adivinhe — ela respondeu.

— Você saiu de novo para fazer compras. Hein? — ele disse, ainda vendo os Nets prestes a perder o jogo.

Ela fez que não com a cabeça e sentou-se ao seu lado. Não conseguia parar de sorrir. Em qualquer outra época ficaria contente de fazer um jogo de adivinhação, mas não conseguiu conter a boa notícia do dia. Encostou-se nele e cochichou no seu ouvido:

— É dinheiro!

— O quê?

— Eu mostrei a foto para a sra. Edwards. Ela me deu dez mil dólares!

— Você fez o quê!

— Dez mil dólares, *bébé*!

Ela começou a rir, incitada pelo olhar de choque na sua expressão; pela forma como sua boca, seu nariz e seus olhos se abriram em descrença.

Ele não riu junto com ela. Abriu o saco e espiou dentro. Olhou para ela, para o saco e de novo para ela.

— O que foi que você fez, Neni? — perguntou pela segunda vez.

— Dez mil dólares, *bébé*! — ela disse pela terceira vez, ainda incrédula por quanto Cindy achara que a foto valia.

— Você ficou louca?

— Espere aí, isso no seu rosto é raiva?

Neni não pôde acreditar. Havia imaginado que sua reação não seria de pura alegria, mas não pensara que seria tão ruim. Ele olhava para ela como se ela fosse uma ladra, como se tivesse feito algo vergonhoso quando acabara de lhes conseguir dez mil dólares. Dez mil dólares de que eles precisavam e que mereciam!

— O que foi exatamente que você fez?

Ela lhe contou o que dissera para Cindy Edwards.

— Como você se atreveu! — ele exclamou, afastando a mão dela de seu joelho.

— Como eu me atrevi?

— Sim, como você se atreveu! O que lhe dá o direito de tratá-la dessa maneira? Quer dizer... como você pôde, Neni? Depois de tudo que eles fizeram por nós?

— E o que nós fizemos por eles? — disse ela, agarrando o saco de papel e levantando-se. — Nós também não fomos bons para eles? Por que é que eles e os problemas deles são mais importantes do que nós e os nossos problemas? Eu guardei o segredo dela, e o que ela me faz? Manda o marido despedir você!

— Você não sabe se foi isso!

— Você não conhece mulheres como ela, Jende. Você não sabe como elas pensam que são melhores do que gente como nós. Como elas acham que podem fazer qualquer coisa com gente como nós.

— O sr. Edwards fez o que tinha de fazer! Eu não gosto do que ele me fez, mas ele tem todo o direito de fazer o que precisa fazer!

— Ah, então você acha que não tem esse direito, também?

— Isto não quer dizer que você deva fazer uma coisa dessas com ela — insistiu Jende. — Nós não somos esse tipo de gente! Como você pôde ir lá sem me perguntar primeiro?

— Porque eu sabia o que você teria dito!

— Sim! Eu teria dito porque não quero ter nada a ver com esse tipo de maldade.

— Maldade, é?

— É sim, é uma coisa maldosa, e eu não gosto. Ninguém tem o direito de ser maldoso com outra pessoa.

— Ah, então eu sou uma pessoa maldosa? Então você se casou com uma mulher maldosa, não foi?

Ele suspirou e virou a cara.

— Só me diga o que pensa de mim, Jende. Você acha que eu sou uma mulher má, hein? Só porque fiz alguma coisa para nos ajudar, você acha...

— Não precisava fazer uma coisa dessas!

— Ela pensou que podia nos usar, africanos imbecis que não sabem se virar sozinhos. Ela pensa que não somos tão inteligentes quanto ela; ela acha que pode...

— Isto não tem nada a ver com ser africano!

— Tem sim! Pessoas de dinheiro, elas acham que o dinheiro pode fazer qualquer coisa neste mundo. Podem contratar você quando bem quiserem, despedir você quando bem quiserem, não significa nada para elas.

— Do que você está falando? Essa mulher foi boa para nós!

— Então você não quer o dinheiro? — indagou Neni balançando o saco de papel.

Ele desligou a TV e foi para o banheiro. Ela ouviu água espirrando e imaginou que ele estava lavando o rosto — às vezes fazia isso quando não sabia o que dizer.

Ela sentou-se no sofá, lívida e humilhada. Como ele podia vê-la como uma dessas pessoas quando tudo que ela estava fazendo era tentar ajudar a situação deles? E agora ela era maldosa? Era uma pessoa má por ser uma boa mãe e esposa?

Ele voltou para a sala e sentou-se ao seu lado.

Ela se afastou.

— Eu não pretendia ficar tão bravo — disse, aproximando-se dela.

— Não toque em mim — ela disse.

— Vamos tentar nos acalmar e recomeçar a conversa, tudo bem?

— Eu disse "Não toque em mim". Nem ouse me tocar neste momento.

Ele se afastou e por alguns segundos nenhum dos dois disse nada.

— Eu não gosto do que você fez — ele disse, calmamente.

— Se você não quer o dinheiro, não precisa pegar! — ela disse, levantando-se e sacudindo o dinheiro na sua cara. — Vou abrir uma conta e usá-lo só para mim.

— Por favor, sente-se, Neni.

— Amanhã de manhã vou ao banco e abro uma conta nova e...

Ele se inclinou para frente e puxou o saco das mãos dela. Ela avançou contra ele para pegar o saco de volta, mas ele a puxou para o sofá e a fez sentar-se ao seu lado. Ela tentou se levantar e se distanciar dele, mas ele a segurou.

— Eu sinto muito, *bébé* — ele sussurrou no ouvido dela. — Só estou... estou tão chocado. Quer dizer, eu nem sei ainda o que dizer.

Ela escarneceu e apertou os lábios.

— Você acabou de fazer uma coisa... — Ele balançou a cabeça. — Você me surpreende o tempo todo, mas hoje você levou isso a um nível totalmente novo. Para resumir, eu nem conhecia o tipo de mulher com quem tinha me casado até esta noite.

— É mesmo? Que tipo de mulher é esse? Uma mulher maldosa, hein?

— Não — retrucou ele. — Uma mulher forte. Eu nunca soube que você era capaz de fazer o tipo de coisa que você acabou de me contar.

Ela revirou os olhos.

— Mas, por favor, nunca mais faça isso de novo. Estou lhe implorando, *bébé*. Nunca, nunca mais. Não me importa por que você ache que precisa fazer, nunca mais faça isso.

— Você quer o dinheiro ou não? — ela perguntou, sorrindo e desfrutando o novo olhar na expressão dele.

— Não sei... só não me sinto à vontade, Neni.

— Não se sente à vontade...

— Mas dez *kolo* nas nossas mãos? — ele disse.

— Está começando a ficar feliz agora, é?

— Dez mil dólares!

Ela riu e o beijou.

Juntos contaram o dinheiro, sentindo cada uma das notas de cem dólares fresquinhas.

— Nós não vamos gastar nada desse dinheiro — ele disse. — Vamos adicioná-lo às economias e agir como se nem o tivéssemos. Deus nos livre, se um dia vier o pior, nós o usamos.

Ela aquiesceu.

— Maravilhas nunca hão de ter fim, hein? — disse ele.

— Maravilhas nunca hão de ter fim — ela concordou. — Não enquanto o sol continuar nascendo e se pondo.

— Mas você não teve medo? E se ela tivesse chamado a polícia?

Neni Jonga deu de ombros, olhou para o marido e sorriu.

— Esta é a diferença entre mim e você — ela disse. — Você teria pensado demais, se perguntado se devia fazer ou não. Eu, eu sabia que era isso que tinha de fazer.

Quarenta e três

Com seu orçamento para a mercearia sendo apenas dois terços do que costumava ser antes de Jende parar de trabalhar para os Edwards, fazer compras no Pathmark tornou-se uma experiência atribulada para Neni, nada como nos seus primeiros dias após sua chegada aos Estados Unidos, tempos em que ela costumava correr pela loja, empolgada, pensando *Mamami eh*, quanta comida! Quantas opções! Tudo num mesmo lugar! A única coisa que ela detestava em fazer compras naquela época eram os preços — não faziam sentido. Três bananas por dois dólares? Por quê? Dois dólares em Camarões eram aproximadamente mil francos camaronenses e, por essa quantia, até recentemente, no começo dos anos 2000, uma mulher podia comprar mantimentos para alimentar sua família fazendo três ótimas refeições. Podia comprar uma pilha de inhames por quatrocentos francos camaronenses, peixe defumado por duzentos e cinquenta, verduras e legumes por cem, quase duzentos e cinquenta mililitros de óleo de palma por cem, lagostim e temperos com o resto do dinheiro, ir para casa e preparar um panelão de *portor-portor coco* que alimentaria sua família de quatro pessoas no almoço e no jantar, e ainda sobraria um pouco para as crianças comerem na manhã seguinte antes de irem para a escola. Se a mulher fosse esperta, faria a comida ultrapicante, de modo que as crianças tomassem um gole de água a cada garfada, enchendo-se mais depressa, e a comida duraria mais.

Para Neni parecia ilógico que a mesma quantia de dinheiro nos Estados Unidos pudesse comprar apenas três bananas-da-terra, o que não era suficiente nem para alimentar Jende sozinho por um dia. Ela não esperava que os preços em Nova York fossem iguais aos de Limbe, mas achava difícil não se sentir incomodada sempre que comprava meio quilo de camarão pelo equivalente a cinco mil francos camaronenses — o aluguel mensal de um quarto com banheiro externo compartilhado para todos os moradores de um prédio. Você precisa parar de comparar preços, Jende a aconselhava sempre que ela levantava o assunto. Se continuar comparando preços desse jeito, nunca vai comprar nada aqui nos Estados Unidos. A melhor coisa a se fazer neste país, sempre que você entrar numa loja, é ignorar a taxa de câmbio, ignorar as propagandas, ignorar o que todo o resto das pessoas está comendo e bebendo e falando nestes dias, e comprar apenas as coisas de que precisa. Ela começou a fazer isso e, talvez depois da sua décima ida ao Pathmark, parou de pensar na taxa de câmbio e aprendeu a planejar refeições contando com o que estava à venda.

Naquelas primeiras semanas em Nova York, ela sempre percorria a pé os treze quarteirões ao norte e as três quadras de avenidas a oeste até chegar à loja. Empurrando o carrinho de compras com uma mão e segurando Liomi com a outra — ambos usando suas jaquetas de estampa floral combinada que Jende lhes comprara antes da chegada —, caminhavam tranquilamente sempre que o tempo permitia, de modo que ela pudesse absorver o máximo possível do Harlem: as entradas das casas com suas pedras marrons e corrimões pretos; freguesas satisfeitas admirando seus penteados nos salões de beleza; idosos amigáveis, cumprimentando com meneios de cabeça; harlemitas felizes, sorrindo para ela. Jende a advertira para ter cuidado ao ir a pé no sentido norte porque havia comentários sobre gangues e tiroteios nos conjuntos habitacionais em torno da rua Cento e Quarenta e Cinco, mas, por nunca ter visto ninguém armado, ela andava sem preocupações, passando por jovens e velhos que batiam papo nas esquinas.

No Pathmark, mesmo após sua primeira ida, ficava impressionada com o jeito americano de fazer compras: as filas nas caixas, todo mundo esperando calmamente sua vez; as gôndolas organizadas com os preços junto aos produtos para que os clientes pudessem fazer facilmente uma comparação do melhor valor; a supérflua transparência dos fabricantes de alimentos, que não só tinham embalagens atraentes para os produtos, de cereais matinais passando por chá até carnes enlatadas, mas também forneciam informações sobre o que havia e não havia no alimento, alguns fabricantes chegando ao ponto de oferecer detalhes sobre o que o produto podia e não podia fazer para o corpo. Não importava a que hora do dia ela ia, independentemente de quanta gente havia no mercado, achava a experiência de fazer compras fascinante, e estranhamente serena, quase o contrário do que devia ser uma experiência desse tipo, completamente diferente do mercado de Limbe. E era por isso que ela sentia falta da exuberância e da bagunça do mercado a céu aberto de sua cidade natal. Por mais que adorasse o Pathmark, comprar ali a fazia desejar poder estar de volta no meio do espetáculo que acontecia às terças e sextas-feiras em sua cidade. Eram os dias em que as barracas que só estavam abastecidas pela metade nos outros dias se enchiam de peixe defumado e lagostim numa das extremidades, bananas-da-terra e inhames e verduras na outra, e roupas de segunda mão de Duala ao lado da carne de vacas abatidas naquela manhã. Sentia falta da correria matutina para obter o produto mais fresco e o empurra-empurra de mulheres casadas determinadas a pegar as melhores roupas *okrika* para seus maridos e filhos. Sentia falta dos feirantes implorando aos compradores para que escolhessem sua barraca em lugar da dos concorrentes, e as ardilosas barganhas que se seguiam entre compradores e vendedores.

Quanto por esse punhado de bananas-da-terra?, perguntava a compradora.

Me dá três mil, irmã, dizia o vendedor.

Três mil? Por quê? Dou setecentos.

Não, irmã, setecentos não fica certo; imploro por favor me dá mil e oitocentos.

Não, dou novecentos e cinquenta. Se não quer, já vou já tô indo.

Tá bom, tá bom, leva; só dô por esse preço porque tô pronto pra ir pra casa.

Eeeh, até mais, espertinho.

Espertinho nada, irmã, verdade. Hoje não vô tirar nada, fazê o quê?

Ah, o mercado de Limbe. Ela sentia falta da alegria de ir embora sabendo que tinha negociado um bom preço por um saco de arroz. No

Pathmark, não havia pechincha. Os proprietários estabeleciam o preço e ninguém ousava contestá-los. Era como se eles fossem uma divindade suprema, o que era uma pena, porque se pudesse pechinchar, ela acharia um jeito de fazer seu novo orçamento de mantimentos dar certo. Agora sua família tinha de comer um monte de moelas de galinha, e guardar as coxas para ocasiões especiais. Liomi em breve teria de começar a comer *puff-puff* no café da manhã, em vez de cereal Honey Nut Cheerios, e Jende precisaria começar a tomar menos Mountain Dew e mais água. Quanto a si própria, teria de se apegar às lembranças do camarão que comera nos Hamptons, porque até que um bom dinheiro voltasse a entrar, não haveria camarão no jantar, nem mesmo aos domingos e feriados.

Lembrar-se de camarões enquanto andava pela loja fez com que ela pensasse em Anna e no *brunch* em que tinham trabalhado juntas. Cindy lhes dissera que podiam levar as sobras para casa, e Anna a deixara levar toda a comida, inclusive o camarão coberto com bacon, que ela, Jende e Liomi tinham devorado furiosamente naquela noite. E foi também graças a Anna que ela tivera uma experiência tão bem-sucedida trabalhando para os Edwards — Anna ligava sempre que ela deixava um recado dizendo que não sabia como executar uma ordem que Cindy lhe dera. Pensar em tudo isso fez com que Neni desejasse que ela e Anna tivessem se tornado amigas, mas ela sabia que já não era possível — qualquer chance de amizade florescente terminara da última vez em que tinham se falado.

— O que você faz para Cindy ontem à noite? — Anna dissera sem rodeios quando ligara às seis da manhã no dia depois que Neni deixara o apartamento do Edwards. Ela parecia estar no trem, a caminho do trabalho.

— Anna? — Neni sussurrou ainda grogue, levantando da cama e indo até a sala para não acordar as crianças.

— Estou dizendo, o que você faz para Cindy ontem? — repetiu Anna. — Quero saber.

Neni sentou-se no sofá, as mãos no seio esquerdo, que estava pesado e dolorido de tanto leite, graças a Timba ter começado a dormir a noite toda aos dois meses.

— Não estou entendendo o que você quer saber — ela disse a Anna.

— Eu quero saber por que você foi na casa ontem, o que você diz para Cindy, quando ela gritou para ligar 911. Tentei ligar para você depois que você foi, mas só consegui ouvir a sua mensagem de voz.

— Eu precisava chegar em casa por causa das crianças — explicou Neni.

— Tá, você tem as suas crianças agora. Então me fala o que foi com você e Cindy.

Neni respirou fundo e balançou a cabeça. A audácia de Anna, ligando às seis da manhã para interrogá-la.

— Sabe, Anna? — disse ela, olhando para a porta do quarto para se assegurar de que estava fechada. — Eu não gosto de dizer isto para as pessoas, porque não gosto quando outras pessoas dizem para mim, mas não é da sua conta.

— É minha conta, sim — Anna retrucou depressa.

— Como é que é da sua conta o que acontece entre mim e a sra. Edwards? Eu tenho a minha relação com ela, você tem a sua relação...

— Se alguém vem nesta casa e faz alguma coisa para qualquer um aqui, isso tem a ver comigo. Eu trabalho para eles, quero ter certeza que faço tudo para deixar contentes. Você vem aqui ontem à noite, vai embora, e sabe o que acontece depois?

— O quê?

— Eu quero saber o que você faz para ela — repetiu Anna.

— Nós tínhamos um acordo sobre uma coisa, e eu só fui lá para lembrá-la do acordo.

— Acordo de quê?

— Anna, por favor...

— Você vai embora da casa, e a mulher tranca no banheiro e chora sozinha duas horas! — disse Anna, a voz se erguendo levemente no trem. — Eu tento ver com ela, ela berra para largar ela em paz. Ela me xinga palavrão! Ela repete um monte de vezes, Vai se f..., Vai todo mundo se f... É para deixar ela em paz. O que eu faço? Será que ela pensa que o que você fez para ela foi eu e você que fez juntas?

— Eu não...

— Ligo pra Stacy, imploro que ela tem que levar Mighty para algum lugar depois do hóquei para não ver a mãe desse jeito. Eu não quero ele ouvindo Cindy chorar no banheiro porque você faz alguma coisa para ela.

— Por favor, não fale como se a culpa fosse minha, o.k.?

— Ah, a culpa não é sua?

— Não é culpa de ninguém!

— Você sabe que ela tem problemas — Anna disse, cada palavra saindo mais irada que a anterior. — Você sabe quantos problemas ela tem...

— Espere aí, e você pensa que eu também não tenho problemas? Você sabe quantos problemas eu tenho?

— Então você vem ontem pra Cindy resolver os seus problemas? É por isso que eu vejo você rir quando vai embora? Porque você faz a mulher chorar depois que resolve...

— Eu não fui procurar ninguém para resolver os meus problemas! Se eu tenho coisas com as quais não estou contente, acho um jeito de melhorá-las. Eu resolvo os meus próprios problemas!

— Você acha que porque...

— Eu não acho nada! — exclamou Neni. — Se a sra. Edwards não está contente com a vida dela, ela que resolva os seus próprios problemas. Estou cansada de quererem que eu cuide mais deles do que de mim e da minha família.

— Ninguém pede pra você não cuidar de você!

— Sim, você e a sra. Edwards estão. É isso que você ligou hoje de manhã para dizer. Para fazer eu me sentir mal porque a sra. Edwards tem grandes problemas e eu deveria me preocupar com ela.

— Eu quero saber só...

— Desculpe, Anna, mas se a sra. Edwards quer mudar a vida dela então deixe que ela ache um jeito de ser feliz. E eu espero que ela ache um jeito logo, porque realmente sinto muito por ela.

Quarenta e quatro

No centro da plataforma, entre dois bancos cheios, um homem numa cadeira de rodas cantava por dólares e centavos. *The answer, oh babe,* cantava ele numa voz rouca, *is gonna be blowin' in the wind, the answer be blowin'in the wind, oh yeah, eh eh eh, the answer, sweet babe, it's gonna be blowin' in the wind*... Ninguém parecia estar escutando nem observando enquanto ele levava a gaita à boca e soprava de olhos fechados, fazendo meneios ao esplendor de sua música. Ao menos duas pessoas olhavam os trilhos, murmurando sozinhas, uma perguntando quando o maldito trem chegaria. Amém, irmão, alguém disse quando a canção terminou. É coisa do homem, outra voz acrescentou, deixando claro que mais de uma pessoa andara escutando. Muitos ao lado de Neni na plataforma assentiram; alguns aplaudiram. Neni aplaudiu, também, e pôs cinquenta centavos na canequinha do sujeito, em reconhecimento à sua capacidade de compor uma canção tão bonita e original.

Quando chegou à administração da igreja, o pastor-assistente a conduziu para uma sala de reuniões onde havia uma caixa de cartas e envelopes sobre a mesa.

— Não posso deixar de lhe agradecer por ter dado uma passada — ele disse ao mostrar-lhe como dobrar as cartas de pedidos de doações e colocá-las nos envelopes. — Estamos precisando muitíssimo de voluntários.

— Estou feliz em poder ajudar — disse Neni. — Eu não sabia se vocês precisavam de ajuda quando liguei esta manhã.

— Não, o *timing* foi perfeito. Onde está a neném?

— Eu a deixei em casa com uma amiga. Só queria sair um pouco sozinha.

— É compreensível. Não sei se aguentaria a monotonia de estar em casa todo dia com um bebê.

— Natasha está aí hoje?

— Ela está numa conferência ecumênica, mas deve estar de volta em mais ou menos uma hora. Eu aviso que você está aqui quando ela chegar.

Quarenta e cinco minutos depois, Natasha apareceu na porta do corredor.

— Neni, que delicadeza sua vir aqui ajudar — ela disse.

— Oi, Natasha.

— Tenho um trabalhinho para fazer agora, mas dê uma passada na minha sala antes de ir embora, vamos por a conversa em dia, o.k.?

Sozinha na sala de reuniões, Neni dobrava as cartas duas vezes e as enfiava dentro dos envelopes amarelos já endereçados, tentando não pensar na conversa com Anna na manhã anterior. A mulher a tinha deixado tão aborrecida que um dia depois ela ainda estava fervendo de raiva.

— O que você tem feito? — perguntou Natasha, apontando uma cadeira quando Neni entrou para se despedir.

— Está tudo bem — Neni respondeu.

— As crianças estão bem? O seu marido?

Neni fez que sim com a cabeça.

— Está aproveitando o novo ano até agora?

— Estou bem.

Natasha a encarou com ar de dúvida, levantou-se e fechou a porta.

— Como é que você está, *de verdade*? — indagou. — Como está a situação dos documentos do seu marido?

— Estou tentando não me preocupar com isso, mas não é fácil.

— Alguma novidade?

— Estamos só esperando e tendo esperança... Mas uma das minhas amigas, ela me falou de uma solução que pode nos ajudar.

— Isso é ótimo. Qual é a solução?

— Não sei se você vai gostar.

— Não cabe a mim gostar, Neni — Natasha disse com um sorriso. — Cabe a mim escutar você e ajudá-la a escutar o seu coração.

— Eu não contei nem para o meu marido.

— Compreendo. Não precisa me contar se não se sente à vontade.

Neni olhou o sorriso confiante de Natasha e resolveu que contaria, sim.

— A minha amiga — disse ela baixinho — tem um primo.

— Mmm-hmm.

— Eu posso casar com ele.

— Casar com ele?

Neni fez um meneio. Posso arranjar um *green card* se me casar com ele.

— Humm, entendo.

— Eu só... tenho que me divorciar do meu marido por alguns anos. Então posso me casar com o primo da minha amiga, e ele tira os papéis para mim.

Natasha assentiu, tirando um elástico do pulso para prender o cabelo num rabo de cavalo. Levantou-se e foi até o bebedouro junto à porta.

— Quer um copo de água? — perguntou a Neni. Neni fez que não com a cabeça e observou Natasha encher um copo descartável e tomar a água num só gole. — Refrescante — a pastora disse com um sorriso largo enquanto jogava o copo no cesto e voltava sentar-se.

Neni aguardou, de repente notando as batidas do coração.

— Você está pensando em se casar com outro homem por alguns anos — disse Natasha.

— A ideia é da minha amiga. Só que não sei se é certo ou errado.

— Ah, eu penso que o certo e o errado já ficaram *há muito* para trás — disse Natasha, com um sorriso maroto.

— Alguém que eu conheço costumava me dizer muito isso.

— Rumi.

— Quem?

— Jalal ad-Din Rumi, o místico sufi. Foi ele quem disse: "Bem além das ideias de atitudes certas e erradas existe um campo. Eu encontrarei você lá." Que era o jeito dele de dizer: "Não vamos entrar muito nisso de rotular as coisas como certas ou erradas."

— Mas tudo na vida é ou certo ou errado.

— É mesmo?

— E não é?

— Por que você haveria de querer se divorciar do seu marido e arriscar seu casamento por causa de documentos, Neni? Este país é tão importante para você? É mais importante para você do que a sua família?

Neni baixou os olhos e fitou o chão. Podia ouvir pedestres na Thompson Street, batendo papo enquanto passavam pela janela da sala de Natasha.

— Tanta coisa poderia dar errado com esse plano — prosseguiu Natasha.

— Foi isso que eu disse para a aminha amiga quando ela sugeriu isso para mim. Eu tenho outra amiga do trabalho, e a irmã dela fez a mesma coisa. Ela deixou o marido e os filhos lá na terra deles e se casou com um jamaicano por causa dos papéis para poder trazer o marido e os filhos para cá. Mas quando tudo terminou, o jamaicano se recusou a dar o divórcio a não ser que ela lhe desse mais dinheiro. Ele quer cinquenta mil dólares.

— Que horror!

— Sim, porque agora ela não pode voltar para o país dela e se casar de volta com o marido e trazer a família para cá. Ela está aqui e eles estão lá, e a mulher fica só rezando para que o jamaicano deixe de ser tão ganancioso porque ela quer realmente estar com o marido e os filhos.

— E sabendo de uma história como essa, mesmo assim você quer correr o risco?

— O primo da minha amiga é um cara bacana.

— Ah, aposto que sim! E muito provavelmente o jamaicano é um cara maravilhoso.

— Eu simplesmente não sei o que fazer — disse Neni.

— Às vezes o melhor é não fazer nada.

Neni deu um sorriso forçado. Não fazer nada não era uma opção, mas não seria respeitoso contradizer Natasha. Além disso, era melhor ela parar de falar sobre a situação dos *papier*, para não se arriscar a dizer algo que Jende não queria que fosse revelado.

— O sujeito que costumava falar comigo sobre certo e errado — disse ela, tentando mudar de assunto —, ele tem um irmão menor que detestava não fazer nada.

— Nós não gostamos de não fazer nada neste país.

Neni e Natasha riram juntas.

— Eu trabalhava para a família do garoto e vivia fazendo alguma coisa com o pequeno, mas eu gostava: ele era muito engraçado. Uma vez eu o levei para brincar com um amigo e a mãe do amigo ofereceu um pouco de comida a ele, que disse, não obrigado, ele não ia comer nada porque preferia comer a minha comida quando chegasse em casa. Ele achava que eu era a melhor das cozinheiras.

— Aposto que ele tem razão — Natasha disse, e ao ouvir isso Neni sorriu.

Naquela noite, enquanto Liomi contava e cutucava os dedinhos dos pés de Timba, Neni mandou um e-mail para Mighty. Em poucos segundos, veio uma resposta:

> Desculpe, não foi possível enviar sua mensagem para o seguinte endereço
> mightythemightyone@yahoo.com
> Este usuário não tem uma conta yahoo.com
> (mightythemightyone@yahoo.com)
> Após a linha abaixo, encontra-se uma cópia da mensagem.
>
> ---
>
> Oi, Mighty.
> Como vai você? Como vai a escola?
> Espero que você esteja sendo um bom menino e obedecendo ao seu pai e à sua mãe. Ouvi dizer que a sua mãe não está muito bem. Lembre-se que eu lhe disse que as mães são a coisa mais especial do mundo, então seja bonzinho com ela.
> Cuide-se, Neni.

Quarenta e cinco

Cindy Eliza Edwards morreu numa tarde fria em março de 2009, sozinha no seu leito conjugal, cinco semanas depois que Neni Jonga saiu do seu apartamento. Seu marido estava em Londres, numa viagem de negócios, enquanto ela jazia moribunda. Seu primogênito estava na Índia, percorrendo o Caminho da Iluminação. Seu filho caçula estava na Dalton School, sendo criado para se tornar um homem como o pai. Seu pai, cuja identidade nem ela nem sua mãe jamais souberam, já estava morto havia duas décadas. Sua mãe, que ela acreditava amá-la muito pouco, se fora quatro anos antes. Sua meia-irmã, completamente fora da sua vida desde a morte da mãe, ainda estava em Falls Church, Virgínia, vivendo uma vida de conforto material melhor do que aquela que tinham vivido juntas quando crianças, mas muito menos confortável do que a vida que Cindy vivia em Nova York. Suas amigas estavam espalhadas por toda Manhattan, fazendo compras na Saks e na Barneys, almoçando e tomando vinhos finos, planejando seus jantares e festas de gala, participando de reuniões beneficentes, aguardando ansiosas as próximas férias em algum local exótico.

— Mas eu não entendo! — repetia Neni enquanto Winston relatava para ela e Jende tudo que sabia com base na história que Frank lhe contara naquela tarde, um dia após o falecimento.

Asfixia em consequência de vômito, dissera Frank, segundo o médico responsável. Elevados níveis de opiáceo e álcool foram encontrados em seu corpo, levando o médico a acreditar que ela havia engolido numerosas pílulas de Vicodin, bebido pelo menos duas garrafas de vinho, adormecido e se afogado acidentalmente no próprio vômito.

Anna a encontrara deitada inerte na cama, os braços abertos, pendendo rijos da cama, os olhos e a boca abertos, vômito seco formando uma crosta sobre o queixo, o pescoço e a gola da camisola de seda. Com Clark fora da cidade, Anna telefonara imediatamente para Frank, gritando e chorando. Frank não pôde sair de uma reunião importante no trabalho, então pediu à sua esposa, Mimi, que corresse para o apartamento dos Edwards. Mimi foi até lá e encontrou a amiga morta.

— Oh, Deus Pai! — gritou Neni.

— Mas como ela pôde ter uma morte inútil dessas? — perguntou Jende.

— Por que ela não foi ao médico? Ela tinha todo o dinheiro e morreu na própria cama! Por que uma das amigas dela não tentou forçá-la? Por que ninguém viu que havia algo de errado com ela? Que país é este?

Segundo Frank, Winston disse, Cindy havia fechado as venezianas para o mundo. Até mesmo Mimi, que era uma das suas boas amigas, não a tinha visto havia meses. Mimi teve de aparecer no apartamento dos Edwards sem avisar depois de semanas de telefonemas e e-mails sem resposta, e depois de quase uma dúzia de conversas telefônicas a três com Cheri e June, que estavam inquietas e cada vez mais apreensivas porque não conseguiam entender por que Cindy não lhes contava o que estava acontecendo. As amigas tinham concordado que Cindy precisava de uma intervenção, e Mimi, três dias antes da morte de Cindy, entrara no quarto dela com o incentivo de Anna. Ali, ela vira sua amiga flácida e depauperada, quase em frangalhos, numa camisola de seda branca, sentada na cama fitando o vazio. Cindy lhe dissera que estava vivendo numa escuridão da qual não conseguia sair, e Mimi lhe implorara para, por favor, consultar um psiquiatra porque ela parecia estar enfrentando um caso sério de depressão. Cindy recusara, dizendo que não estava deprimida, mas Mimi implorara para que ela o fizesse ao menos pelos filhos. Pense em Mighty, dissera Mimi. Pense em como ele deve se sentir vendo a mãe desse jeito. Cindy tinha chorado e, pelo filho, concordara em ir a um centro de tratamento nos arredores de Boston, porque com o fim do casamento parecendo inevitável, o filho na Índia sem retornar seus telefonemas e e-mails, toda sua vida começando a parecer mais e mais sem sentido, ela precisava fazer alguma coisa agora se pretendia algum dia sentir de novo o gosto da felicidade. Fez Mimi prometer não contar a ninguém o que haviam discutido, nem mesmo a Frank, nem mesmo a Cheri e June. Ela se desculparia a todos por ignorar os telefonemas e e-mails, e lhes contaria tudo assim que estivesse se sentindo melhor.

A mão de Neni permaneceu sobre o peito durante toda a história, a boca entreaberta. Quando Winston acabou de contar, ela enxugou as lágrimas que escorriam pelo rosto com a barra da saia.

— Devo ligar para o sr. Edwards hoje à noite? — perguntou Jende.

— Não — disse Winston. — Talvez daqui a algumas semanas ou meses. Há muita coisa acontecendo para ele neste momento. Frank só me contou tudo isso porque o vi quando ele parou no escritório a caminho do aeroporto para pegar Clark. Ele vai me dizer quando será o funeral, e eu digo a você.

Jende balançou a cabeça com tristeza.

— Mas como o sr. Edwards vai se virar?

— Frank contou que o homem chorava loucamente ao telefone — disse Winston. — Parece que não importa o que aconteceu entre os dois, ele realmente amava sua mulher.

Quarenta e seis

Mighty Edwards vestia um terno cinza e tocou "Claire de Lune" de Claude Debussy de forma lindamente imperfeita no funeral, que aconteceu uma semana depois. No banco da frente, Clark estava sentado de óculos escuros. Os participantes da cerimônia, todos os duzentos e tantos, sentavam-se soturnos sob o teto a trinta metros de altura da Igreja de São Paulo Apóstolo na esquina da rua Sessenta com a Columbus Avenue. Ao seu redor havia imagens do Salvador e da Santa Mãe, acima deles, duas fileiras de lustres pendentes, e à direita, sobre uma pequena mesa, um livro de preces onde todos os aflitos, todos os oprimidos, todos os desolados, podiam deixar pedidos de orações e rogos de bênçãos.

O padre agradeceu a Deus por amar Cindy Edwards e chamá-la para passar a eternidade ao Seu lado. Que grande júbilo deve estar ocorrendo no céu, disse ele. Depois de a congregação cantar "Mais perto de Ti, meu Deus" e um solista ter cantado "Paz, perfeita paz", a filha de Frank e Mimi, Nora Dawson, num minivestido preto de mangas longas justo no corpo, o cabelo loiro alisado no secador igual ao de sua falecida madrinha nos melhores dias de sua vida, foi até o altar e leu em João, capítulo catorze, os versículos de um a três: a promessa de Jesus aos seus discípulos.

— "Não se perturbe o vosso coração" — leu ela. — "Credes em Deus, crede também em mim. Na casa de meu Pai há muitas moradas. Não fora assim, e eu vos teria dito; pois vou preparar-vos um lugar. Depois de ir e vos preparar um lugar, voltarei e tornar-vos-ei comigo, para que, onde eu estou, também vós estejais." Amém.

Quando chegou o momento da elegia — depois de o padre ter assegurado em sua mensagem aos que pranteavam que, de fato, Jesus havia preparado um lugar especial para Cindy no céu; depois que fora servida a comunhão; depois que Cheri lera um poema que escolhera intitulado "Ninguém me avisou que amar você me deixaria assim arrasada" —, Vince Edwards levantou-se e foi até a frente.

Não tinha nenhuma folha para ler. Relatou episódios. Da sua mãe usando pérolas brigando com ele, quando ele ainda era pequeno. Da mãe que o levou para fazer uma trilha nos montes Adirondack só para ela poder perder seu último meio quilo de gordura na barriga. Clientes de Cindy, modelos e atrizes, que tinham ocupado um banco no centro da igreja, riram baixinho. Vince falou da paixão de sua mãe pela vida saudável, seu compromisso com suas clientes para ajudá-las a comer melhor, ter uma vida melhor, uma aparência melhor, e serem melhores por causa disso. Falou do amor dela pelas amigas, de seu amor por aqueles que necessitavam dela. Falou de seu amor pela arte — as idas obrigatórias ao Metropolitan, sua tentativa frustrada de fazê-lo aprender violino, sua tentativa bem-sucedida de fazer Mighty tocar piano para ele poder um dia mostrar seu talento no Carnegie Hall. Alguém na primeira fila aplaudiu. Outros acompanharam.

Vince curvou a cabeça e limpou a garganta. Ergueu o rosto e sorriu para a congregação. Falou sobre a mãe que ele fora tão abençoado de ter.

— Ela era imperfeita — disse ele. — Com falhas, sim. Mas linda. Tão linda. Como todos nós somos.

Na última fila, Jende fechou os olhos e rezou para a alma de Cindy descansar em paz.

De onde estava sentado, uma sóbria face negra cercada de sóbrias faces brancas, podia ver o vaso vermelho contendo as cinzas da mulher que, até algumas semanas antes, costumava dar-lhe um cheque para comprar seu pão diário; a mulher que dera às suas sobrinhas e sobrinhos um ano de educação e ao seu próprio filho um terno da Brooks Brothers. Podia ver metade da nuca de Clark e o alto da cabeleira branca da mãe dele. Não podia ver a cabeça de Mighty, mas seus olhos se encheram de lágrimas ao ver o garoto subir os degraus para sentar-se ao piano. Sentiu pesar não só pela mulher no vaso, mas também pelo garoto, a criança alegre que levara muitas manhãs para a escola, uma criança que agora teria de viver com a vergonha causada pela natureza da morte de sua mãe.

— Olhei para ele e pensei, o que essa pobre criança vai fazer? — Jende disse a Neni quando estavam deitados na cama um de frente para o outro.

Neni não respondeu.

— Não é culpa sua — ele disse. — Fico o tempo todo lhe dizendo isso. Era hora de a sra. Edwards partir.

— A gente acha que está ajudando alguém guardando seu segredo...

— Você a ajudou...

— Eu não a ajudei.

Neni sentou-se, seus seios cheios de leite saltando fora do sutiã.

— Vamos dar o dinheiro para a igreja — ela disse numa voz chorosa.

Ela se virou para deitar-se de costas, encarando o teto.

— Eu acho que a gente devia se desfazer do dinheiro — ela repetiu.

— Vocês mulheres são uma coisa, hein? — ele disse, sorrindo e balançando a cabeça.

— Isso não é coisa de mulher — ela revidou.

— A sua culpa logo vai passar.

— Se eu soubesse que ela estava morrendo...

— Ela teria morrido de qualquer maneira, não? — ele disse, os olhos fechados, a voz incerta. — Tivesse dado ou não o dinheiro a você, ela teria morrido.

Quarenta e sete

Embora tivesse ouvido falar de Irmandades de Honra, não sabia o que elas faziam, então quando recebeu uma carta da Phi Theta Kappa convidando-a para tornar-se membro, imediatamente ligou para Betty.

— Ah, significa que você é inteligente — disse Betty.

— É mesmo?

— Sim, madame, é mesmo! Elas só convidam gente que tem boas notas. Por que você está agindo como se estivesse surpresa, como se não soubesse que há um cérebro bom nessa sua cabeça oblonga?

— A inveja vai matar você, Betty — Neni disse, rindo.

— Logo depois de matar você.

Quando Jende chegou em casa naquela noite, ela lhe mostrou a carta, preocupada com o que ele diria sobre a taxa de inscrição de cem dólares, mas empolgada para que ele visse a validação de sua mestria acadêmica, graças ao seu trabalho duro para mandá-la à escola.

— Eu nem sei se deveria me dar ao trabalho de tentar me inscrever — ela disse, fingindo desinteresse.

— Mas isto é bom, *bébé* — ele retrucou. — A carta diz que você é uma das melhores alunas da sua faculdade. Por que você não me contou isso? Mesmo sem ir à escola este semestre elas ainda estão pensando em você.

— Então posso gastar os cem dólares para participar?

— Gaste trezentos — ele disse, passando o braço em torno da sua cintura e dando-lhe um beijo. — Se existe algum motivo para tirar uma lasquinha das economias, este é um. Se você puder entrar na fraternidade e conseguir uma daquelas bolsas de estudos que dizem que dão aos membros...

— Eu estava pensando na mesma coisa, as bolsas de estudos. Imagine, *bébé*! Se eu conseguisse uma bolsa para nos ajudar a pagar setembro, ou mesmo janeiro, não seria uma coisa ótima?

— Talvez eu finalmente descubra de novo como é ter uma boa noite de sono.

No dia seguinte ela enviou seu formulário de inscrição on-line e, dias depois, recebeu um envelope dando-lhe as boas-vindas à sociedade e falando sobre os benefícios. Ela entrou imediatamente no site para o qual a carta a dirigia e, ali, viu as bolsas de estudos — dúzias de bolsas para estudantes com sua média de notas, e estudantes no seu nível de progresso, e estudantes com seu curso principal e interesses de carreira. Para a maioria das bolsas, porém, o prazo final já tinha passado. Para aqueles cujos prazos ainda estavam valendo, ela precisava ser recomendada por um chefe de departamento.

— Então vá procurar o chefe de departamento e peça para ele recomendá-la — disse Jende depois que ela lhe contou o que tinha descoberto.

— Mas eu não conheço nenhum chefe de departamento — ela disse, tentando não se aborrecer com o seu tom paternalista.

— Vá para a sua escola, Neni, e pergunte a alguém quem é esse chefe de departamento que recomenda as pessoas. Vá até o sujeito e conte-lhe a sua situação, o.k.? Diga ao homem que você tem que retornar à escola em setembro para continuar legal no país. Diga-lhe que você é muito inteligente e que quer ser farmacêutica, mas que o seu marido já não ganha mais muito dinheiro. Mostre a ele o quanto você quer ser farmacêutica, e o quanto o seu marido quer que você seja farmacêutica. Você tem que dizer qualquer coisa que possa, porque não sabe se o sujeito vai ter coração mole.

Ela escutou, assentiu e, uma hora depois, mandou um e-mail para seu ex-instrutor de pré-cálculo, que respondeu na manhã seguinte com o nome e o número da sala do responsável pelas recomendações, o sr. Flipkens. O instrutor disse-lhe que não era preciso marcar horário para procurar o chefe de departamento, ela podia ir a qualquer momento. Naquela tarde ela levou Timba para a casa de Betty, na esperança de encontrar o chefe de departamento para conseguir a sua bolsa o mais rápido possível.

No trajeto a pé do metrô até a escola, ela imaginou o chefe de departamento como um velho branco gentil com cabelos brancos raleados, mas quando chegou lá percebeu que sua visualização fora incorreta: Ele era branco, mas jovem — com uma vasta cabeleira castanha — e após um minuto dentro do escritório foi capaz de dizer que seu coração não era tão mole quanto Jende esperava que fosse.

— Eu sinto muito decepcioná-la, sra. Jonga — ele disse —, mas não recomendo a pedido. Eu recomendo alunos com notas estelares que estejam contribuindo para a faculdade e a comunidade.

— Eu entendo, chefe de departamento — Neni disse em tom controlado, tentando não soar tão desesperada quanto estava. — Mas o senhor pode ver, eu tenho notas muito boas, e é por isso que vim aqui hoje procurar o senhor.

— Estou vendo que as suas notas são boas. Mas e o seu envolvimento na faculdade e na comunidade?

— Eu...

— A senhora é membro de alguma organização no campus? Fez alguma coisa para enriquecer as vidas de outros alunos na BMCC?

— Chefe de departamento, eu...

— A senhora é voluntária em alguma organização na cidade? No seu bairro?

Neni balançou a cabeça.

— Fui uma vez voluntária na minha igreja, mas... Eu realmente gostaria de ser voluntária mais vezes, chefe de departamento — ela disse, sentindo-se subitamente envergonhada, como se tivesse sido pega roubando. — É só que eu não tenho tempo, chefe de departamento.

— Ninguém tem tempo, sra. Jonga — disse o chefe de departamento.

— Eu tenho dois filhos, e antes de o meu segundo filho nascer eu também estava trabalhando. Se tivesse tempo, eu ficaria feliz em fazer alguma coisa para a BMCC, porque gosto da escola. Mas sem tempo, chefe de departamento, simplesmente não posso fazer nada.

— Não sei bem o que lhe dizer.

— Eu preciso de qualquer tipo de ajuda, sr. Flipkens. Tenho só mais dois semestres antes de poder me transferir para uma faculdade de quatro anos. Mas o meu marido, ele perdeu o emprego que pagava um bom dinheiro. Realmente não sei como vou poder voltar para a escola em setembro se alguém não me ajudar com uma bolsa. Se houver algo que o senhor possa fazer para me ajudar...

O chefe de departamento a fitou através de suas grossas lentes de armação preta, em estilo geek, depois virou-se para o computador. Ele não devia ter menos idade do que ela, Neni calculou, mas parecia bem mais jovem, bem o tipo dos rapazes de pele impecável e cabelos caprichados dos outdoors na Times Square. Neni não pôde deixar de pensar que ele só estava sentado naquela sala porque era obrigado, não porque quisesse, e isso bastou para fazê-la acreditar que o homem não podia se importar menos se ela tivesse que largar a BMCC.

Enquanto ele movia o mouse pelo mousepad, ela observou suas mãos, com as unhas bem-feitas e de aspecto suave, as mãos de alguém que nunca tinha conhecido um só dia de trabalho duro.

— Eu a mandaria para o auxílio financeiro — ele disse, voltando sua atenção de novo para ela —, mas estou vendo aqui que é uma estudante internacional. Tenho certeza de que a senhora sabe bastante bem que toda bolsa ou verba que oferecemos é para cidadãos ou residentes permanentes, então não há realmente muito que eles possam fazer pela senhora.

Neni assentiu, abotoando a jaqueta e pegando a bolsa que tinha deixado no chão.

— Mesmo assim, preciso perguntar-lhe, sra. Jonga — ele continuou, ignorando a tentativa de Neni de encerrar a reunião —, vejo aqui que o seu plano após a graduação é matricular-se na faculdade de farmácia. Isso ainda está valendo?

Neni fez que sim, não querendo perder mais palavras com ele.

— Posso perguntar por que farmácia?

— Eu gosto de farmácia — ela respondeu bruscamente.

— Eu entendo. Mas por quê?

— Porque quero dar às pessoas remédios para se sentirem melhor. Quando vim para a América, o primo do meu marido me aconselhou a fazer isso, que é uma coisa muito boa de se estudar. E todo mundo me diz que é um bom trabalho. Há algum problema em eu tentar me tornar farmacêutica, sr. Flipkens?

O chefe de departamento sorriu, e Neni imaginou que por dentro estava rindo dela ironicamente, da maneira apaixonada em que ela acabara de defender a escolha da sua carreira.

— Todo mundo que lhe disse que farmácia é uma bela carreira está certo — disse ele, ainda sorrindo, altivamente —, mas eu me pergunto, e odeio dizer isto aos alunos, porque não quero que ninguém pense que estou lhes pedindo que sonhem pequeno, se a senhora se perguntou se é o caminho profissional certo para alguém nas suas circunstâncias?

— Não entendo o que o senhor quer dizer.

— Estou simplesmente considerando, sra. Jonga, se talvez algum outro caminho profissional possa ser mais adequado para alguém como a senhora.

— Eu quero ser farmacêutica — disse Neni, não tentando mais disfarçar sua raiva.

— Isso é ótimo, e eu a cumprimento por isso. Mas a senhora veio aqui hoje porque está desesperada por dinheiro para terminar a escola. A senhora tem dois filhos, seu marido não ganha dinheiro suficiente e, pelo visto, estão tendo dificuldades de fazer as contas baterem. A faculdade de farmácia é muito cara, sra. Jonga, e a senhora é uma estudante internacional. A não ser que mude sua situação legal, será muito difícil para a senhora conseguir empréstimos para se graduar, isso se conseguir uma maneira de se formar na BMCC em primeiro lugar.

— Então o senhor está me dizendo que eu não devo tentar ser farmacêutica?

O chefe de departamento tirou os óculos, e os colocou sobre a mesa.

— Um dos meus deveres como chefe de departamento — disse ele — é oferecer aos nossos alunos aconselhamento em termos de carreira. E o meu objetivo quando aconselho alunos como a senhora, sra. Jonga, é guiá-los na direção de metas atingíveis. A senhora entende o que significa isto, uma meta ser atingível?

Neni continuou olhando irritada, sem dizer uma palavra.

— Há um monte de outras ótimas carreiras no campo da saúde, e podemos ajudá-la a entrar numa delas. Enfermeira prática licenciada, técnica de ultrassom, faturamento e codificação na área médica, um monte de ótimas carreiras que... sabe, que serão mais atingíveis...

— Eu não quero atingível.

— Seria uma pena a senhora gastar anos buscando uma meta que tem tão pouca chance de atingir, não acha? Só estou... só quero que conversemos sobre isso para vermos quais são as chances de a senhora, sabe, graduar-se na BMCC, entrar numa faculdade de farmácia e se tornar farmacêutica licenciada enquanto lida com o estresse financeiro, cria dois filhos e mora no país apenas com um visto temporário. A senhora não acha que seria uma pena começar uma coisa, gastar tempo e dinheiro, apenas para desistir mais tarde porque percebeu que é demais para a senhora? E antes que a senhora pense que estou querendo estragar sua festa, por favor, saiba que só estou dizendo isso a partir de anos de experiência. A senhora não vai acreditar com que frequência vejo isso acontecer, e que pena eu acho que é não darmos ao aluno o melhor conselho. Porque para cada aluno na sua situação que se torna farmacêutico ou médico, há quatro ou cinco outros que nunca entram na faculdade de farmácia ou de medicina, e então são obrigados a dar meia-volta e começar a tentar ser enfermeiros.

Neni riu e balançou a cabeça. A situação não era engraçada, mas de certa forma era.

— Não creio ter dito nada engraçado — disse o chefe de departamento.

— O senhor cresceu sonhando ter esse emprego que tem agora, sr. Flipkens? — Neni perguntou, a graça da situação tendo desaparecido, substituída por uma raiva que borbulhava com tanta ferocidade em seu interior que ela teve medo de que extravasasse pelo nariz.

— Na verdade, eu tinha outros sonhos, mas a senhora sabe... na vida a gente tem que...

— É por isso que o senhor não quer que eu seja farmacêutica? — disse ela, levantando-se e pendurando a bolsa no ombro. — Porque está sentado neste escritório e não em algum outro lugar?

— Por favor, sente-se, sra. Jonga — o rapaz disse, apontando a cadeira. — Não há necessidade de ficar...

— Eu quero ser farmacêutica! — disse Neni. — E vou ser farmacêutica.

Quando Jende chegou em casa naquela noite, ela não lhe contou nada sobre a conversa, exceto que provavelmente não conseguiria nenhum tipo de bolsa de estudos. Então por que você ainda está planejando ir à cerimônia dessa coisa de irmandade?, ele indagou num tom que a fez sentir-se como se o tivesse decepcionado gravemente. Porque seria bom celebrar até onde eu cheguei, ela respondeu, mas ele não ficou convencido. Ele não iria faltar ao trabalho e perder dinheiro só para assistir à sua entrada numa organização que não iria ajudá-los. Vá com uma das suas amigas, ele lhe disse. Ou peça ao Winston.

Quando Neni ligou para convidá-lo, Winston disse-lhe que ficaria encantado em comparecer. Ele gracejou com ela sobre a conquista, dizendo que era melhor ela se certificar de que estava entrando numa irmandade e não numa sociedade secreta, dizendo que às vezes elas pareciam a mesma coisa, e ela retribuiu o gracejo dizendo que a única sociedade secreta que ela consideraria participar era aquela na qual ele tinha entrado, que o havia levado da caixa de mercearia em Chicago para advogado em Wall Street. Winston riu, disse-lhe o quanto estava orgulhoso dela, e no dia da cerimônia de introdução, saiu cedo do trabalho para encontrar-se com ela, Fatou e as crianças na frente do auditório. Enquanto Fatou ficava com Timba no saguão, Winston e Liomi aplaudiam e ovacionavam quando Neni, junto com vinte e oito outras alunas, era formalmente apresentada como membro da Phi Theta Kappa. Depois da cerimônia, Winston levou todo mundo para um restaurante de sushi onde pediu um prato de rolinhos de enguia e abacate, rolinhos Califórnia, de camarão e de pepino. Incentivou Fatou a tomar o máximo de saquê que quisesse, rindo com ela enquanto ela virava as doses e batia toda vez o copo na mesa.

— A gente já gosta assim quando ela vai para dentro da *Société* — Fatou disse, rindo de seu jeito tolo de se comportar como as garotas que via na MTV — o que vai arrumar quando ela virar da farmácia?

— Ele vai nos levar para um restaurante no Trump Hotel — disse Neni, rindo, segurando uma colher de sopa de missô. — Vai contratar o próprio Donald Trump para fritar um bife para nós.

Winston balançou a cabeça.

— Não — ele disse, sorrindo com os bons momentos que as mulheres estavam tendo às suas custas. — No dia em que esta moça especial se tornar farmacêutica, vou levar todo mundo a um lugar chamado Four Seasons.

Quarenta e oito

A estação chuvosa em Limbe começa em abril. A chuva vem durante alguns dias por uma ou duas horas, não forte o suficiente para impedir o pessoal da cidade de sair, mas forte o bastante para obrigá-los a calçar seus sapatos *chang* antes de se aventurar pelas ruas lamacentas. Em maio, as chuvas são mais pesadas e os períodos entre os aguaceiros são mais frescos, mas não tão frios para que o pessoal tenha que vestir seus suéteres. As chuvas de maio tendem a vir à noite, batucando com tanta força nos telhados de zinco que algumas pessoas têm medo de acordar e descobrir que seus telhados desabaram sobre elas.

A noite em que Pa Jonga morreu foi uma dessas noites chuvosas de maio.

Sua esposa e seus filhos haviam passado toda a tarde e o começo da noite saindo às carreiras na chuva inclemente para a cozinha dos fundos, para ferver *masepo* e capim-limão para ele. Faziam-no beber, junto com o paracetamol e a cloroquina que o farmacêutico na Half Mile havia prescrito. Ele diagnosticara Pa Jonga com malária ou febre tifoide, e pedira que os medicamentos fossem administrados com Pa Jonga de barriga cheia três vezes ao dia. Ma Jonga e os filhos fizeram tudo que o farmacêutico disse, mas nem a medicina do homem branco nem a medicina nativa funcionaram: Pa Ikola Jonga morreu às quatro da manhã, por volta da hora em que a mesquita do bairro fazia os primeiros chamados para orações.

Restavam a Jende duas horas antes do fim de seu turno no restaurante de Hell's Kitchen quando seu irmão do meio, Moto, lhe telefonou no celular menos de uma hora após a morte. O corpo do velho ainda estava quente deitado na cama.

— Papa, papa morreu — chorava Moto. — Papa morreu.

O chef dispensou Jende pelo resto da noite.

— Sinto muito pela sua perda — disse ele. — Por favor, estenda as minhas condolências para o resto de sua família.

Jende ficou sentado de cabeça baixa durante todo o trajeto de metrô para casa, perplexo demais para chorar. Ao entrar no apartamento, encontrou Neni aos prantos no celular. Ao vê-lo, ela largou o telefone e correu para seus braços para abraçá-lo. Foi aí que a represa por trás de seus olhos se rompeu.

Papa, oh, Papa, ele chorava, como pôde não me dar uma última chance de ver você de novo? Hein, Papa, como pôde fazer isso comigo? Seu nariz, seus olhos e sua boca espirravam líquido em todas as direções. Por que você não esperou por mim, Papa? Hein? Por que fez isso comigo?

Winston e sua namorada, Maami, chegaram logo depois da meia-noite. Winston tirou o dia de folga no trabalho, e Maami — que recentemente se mudara de Houston para Nova York depois que Winston conseguira com sucesso atraí-la de volta e imediatamente a engravidara — trouxe seu laptop para fazer seus serviços de contabilidade no quarto. Muitos amigos vieram no fim da tarde, os mesmos amigos que tinham vindo dançar quando Timba nasceu. Nenhum deles perguntou se Jende voltaria para casa. Imaginaram que ele lhes diria se fosse, e se não fosse, bem, nenhum homem adulto deveria ser obrigado a dizer a alguém que não podia ir para casa enterrar o pai.

Pa Jonga foi colocado no Necrotério Provincial de Limbe e enterrado duas semanas depois. Jende mandou o dinheiro para o funeral, uma produção farta de dois dias de comes e bebes, discursos e libações, dança, cantoria e lamentos. Foi um evento que custou mais dinheiro do que Pa Jonga havia ganhado nos seus últimos dez anos de vida. Seu corpo, adornado num terno branco, foi colocado num leito de tijolos cobertos com roupa de cama branca nova em folha. A noite inteira, Ma Jonga ficou sentada no chão ao lado do leito, vestida numa *kaba* negra, fazendo meneios enquanto pessoas solidárias enchiam a sala para ver os restos mortais e encorajá-la a ser forte.

Ashia, mama, diziam eles. Coração firme, assim é a vida, oh. Como se vai fazer?

No dia seguinte os restos mortais foram abençoados pelo pastor da Igreja Batista Mizpah, ainda que Pa Jonga não frequentasse a igreja havia décadas. Ma Jonga sempre quisera que ele fosse batizado assim como Jende e os outros filhos tinham sido; ela tinha visualizado o pastor mergulhando-o no pequeno córrego que fluía através do Jardim Botânico e aí tirando-o da água enquanto a congregação cantava *Fazei soar os sinos do céu! Há júbilo hoje, pois uma alma retorna do deserto!* Mas Pa Jonga não queria saber desse palavreado da igreja. Quando eu morrer, dizia à mulher, vou seguir Jesus se eu o vir com os meus próprios olhos.

— Que igreja vai concordar em abençoá-lo agora — Jende havia perguntado a Moto quando conversavam sobre como podiam dar a Pa Jonga um dos melhores funerais que New Town já vira (ninguém com um filho adulto na América deveria ter um funeral comum, essa era a crença em Limbe).

— Qualquer igreja que goste de dinheiro vai abençoá-lo — retrucara Moto. — Sei que você já mandou todo o dinheiro que pôde, mas se puder mandar um pouco mais, podemos dar um belo envelope à igreja, e eles ficarão felizes em mandar o pastor abençoá-lo e mandá-lo direto para o céu.

Pela primeira vez em muitos dias, Jende riu.

E mandou o dinheiro e ficou sabendo no dia seguinte que a Igreja Batista Mizpah tinha concordado em abençoar seu pai. Ma Jonga ainda era uma ferrenha paroquiana de carteirinha, bem como membro do seu grupo Kakane de mulheres. Foi por ela que o pastor concordou em vir até a casa e abençoar Pa Jonga na sua viagem ao Paraíso. O dinheiro que Jende mandara, afinal, não foi para pagar a igreja, mas para uma oferenda de ação de graças pela vida longa e feliz do seu pai.

Após o funeral, o grupo de mulheres Kakane, usando seus caftans tradicionais, conduziu as pessoas que seguiam da casa para o cemitério. Uma banda contratada seguia as mulheres, e então vinha a Land Rover alugada, levando o caixão com alças de bronze de Pa Jonga. Atrás da Land Rover, seguia um aglomerado de parentes e amigos que se estendia por mais de dois quilômetros, alguns com retratos emoldurados de Pa Jonga erguidos bem acima da cabeça. Marcharam e dançaram e se lamuriaram por toda New Town e através do mercado, chorando e cantando *Yondo, yondo, yondo, yondo suelele.*

Jende assistiu a tudo no vídeo que pedira para Moto mandar gravar.

Assistiu à série de imagens no DVD de uma só vez. Viu sua mãe desabar de tristeza quando o caixão foi aberto revelando o corpo do pai depois de ele ter sido trazido de casa para o velório. Escutou os discursos sobre o homem bom que Pa Jonga tinha sido, e também o grande lavrador e jogador de damas. Assistiu às danças que se estenderam da noite de sexta-feira até a manhã de sábado. Escutou o sermão do pastor na casa, um sermão sobre como nem a morte nem a vida, nem anjos nem demônios, nem o presente nem o futuro, nem quaisquer poderes, nem as alturas nem as profundezas, nem mais nada em toda a criação, pode separar os filhos de Deus do Seu amor. Jende assistiu ao momento em que seu pai foi baixado à terra e o pastor bramiu, Ikola Jonga, do pó vieste ao pó voltarás.

Sua tristeza por não ter podido sepultar o pai era tão pesada quanto o pesar pela sua morte. Toda cena no vídeo granulado o fazia chorar, exceto aquelas em que ficou estarrecido demais com o peso ganho, ou os cabelos grisalhos adquiridos, ou os dentes perdidos por certos amigos e familiares, gente que ele não tinha visto por quase cinco anos.

Um dia depois de assistir ao vídeo suas costas começaram a doer. Uma tarde teve de deixar o trabalho mais cedo e faltar ao outro emprego à noite. A dor nos pés parecia ter subido para as costas, só que muito mais feroz. Passou muitas manhãs antes do trabalho deitado no chão, contorcendo-se de dor, chegando a tomar cinco cápsulas de Tylenol de uma vez. Um colega lhe recomendou um médico, que só aceitava dinheiro vivo, em Jamaica, Queens, que lhe cobrou sessenta dólares por uma consulta de vinte minutos, após informá-lo de que o plano de saúde com seguro contra acidentes que Neni comprara pela internet — depois que terminou seu direito para o Programa Estatal Gratuito De Assistência Pré-Natal — não servia para nada (as crianças recebiam ambas assistência pelo plano Saúde Infantil Plus, felizmente, a custo zero).

Num consultório sem janelas no subsolo, o médico o examinou e lhe disse que suas dores podiam estar sendo provocadas por estresse.

— Você está enfrentando algum grande fator de estresse na sua vida? — o médico perguntou a Jende.

Se eu estou enfrentando algum grande fator de estresse na minha vida?, Jende pensou em dizer. Sim, doutor, acontece que estou. Em poucas semanas devo comparecer perante um juiz de imigração para continuar implorando que ele, por favor, não me deporte. Meu pai acabou de morrer e eu não pude enterrá-lo. Que vergonha maior poderia haver para um primogênito? Minha mãe está ficando velha demais para continuar criando porcos e lavrando a terra e vendendo no mercado, então tenho que começar a mandar dinheiro para ela com mais frequência. Tenho uma mulher e dois filhos que preciso alimentar e vestir e abrigar todo dia. Minha mulher deveria voltar à escola para manter seu visto de estudante, e eu não sei se serei capaz de pagar as mensalidades lavando pratos em restaurantes. Ela talvez tenha que largar a escola e viver sem nenhum tipo de documento. Talvez ela também acabe diante de um juiz de imigração, implorando para, por favor, permanecer no país para poder achar um jeito de terminar a escola. Esqueça a escola, há dias em que nós nem temos o suficiente para uma boa refeição com frango. Eu estou poupando as minhas economias ao máximo para estar pronto para o dia em que chegar o pior, mas agora eu me pergunto para que estou economizando? O pior já chegou, e as minhas costas estão arrebentando. Então, sim, doutor, eu tenho muitos grandes fatores de estresse na minha vida.

Quarenta e nove

Ele soube que era o fim logo que saiu do consultório médico.

Naquela noite, após o trabalho, pediu a Neni que se sentasse à mesa de refeições. Pegou sua mão e olhou fundo nos seus olhos.

— Neni. — Ele começou.

— O que há de errado? O que foi que o médico disse?

— Neni — ele voltou a chamar seu nome.

— Jende, por favor...

— Estou pronto para voltar para casa — ele disse.

— Para casa onde? O que você está querendo dizer com "voltar para casa"?

Ele respirou fundo e ficou em silêncio por alguns segundos.

— Para casa, para Limbe — disse ele à esposa. — Eu quero voltar para Limbe.

Ela tirou a mão da dele e recostou-se na cadeira, como se ele tivesse acabado de lhe revelar que tinha uma abjeta doença contagiosa.

— O que significa tudo isso? — ela perguntou. Sua voz estava irada.

— Eu não quero mais ficar neste país.

— Você quer que a gente faça as malas e volte para Limbe? É isso que você está dizendo?

Ele assentiu, olhando-a com tristeza, como uma criança rogando misericórdia.

Ela o fitou nos olhos, olhos vermelhos e pesados que pareciam pertencer a um homem doente, alquebrado. Quando ele tentou pegar novamente a mão dela, Neni a afastou ainda mais e pôs as mãos atrás das costas.

— Você quer voltar para Limbe?

— Sim.

— Por quê? Por que você está falando desse jeito, Jende? O que significa tudo isso?

— Eu não gosto do que a minha vida se tornou neste país. Não sei quanto tempo mais posso continuar assim, Neni. O sofrimento em Limbe era ruim, mas este aqui, neste momento... é mais do que eu posso aguentar.

Neni Jonga fitou o marido como se desejasse se sentir solidária, mas só foi capaz de sentir irritação.

— Foi alguma coisa que o médico disse? — perguntou. — É por causa das suas costas?

— Não... quer dizer, não é só por causa das minhas costas. É tudo, Neni. Você não percebeu como eu ando infeliz?

— É claro, *bébé*. Tenho visto como você anda infeliz. Mas o seu pai morreu, e você está de luto. Qualquer um que ame o pai da maneira como você amava o seu ficaria infeliz.

— Mas não é só a morte do meu pai. É tudo que aconteceu desde que perdi meu emprego. A minha situação do *papier*. Isto de trabalho, trabalho, trabalho o tempo todo. Para quê? Por um pouco de dinheiro? Quanto sofrimento um homem pode aguentar neste mundo, hein? Quanto tempo mais... — Sua voz vacilou no fim da pergunta, mas ele limpou a garganta para ir até o fim.

— Você sabe que nós podemos superar qualquer coisa, Jende — Neni disse, pegando sua mão. — Nós já passamos por tanta coisa. Você sabe que vamos ficar bem, certo?

Ele balançou a cabeça.

— Não — respondeu. — Não sei se eu ficarei bem. Estou tentando realmente com tudo, mas não sei se a minha vida vai ficar melhor neste país. Quanto tempo vou continuar lavando pratos?

— Só até você conseguir seu *papier*.

— Não é verdade — disse ele balançando triste a cabeça. — O *papier* não é tudo. Nos Estados Unidos hoje, ter documentos não basta. Veja quanta gente com documentos está tendo que batalhar. Veja como até mesmo alguns americanos estão sofrendo. Eles nasceram neste país. Eles têm passaporte americano, e mesmo assim estão dormindo na rua, indo para cama com fome, perdendo seus empregos e suas casas todo dia nesta... nesta crise econômica.

Timba começou a balbuciar no quarto. Eles pararam de falar, olhando um além do outro enquanto esperavam que ela voltasse a adormecer. Ela dormiu.

— Ter documentos neste país não é tudo — continuou Jende. — O que você acha que vai mudar na minha vida se eu receber os documentos amanhã?

— Vai conseguir um emprego melhor, não vai?

— Que emprego melhor? Eu não tenho uma educação que qualquer pessoa considere educação de verdade. O que é que eu vou fazer? Trabalhar no Pathmark? Passar dez anos pesando camarão como Tunde?

— Mas, *bébé,* trabalhar no Pathmark é um bom emprego. Você sabe disso. Tunde tem um emprego realmente muito bom. Tem os benefícios, todo tipo de seguro. Tem até um plano de aposentadoria; foi o que Olu me contou. E acima de tudo, compra comida para a família com desconto. Como é que esse emprego não é bom?

Jende olhou para Neni e deu uma risadinha contida, uma risadinha triste seguida de outro balançar de cabeça. Talvez ela pensasse que a vida da sua amiga Olu era tão boa porque o marido trabalhava no balcão de frutos do mar do Pathmark, mas ele não achava que Tunde estava tão feliz com sua vida. E como poderia estar, passando todos os dias da semana em volta de frutos do mar, chegando em casa no fim do dia cheirando a peixe?

— Então você acha que Tunde e Olu tem uma via muito boa, hein?

— Eu acho que eles se viram bem, e nós também podemos, se você conseguir seu *papier* e arranjar um emprego como esse.

— E quanto tempo você acha que eu posso cuidar da minha família com o dinheiro que o Pathmark vai me pagar? Hein, Neni? Como é que eu vou mandar você para a faculdade de farmácia com esse dinheiro? Como é que vou mandar Liomi para a faculdade? Ou ser capaz de sair deste lugar cheio de baratas?

— Então vamos para Phoenix. Foi isso que você sempre quis, certo?

— Eu não vou me mudar para Phoenix! Você acha que Phoenix vai ter alguma coisa melhor para nós? Eu ficava aqui sentindo inveja de Arkano porque lá ele tem uma bela casa de quatro quartos, só para descobrir dois dias atrás que ele perdeu a casa. A loja de departamentos onde ele trabalhava fechou, ele não tem emprego, não consegue pagar o banco, o banco pegou a casa de volta. Você sabe onde ele e a família estão morando agora? No porão da irmã dele, que não tem janelas! É isso que você quer para nós, Neni? Acabar num porão em Phoenix?

Neni suspirou e balançou a cabeça.

— Tudo bem, *bébé* — disse ela. — Então vamos ficar em Nova York. Talvez você pudesse voltar a trabalhar como motorista. Quem sabe possamos achar outro emprego como aquele que você teve com o sr. Edwards?

— Você está falando bobagem.

— Só estou dizendo que...

— Você pensa que é fácil conseguir um emprego como esse? Você pensa que é fácil para alguém como eu arranjar um bom emprego como esse? Você não estava aqui quando eu mandei uma centena de currículos para todos aqueles empregos de chofer na internet e ninguém me deu retorno? Você sabe que eu só consegui o trabalho com o sr. Edwards porque o sr. Dawson gosta muito do Winston e confiou que ele recomendaria alguém bom. Só consegui o emprego por causa do Winston, não por causa de mim mesmo. Certo? Então pare de falar como alguém que não tem o menor senso.

Ela sabia que o tinha irritado. Tentou esfregar o ombro dele para mitigar o que dissera que o havia enfurecido, mas ele se afastou e se levantou.

— Por favor, *bébé* — disse ela, erguendo os olhos para ele. — Nós vamos ficar bem, certo?

Ele saiu da sala sem responder e foi até a cozinha. Quando ela se juntou a ele, o encontrou abrindo e fechando gavetas e armários.

— *Bébé*, o que você está procurando?

— Você precisa saber de uma coisa, Neni — disse, voltando o rosto para ela. — Você precisa saber que muito do que aconteceu para chegarmos até aqui foi por causa do Winston. Está entendendo? Se Winston não tivesse se oferecido para pagar o resto dos honorários de Bubakar, saiba que não teríamos tanto dinheiro economizado agora. Não teríamos nada se não fosse o meu primo pagar quase tudo, de Bubakar até as minhas taxas de imigração, me ajudar a encontrar um bom emprego, me ajudar a encontrar este apartamento! Mas se as coisas começarem a ficar ruins demais para nós neste país, você tem o seu visto de estudante, eu tenho o governo tentando me deportar, você precisa continuar na escola para manter o seu visto de estudante, o nosso dinheiro começa a acabar, um de nós fica doente, e a quem vamos recorrer? Winston vai ter um filho. Ele vai se casar. Ter mais filhos. As irmãs menores dele vão terminar a Universidade de Buca o ano que vem, e ele vai ter que trazê-las para cá. Não teremos mais Winston para recorrer a torto e a direito. E mesmo se pudéssemos, eu sou um homem! Não posso continuar esperando pelo meu primo, que ele me salve o tempo todo.

— Mas ninguém sabe como Deus trabalha. Talvez, de um jeito ou de outro, você possa conseguir outro emprego de motorista de outra pessoa, hein?

— Você não está me escutando, Neni. Não está escutando! Esqueça como Deus trabalha, o.k.? Porque mesmo se eu tentar de novo procurar um emprego de motorista, você acha mesmo que um graúdo de Wall Street vai contratar um africano da rua sem mais nem menos? Com a economia deste jeito, todo tipo de gente está procurando um emprego desses. Até mesmo algumas das pessoas que costumavam andar de terno para trabalhar em Wall Street estão agora procurando emprego de motorista. Nada mais é fácil. Como você acha que eu vou conseguir outro emprego que pague trinta e cinco mil dólares?

— Talvez você possa...

— Talvez eu possa o quê?

— Há outras coisas...

— Por que você está discutindo comigo? Será que você não acredita em mim? Você devia ter estado comigo na semana passada quando vi aquele homem que era motorista de outro executivo no Lehman Brothers. A gente costumava sentar junto às vezes na frente do prédio; ele era um homem gordinho, cheio de vida. Eu o vi no centro: o sujeito parecia ter tido sua última boa refeição um ano atrás. Ele não conseguiu arranjar outro emprego. Ele diz que agora tem muita gente querendo ser chofer. Até gente que costumava ser da polícia e pessoas com bons diplomas de faculdade, todos querem ser motoristas. Todo mundo está perdendo o emprego em todo lugar, e procurando empregos novos, qualquer coisa para pagar as contas. Então me diga — se ele, um americano, um branco com documentos, não consegue arranjar outro trabalho de chofer, o que acontece comigo? Dizem que o país vai melhorar, mas sabe de uma coisa? Não sei se consigo ficar aqui até isso acontecer. Não sei se consigo continuar sofrendo desse jeito só porque quero viver na América.

Cinquenta

Ela não iria embora. Jamais. Ela não voltaria para Limbe.

Durante anos ela permanecera na casa do pai sem fazer nada a não ser serviços domésticos, inicialmente pesarosa e envergonhada demais para voltar à escola depois de abandoná-la e de perder sua filha; mais tarde — quando estava pronta para voltar, quatro anos depois da morte do bebê —, incapaz de fazê-lo porque o pai não achava que valia a pena pagar o colégio de uma moça de quase vinte. Ele havia sugerido que ela se tornasse aprendiz de costureira, ao que ela se opôs porque, conforme disse a ele, nunca se imaginara sentada diante de uma máquina de costura cinco dias por semana. Tudo bem então, o pai disse, fique em casa e imagine-se não fazendo nada pelo resto da vida. Foi só quando Liomi tinha um ano de idade que ele finalmente concordou em pagar aulas noturnas de informática, depois que ela o convenceu de que adquirir conhecimento básico no área poderia ajudá-la a conseguir emprego num escritório. Após um ano de aulas, porém, ela fora incapaz de arranjar emprego porque havia muito poucos empregos em Limbe, muito menos para uma jovem que não tinha terminado sequer o ensino médio. Ela ficara frustrada e entediada em casa, incapaz de ter qualquer independência porque dependia financeiramente dos pais, impossibilitada de casar-se com Jende porque o pai não permitia que ela se unisse a um funcionário da prefeitura e incapaz de fazer alguma coisa porque tanto ela como Jende acreditavam que era errado desafiar os pais e casar-se contra a vontade do pai ou da mãe.

Com vinte e tantos anos, ela só conseguia pensar na América.

Não é que ela pensasse que a vida nos Estados Unidos não tinha dificuldades — assistira a episódios demais de *Dallas* e *Dinastia* para saber que o país tinha seu quinhão de gente perversa —, mas sim porque programas como *Um maluco no pedaço* e *The Cosby Show* tinham lhe mostrado que havia um lugar no mundo onde negros tinham a mesma chance de prosperidade que brancos. Os afro-americanos que ela via na TV em Camarões eram felizes e bem-sucedidos, bem-educados e respeitáveis, e ela viera a acreditar que se eles podiam florescer nos Estados Unidos, ela certamente também poderia. Os Estados Unidos davam a todos, negros ou brancos, uma oportunidade igual de ser o que cada um desejava ser. Mesmo depois de assistir a filmes como *Os donos da rua* e *Faça a coisa certa*, não podia ser convencida de que aquele tipo de vida negra representava apenas uma pequena porcentagem da vida negra, exatamente como os americanos provavelmente entendiam que as imagens que viam de guerra e fome na África não passavam de uma pequena porcentagem da vida africana. Nenhum dos amigos de Limbe que havia emigrado para a América mandava para casa imagens de uma vida como a desses filmes. Toda imagem que vira de camaroneses nos Estados Unidos era um retrato de bem-aventurança: crianças rindo na neve; casais sorrindo num shopping center; famílias fazendo pose diante de uma bela casa perto de um belo carro. Os Estados Unidos, para Neni, eram sinônimo de felicidade.

E foi por isso que, no dia em que Jende contou a ela a oferta de Winston de lhe comprar uma passagem para que pudesse se mudar para os Estados Unidos e eventualmente trazê-la junto com Liomi, Neni chorava ao escrever um e-mail de cinco parágrafos de agradecimentos para Winston. Começou a assistir filmes americanos como *Lado a lado* e *Uma babá quase perfeita* não por lazer, mas também como preparativo, visualizando um futuro em Nova York onde terminaria sua formação, possuiria uma casa, criaria uma família feliz. Embora ao chegar tivesse ficado surpresa que não havia muitos negros vivendo como os das séries de TV, e que praticamente ninguém, negro ou branco, tivesse um mordomo como a família de *Um maluco no pedaço*, tal percepção pouco fizera para mudar sua impressão do que era possível nos Estados Unidos. O país podia ter falhas, mas ainda assim era um belo país. Ela ainda poderia tornar-se muito mais do que teria se tornado em Limbe. Apesar de suas dificuldades diárias, ainda podia mandar fotos para as amigas em Limbe e dizer, olhem para mim, olhem para mim e meus filhos, finalmente estamos no caminho.

Mas agora, depois de ter chegado tão longe por tanto tempo, restando apenas dois semestres na BMCC antes de ela poder pedir transferência para uma faculdade de farmácia, Jende queria que ela voltasse para casa. Queria arrastá-la para Limbe. Jamais.

— Mas que cê vai fazer? — indagou Fatou enquanto trançava o cabelo de Neni.

— Eu não sei — respondeu Neni. — Realmente não sei.

Fatou girou Neni pelos ombros e empurrou sua cabeça para baixo para poder terminar uma fileira de cabelo trançado. — Casamento — Fatou prosseguiu — é uma coisa que você quer. Mas quando vai e pega, arranja uma pilha de coisas que você não quer.

Neni deu um sorrio irônico. Fatou não conseguia deixar de inventar um novo provérbio no ato; nunca conseguia deixar de ser um verdadeiro livro cheio de opiniões estranhas.

— Não importa o que mulher faz nessa terra — ela continuou —, a gente mulher africana tem que ficar detrás do homem e seguir ele e dizer sim, sim. É isso que a gente mulher africana tem que fazer. A gente não vai falar pro marido, não, não vou fazer isso nada.

— Então você faz tudo que Ousmane pede para você fazer, hein?

— Sim. Faço. Tudo que ele quer, eu faço. Por que que você acha que a gente tem sete filho?

— Porque Ousmane disse para ser assim?

— O que que você acha? Que mulher sem ser louca quer sofrer desse jeito sete vezes numa vida só?

Neni riu, mas aquela tarde seria uma das poucas vezes em que ela riria do seu sofrimento com uma amiga. A maioria das vezes ela balançava a cabeça desnorteada, que foi o que aconteceu dois dias depois, quando Betty deu uma passada para deixar as crianças antes de ir para o seu segundo emprego numa casa de repouso no Lower East Side.

— Diga para ele que você não vai — sugeriu Betty na cozinha enquanto as crianças brigavam pelo controle remoto na sala. — O que ele quer dizer com a vida é dura demais aqui? Se a vida não era dura lá na nossa terra por que deixamos nossos países e viemos para cá?

— Ele acha que é melhor a pessoa sofrer no seu próprio país do que sofrer em outro lugar.

— Há! Por favor, não me faça rir. Ele realmente acha que sofrer em Camarões é melhor do que sofrer nos Estados Unidos?

Neni deu de ombros.

— Você vai se arrepender se voltar, estou lhe dizendo isso agora — insistiu Betty. — Por que vocês estão se comportando feito crianças? A vida é dura em todo lugar. Você sabe que talvez ela melhore algum dia. Talvez não melhore. Ninguém sabe o amanhã. Mas nós continuamos tentando.

— Você sabe como as coisas têm sido difíceis. Desde que ele perdeu o...

— E o dinheiro que você recebeu da sra. Edwards?

— Sssh — disse Neni. Ela espiou para fora da cozinha para se certificar de que Liomi não estava por perto. — Jende diz que não podemos usar o dinheiro — ela sussurrou. — Ele o escondeu numa conta de banco separada e diz que só vamos tocar nele quando acontecer o pior.

— Por que é ele quem decide como gastar o dinheiro?

— Ah, Betty, você não precisa colocar as coisas desse jeito.

Com a boca entreaberta e as narinas dilatadas, Betty olhou para Neni, erguendo lentamente o olhar pela face de Neni, do queixo para o alto da cabeça e de volta para baixo, duas vezes.

— Neni? — disse ela, empinando a cabeça.

— Hein?

— Naquele dia você foi até a casa da mulher e conseguiu o dinheiro sozinha?

Neni fez que sim

— Esse dinheiro é do Jende ou de vocês dois?

— É dos dois...

— Então diga ao seu marido que o dinheiro é seu também, e que você quer usá-lo para ficar!

— Que papo é esse? — disse Neni. — Você acha que eu sou uma mulher americana? Não posso dizer para o meu marido como eu quero que uma coisa seja.

— Por que não?

— Você não sabe que tipo de homem é Jende. Ele é um homem bom, mas mesmo assim é um homem.

— Então você vai voltar para Camarões?

— Eu não quero voltar!

— Então não volte! Diga a ele que você quer ficar nos Estados Unidos e continuar tentando. Há um milhão de coisas que você tem que fazer antes de começar a pensar em fazer as malas, primeiro tire seus documentos e siga a partir daí. Eu já lhe disse que se você precisar pedir dinheiro emprestado para as suas mensalidades eu conheço gente que pode ajudar você. Amanhã vou dar uns telefonemas, talvez até mesmo hoje à noite eu comece a ligar para as pessoas. Só... nem pense mais nessa bobagem de voltar para casa. Diga a Jende que você não vai a lugar nenhum. Que você quer ficar aqui e continuar tentando!

Neni olhou para Betty e seus dentes separados que dividiam sua boca em duas metades igualmente belas. A mulher sabia tudo sobre tentar. Trinta e um anos no país e Betty ainda estava tentando, e Neni não conseguia entender por quê. Betty viera quando criança com os pais, e obtivera seus documentos por meio deles. Era cidadã havia mais de uma década, e no entanto lá estava ela, quarenta e poucos anos, trabalhando em dois empregos como assistente de enfermagem qualificada em casas de repouso, encalhada na escola de enfermagem. Neni não podia entender como isso era possível. E se fosse cidadã, seria farmacêutica em não mais de cinco anos. Uma farmacêutica com um belo SUV e uma casa em Yonkers ou Mount Vernon ou talvez mesmo em New Rochelle.

Naquela noite ela sentou-se ao computador por quase duas horas, buscando conselhos no Google. "Como convencer seu marido." "Como conseguir o que você quer." "Marido quer se mudar de volta para casa." Não achou nenhum conselho remotamente relevante para sua situação.

Mais tarde, parada na frente do espelho observando o rosto antes de aplicar sua máscara esfoliante, prometeu a si mesma que enfrentaria Jende até o final. Precisava fazer isso.

Não era só porque ela adorava Nova York e as coisas boas que a cidade tinha lhe dado e as coisas boas que ainda estavam reservadas para ela. Não era só porque tinha esperança de um dia se tornar farmacêutica, e uma farmacêutica de sucesso. Dificilmente era só por causa das coisas que ela deixaria para trás, coisas que ela nunca encontraria em sua cidade natal, coisas como carruagens puxadas a cavalo nas ruas da cidade, e árvores de Natal gigantes iluminadas nas praças, e belos parques onde músicos tocavam de graça ao lado da folhagem policromática. Não era meramente pelo que ela estava deixando para trás. Não. Era principalmente por causa daquilo de que seus filhos seriam privados, e por causa do local para onde todos estariam retornando: Limbe. Era pelas ilimitadas oportunidades que lhes seriam negadas, o tipo de futuro que quase lhe foi negado na casa de seu pai. Ela lutaria pelos seus filhos, e por si mesma, porque ninguém viajava para tão longe de casa para voltar sem uma fortuna acumulada ou um sonho realizado. Ela precisava lutar para que ela e seus filhos nunca se tornassem objetos de ridículo, da forma como ela tinha sido quando ficou grávida e largou a escola.

— Como todas aquelas pessoas na cidade vão olhar para nós? — ela disse a Jende alguns dias depois, antes de ele sair para o trabalho. — Olhem só para eles, vão dizer. A América passou por eles.

— Então é isso que está incomodando você, hein? — foi sua resposta. — Você quer passar o resto da vida vivendo assim porque tem medo de que as pessoas riam de você?

— Não! — ela retrucou, apontando o dedo para seu rosto enquanto ele vestia o casaco. — Não é isso que está me incomodando. É você que está me incomodando!

Betty ligou alguns minutos depois que Jende saiu.

— Agora eu entendo por que algumas mulheres escolhem se casar com outras mulheres — ela disse antes que Neni tivesse chance de falar sobre a sua própria manhã.

— O que aconteceu? — Neni perguntou desinteressada, desejando não ter atendido ao telefone.

— Vou à Macy's e compro um vestido em liquidação, e Alphonse age como se tudo que eu fizesse é ir às compras.

— O que isso tem a ver com se casar com uma mulher?

— Que mulher vai fazer a outra se sentir mal por comprar um vestido que a faz se sentir bem? Não vou usar um vestido velho para ir a um casamento onde vão tirar minha foto e colocá-la no Facebook. Em seguida você fica sabendo que as pessoas estão comentando a foto: "Betty está tão velha, tão gorda." Hoje em dia a gente tem que tomar cuidado com...

— Betty, por favor. Preciso ir à loja...

— O que há de errado?

— Nada.

— Como, "nada"?

Neni ignorou a pergunta.

— É Jende?

— Quem mais? — disse Neni. — Não sei o que mais posso dizer para ele.

Betty grunhiu sua desaprovação uma vez, depois duas.

— Sabe — disse ela —, eu já ouvi muita coisa maluca na minha vida, mas nunca ouvi falar de ninguém que deixasse os Estados Unidos para voltar ao seu país pobre.

— Ele acha que sabe uma coisa que o resto de nós não sabe.

— O que ele disse quando você mencionou o divórcio?

— Não falei com ele sobre isso.

— Você ainda não disse nada! Este tempo todo...

— Por favor, não preciso que você também me faça sentir mal, certo? Estou lhe pedindo. Andei pensando nisso...

— Você não pode só ficar aí sentada pensando nisso.

— Eu não estou *só* sentada pensando nisso! Vou falar com ele, não hoje; ele vai voltar do trabalho tarde demais.

— Então quando você vai pedir para ele? Você sabe que quanto mais você esperar...

— Nada vai mudar em alguns dias.

— Então você vai esperar até o ano que vem?

— Eu disse que vou falar com ele.

Cinquenta e um

Um assunto como esse tinha de ser abordado com o máximo cuidado. Não a sério demais. Não com leveza demais. Tinha de ser levantado com a fineza certa para não virar uma briga. E foi por isso que ela esperou até ele estar no banheiro, escovando os dentes. Ela entrou enquanto ele punha pasta Colgate na escova, de uma ponta à outra das cerdas, como sempre fazia, mesmo nos tempos de Limbe onde um tubo de pasta de dentes às vezes custava tanto quando uma saca de inhames.

Ela sentou-se no vaso e o observou abrir a torneira e molhar a escova.

— Eu estava pensando — começou, olhando seu rosto no espelho.

Ele pôs a escova na boca e começou a escovar, esfregando intensamente os molares.

— É só que, eu estava... Betty, ela tem um primo... ela diz que ele pode... ele tem cidadania.

Ele cuspiu a espuma branca.

— E daí? — disse, sem se dar ao trabalho de se virar.

— Ele pode nos ajudar, *bébé*. Com o *papier*.

Ele enfiou a escova de volta na boca e continuou a escovar: para cima, para a esquerda, para a direita, para baixo. Seus olhos no espelho estavam mais vermelhos do que ela jamais vira.

— Se você está tentando dizer o que eu acho que você está prestes a dizer — ele disse, a boca meio cheia de espuma —, cale a boca já.

— Mas... por favor, me ouça, *bébé*. Por favor. Betty perguntou para ele e ele disse que pode fazer isso por nós.

Com a boca semiaberta, um fio de espuma escorrendo, ele se virou para olhá-la. Ela virou o rosto.

— O dinheiro da sra. Edwards — ela disse —, nós o usaríamos para pagá-lo.

Ele abriu a torneira, jogou água dentro da boca e bochechou, depois cuspiu a água espumosa e começou a lavar o rosto, espirrando água até no espelho e no cesto de papéis. Quando terminou, puxou a toalha pendurada na porta do chuveiro e cobriu o rosto, inspirando e expirando através dela.

— Nós nos divorciamos, eu me caso com ele. Consigo o *papier* por intermédio dele, depois eu e ele nos divorciamos e eu e você nos casamos de novo, mas o tempo todo continuamos vivendo...

Como se tivesse algo inacreditavelmente estarrecedor, ele tirou de súbito a toalha do rosto, que parecia ter ficado mais negro do que o cabelo. Virou-se para encará-la.

— Os parafusos na sua cabeça que seguram o cérebro — disse, cutucando a têmpora com o dedo indicador —, eles estão soltos, certo?

— Nós não precisamos voltar para Camarões, Jende — ela disse, a voz tão carregada de desespero que afundava a cada palavra.

Ele largou a toalha no chão e abriu a porta.

— Se você alguma vez abrir a boca para me sugerir de novo esse tipo de absurdo...

— Mas *bébé*...

— Eu disse, se você alguma vez vier de novo com essa conversa idiota, Neni, eu juro por Deus...

— O dinheiro da sra. Edwards, é meu dinheiro também!

Ele parou na porta, baixou os olhos para ela, que olhava para ele.

— Se você ousar abrir a boca e disser mais uma coisa só, Neni!

— Você vai fazer o quê?

Ele bateu a porta na cara dela e a deixou congelada sentada no vaso.

Cinquenta e dois

Bubakar concordou em fazer o que Jende queria. Faria uma petição para encerrar o caso de deportação em troca de Jende ir embora do país por vontade própria.

— Partida voluntária, é como chamam — disse Bubakar. — Você vai embora tranquilamente em noventa dias. O governo fica contente. Eles não precisam pagar sua passagem área de volta para Camarões.

— E eu posso voltar para os Estados Unidos? — perguntou Jende.

— É claro — respondeu Bubakar. — Se a embaixada lhe der um visto novamente. Mas será que vão dar? Não sei lhe dizer a resposta. Você não será impedido de retornar ao país como seria se simplesmente tivesse o seu visto vencido e ido embora. Você ainda pode voltar, mas será que vai conseguir outro visto depois do que fez com o último? Só a embaixada em Camarões pode decidir isso.

E sua esposa e seus filhos? Jende queria saber. Eles poderiam voltar? A neném sempre poderia porque era americana, Bubakar lhe explicou. Quanto a Neni, tudo ficaria em ordem se ela se retirasse formalmente da BMCC e fosse embora numa data determinada depois que a agência de estudantes internacionais encerrasse seu registro no Programa de Intercâmbio Estudantil. A embaixada provavelmente lhe daria outro visto no futuro porque não se oporiam a ela, uma vez que viera com visto de estudante e não pudera terminar seus estudos por ter tido um bebê.

— Mas o seu filho, Liomi — disse Bubakar. Ele vai estar no mesmo caldeirão fervente que você.

— Por quê? Ele é só uma criança. Eles não podem puni-lo se seus pais o trouxeram para cá. Fui eu que fiz com que ele ficasse aqui com o visto vencido. A culpa é minha, sr. Bubakar. A culpa não é dele.

— Ah, é? É isso que você acha, *abi*? — o advogado deu a sua habitual risada em dois tons. — Deixe-me lhe dizer uma coisa, irmão — prosseguiu. — O governo americano não se importa se você é um bebê de um dia que foi trazido para cá e acabou ilegal ou se puseram uma venda nos seus olhos e jogaram você num contêiner e você acordou e se descobriu em Kansas City. Está ouvindo? O governo americano não dá a mínima merda de importância para de quem é a culpa. Uma vez estando aqui ilegalmente, você está aqui ilegalmente. E você paga o preço.

— Mas...

— É por isso que você tem que pensar *com muito cuidado* sobre essa decisão de levar sua família de volta para casa — o advogado prosseguiu. — Você diz que este país não é para você, hein? Eu acredito. Às vezes não é nem para mim. Os Estados Unidos podem ser um inferno, sabe. A gente sofre desde o dia que entra aqui, isso eu lhe digo. — E riu outra vez, uma risada que ele soltou com a lembrança das coisas horríveis passadas. — Quer dizer — continuou —, eu estou aqui há vinte e nove anos. Durante os primeiros três anos, passei horas, todo mês, procurando uma passagem só de ida para a Nigéria. Mas sabe de uma coisa, irmão? Paciência. Perseverança. Este é o segredo. Perseverar como homem. Olhe para mim hoje, hein? Tenho uma casa em Canarsie. Uma das minhas filhas está na faculdade de medicina. O meu filho é engenheiro civil em Nova Jersey. Outra filha está no Brooklin College. Se Deus quiser, ela vai entrar na Faculdade de Direito Fordham e se tornar advogada como eu. Eu tenho muito orgulho deles. Quando olho para eles, não me arrependo nem um pouco de todo o meu sofrimento. Posso dizer sem nenhuma vergonha que a vida é boa para mim. Eu perseverei, e olhe para mim agora. Não vou ficar aqui sentado mentindo e dizendo que a vida vai ficar mais fácil para você no próximo mês ou no próximo ano, porque pode ser que não fique. É uma longa e dura jornada, de imigrante batalhador até um americano bem--sucedido. Mas sabe de uma coisa, irmão? Qualquer um pode conseguir. Eu sou um exemplo de que com trabalho duro e perseverança qualquer um pode conseguir.

— Besteira — Winston disse quando Jende lhe contou o que Bubakar dissera. É claro que ele não queria que Jende voltasse para casa. Camarões não tinha oportunidades como os Estados Unidos, mas isso não queria dizer que a pessoa devia permanecer nos Estados Unidos se isso não fizesse mais sentido. — Por que todo mundo faz parecer como se estar neste país fosse tudo? — indagou ele.

— Toda essa tensão — disse Jende. — Para quê?

— Para você morrer e deixar contas para seus filhos pagarem — respondeu Winston.

Mesmo se Jende tivesse documentos, Winston continuou, sem uma boa educação, e sendo um africano negro imigrante, talvez nunca conseguisse ganhar dinheiro suficiente para poder ter a vida que gostaria de ter, sem falar em ganhar o suficiente para possuir uma casa ou pagar os estudos na sua esposa e de seus filhos. Talvez pudesse nunca ser capaz de ter realmente uma boa noite de sono.

— Sempre que converso com alguém no *pays* que está tentando deixar seu bom emprego e vir correndo para cá, eu digo: "Cuidado, hein. Tome cuidado. Não venha me dizer que eu não avisei que aqui não é fácil".

— Mas você não me avisou de um jeito suficientemente sério — Jende disse, rindo.

— Não — Winston concordou, rindo junto. — Eu não avisei você. Só comprei uma passagem para você vir aqui e ver por si mesmo.

— Isso não é mentira.

— Mas se alguém me perguntar agora se deve deixar o emprego na nossa terra e vir para os Estados Unidos, eu juro, *bo*, eu lhe diria para esquecer os Estados Unidos por enquanto.

— Talvez esperar até que esta coisa de recessão acabe.

— Acabar como? Será que um dia vai acabar?

— Um dia, com toda certeza, o país vai melhorar.

— Não sei nada sobre isso, *bo*. Simplesmente não sei. Em resumo, até mesmo algumas pessoas que foram para a faculdade de direito como eu não podem mais esperar uma boa vida neste país. Li histórias sobre mexicanos que cruzaram a fronteira para entrar nos Estados Unidos, e agora estão tentando cruzar a fronteira para voltar para o México. Por quê? Porque não sobrou nada para eles.

— Pessoas como você são as que têm sorte — disse Jende. — Ter um bom emprego e dinheiro.

— Você acha que eu tenho sorte?

— Você não tem mais sorte do que o resto de nós? Se você não acha que tem sorte, venha morar nesta pocilga do Harlem e vou morar perto de Columbus Circle.

— Acho que tenho sorte sim — Winston concordou após uma risadinha. — Trabalho como um burro de manhã até a noite para gente que está pegando tudo e deixando só um pouquinho para o resto das pessoas. Mas no fim do dia, vou para casa com pilhas de dinheiro sujo, então...

— Mas como se pode fazer?

— Como se pode fazer? Não posso fazer nada. E mesmo se pudesse provavelmente não faria, porque gosto de dinheiro, mesmo que deteste o que faço para ganhar.

— Com diriam os americanos: "Você tem que fazer o que tem que fazer".

— Só tenho pena de gente como você, *bo* — Winston continuou. — Este país... — Deu um suspiro. — Um dia, estou lhe dizendo, não haverá mais mexicanos cruzando a fronteira para vir aos Estados Unidos. Espere só para ver.

— Talvez sejam os americanos que acabem correndo para o México — disse Jende.

— Não vou ficar surpreso se um dia isso acontecer — concordou Winston, e ambos caíram na gargalhada com a imagem de uma multidão de americanos atravessando o rio Grande.

Jende desligou o telefone agradecido por Winston ter apoiado sua decisão. Ele necessitava de validação — e não a encontrara em nenhuma outra pessoa, nem mesmo na sua mãe. Quando contou a ela seu plano de retornar para casa, ela se admirou por ele estar voltando quando outros estavam saindo às carreiras de Limbe, quando tantos da sua faixa etária estavam fugindo para o Bahrein e o Catar, ou viajando numa sucessão de ônibus lotados para chegar de Camarões à Líbia para poder atravessar para a Itália em barcos furados e chegar lá com sonhos de uma vida mais feliz se o Mediterrâneo não os engolisse vivos.

Cinquenta e três

No dia em que Liomi nasceu, ela o segurou nos braços e chorou por mais de uma hora. Havia sido uma gravidez demorada, quase quarenta e duas semanas com quase todo sintoma imaginável de uma gravidez horrível: medonhos enjoos e vômitos matinais durante meses; dores de cabeça praticamente ininterruptas por quase dois meses; dores nas costas que a impossibilitavam de se virar na cama e se levantar sem gemer; pés inchados que não cabiam nos sapatos tamanho quarenta que Jende comprara para ela; um brutal trabalho de parto que levou trinta horas. Durante o último mês, ela usara uma bengala para fazer suas tarefas e se locomover pela cidade, não querendo ficar o dia todo na cama, com seus irmãos e amigas rindo dela por se comportar como se a gravidez fosse uma doença. Pare de se comportar como uma velha, certamente teriam dito, fazendo gracejos amorosos sobre seu andar desajeitado e a barriga enorme. O que você faria se estivesse grávida e tivesse que cuidar de outras cinco crianças?, seu pai lhe dissera, zangado, quando ela lhe comunicara que não continuaria carregando sacos de mantimentos na cabeça já que mulheres grávidas não deviam carregar nada pesado demais. Ela detestava seus comentários irônicos mas, sem um marido para protegê-la, precisava permanecer na casa do pai e se submeter a ele. Quando Liomi finalmente saiu — depois que duas parteiras manipularam e pressionaram sua barriga por mais de uma hora enquanto sua mãe e sua tia seguravam suas pernas e gritavam, empurre, empurre, se você soube curtir a parte doce então deve saber também como sofrer a parte amarga —, ela segurou seu corpo rechonchudo e ensanguentado e chorou tanto que teve medo de esgotar toda a água e força do seu corpo. Já acabou, disseram as mulheres no quarto, por que você ainda está chorando? Mas ela sabia que não tinha acabado, e as mulheres também sabiam. Era apenas o começo de muito mais dores, mas tudo valeria a pena desde que no fim do dia seu bebê estivesse vivo e bem, e ela pudesse olhar nos seus olhos e ver que presente maravilhoso, maravilhoso ela havia ganhado.

— Então por que você haveria de querer dá-lo para adoção? — Natasha perguntou a ela.

Neni inclinou-se para a frente no sofá, tirou um lenço de papel da caixa sobre a mesinha de centro de Natasha, e desviou o olhar enquanto enxugava o rosto. A um metro e meio, sobre a escrivaninha de Natasha, o computador entrara em modo de proteção de tela, exibindo fotos seguidas de Natasha e seu marido, seus filhos e seus netos. Parecia uma família feliz.

— Eu entendo perfeitamente que você queira o melhor futuro para o seu filho — disse Natasha. — Ninguém pode culpá-la por querer o que toda mãe quer. Mas você precisa se perguntar, será que esta é a melhor maneira? O que você está disposta a dar em troca do que você quer? E o que você sabe sobre esse homem com quem quer conversar?

— Ele foi meu professor de pré-cálculo no ano passado — disse Neni baixinho, a voz envolta em aflição.

— Mmm-hmm, e o que mais? Ele é um bom amigo seu?

Neni fez que não com a cabeça.

— Não é um bom amigo no sentido de conversarmos o tempo todo. Mas tomamos um café juntos no último dia de aula e prometemos manter contato. Ele é um homem muito bacana. Foi bacana comigo e quando conheceu meu filho, também foi bacana com ele.

— Quanto contato vocês mantiveram?

— Trocamos alguns e-mails, nada de muito especial. Ele me incluiu na sua lista de e-mails quando mandou fotos da sua comemoração de quarenta anos com o namorado em Paris. Eu também o incluí na minha lista, quando mandei e-mails para todo mundo dizendo que Timba tinha nascido. Ele me respondeu dando os parabéns e disse que mal podia esperar o dia de também ter um filho. Coisas desse tipo.

— Entendo.

Neni assentiu.

— Ele me disse que ele e o namorado, eles querem muito adotar, e foi por isso que duas noites atrás, quando eu estava acordada pensando no meu filho, essa ideia simplesmente me veio como um raio. Eu acordei de manhã e não conseguia pensar em outra coisa.

— Você não contou para ninguém, contou?

— Para quem eu posso contar, Natasha? As minhas amigas vão achar que fiquei maluca, e o meu marido, eu nem sei como ele vai... Foi por isso que liguei primeiro para você, se você puder me ajudar a falar com o meu marido, fazê-lo entender que será a melhor coisa para o nosso filho.

— Você realmente acha isso, Neni?

Neni não respondeu.

— Você realmente acredita que dar o seu filho a esse professor, que você mal conhece, e ao parceiro dele vai fazer seu filho feliz? Fazer você feliz? Porque você vai ter de...

— Se isso significa que o meu filho pode permanecer nos Estados Unidos e se tornar um cidadão ao ser adotado por um casal americano, ficarei feliz. Vou dizer a ele que é o melhor para ele e ele ficará feliz, também. E eu não me importo que sejam gays, contanto que prometam tratá-lo bem.

— Mas o seu marido se importará de serem gays? Como ele se sente em relação aos gays?

— Ele não tem medo deles.

— Sim, mas ele... não importa isso. A minha maior preocupação não é com o fato de serem gays. Acho maravilhoso que sejam gays, assim como é maravilhoso que eu não seja. O que me preocupa é como tudo isso vai se desenrolar. Presumindo que você mande um e-mail para esse professor e se encontre com ele e ele lhe diga, claro, se você tem que voltar para Camarões, meu parceiro e eu amaríamos adotar seu menino. Presumindo que o seu filho fique feliz com os arranjos, você dá um beijo de despedida nele no aeroporto e entra no avião, e como você acha que vai se sentir no instante em que o avião decolar, sabendo que poderá não vê-lo durante anos?

— Não sei como vou me sentir... vou ficar preocupada com ele, mas... Não gosto de viver a minha vida pensando demais em como vou me sentir. Simplesmente tenho que...

Natasha inclinou-se para a frente e empurrou a caixa de lenços de papel para mais perto de Neni, que fungou, mas não estendeu a mão para pegar o lenço.

— Sei que você veio me procurar — disse a pastora — porque quer que eu a valide, lhe diga que está tomando uma decisão difícil mas que é a decisão certa. Mas não posso fazer isso... realmente não posso, porque acredito que você vai se arrepender. Não acredite nem um segundo que você vai superar isso, sabendo o quanto você ama o seu filho. Mas se fizer... sinto muito, Neni, mas arrependimento, especialmente quando se trata do seu filho, não é algo com que você queira conviver.

— Eu não vou me arrepender — disse Neni. — Não vou me arrepender de deixá-lo para trás para que ele possa se tornar um cidadão, crescer e ser...

— Você tem mesmo certeza de que ele pode se tornar cidadão se eles o adotarem?

— Eu olhei no Google, e lá diz que cidadãos americanos podem adotar uma criança ilegal e solicitar um *green card* para ela, e após alguns anos a criança pode se tornar um cidadão.

— Nunca ouvi falar disso. Eu primeiro consultaria uma advogado de adoção, especialmente porque o casal que você tem em mente é gay e existe o DOMA, Ato de Defesa do Matrimônio, para se preocupar.

— Mas eu não posso pegar dinheiro para pagar um advogado sem contar ao meu marido primeiro! — exclamou Neni, jogando os braços para o alto. — E se eu tentar conversar com ele sobre isso... Eu não posso nem dizer *nada* para ele esses dias sem que ele...

— Por enquanto não se preocupe com dinheiro — eu sempre poderia conseguir para você uma consulta gratuita em algum lugar ou falar com a diretoria da igreja sobre ajudar vocês a pagar um advogado.

— Ah, eu agradeço tanto, Natasha! Do fundo do meu coração, eu agradeço tanto!

— Mas antes de seguirmos em frente e começarmos a gastar dinheiro com advogados — Natasha continuou —, vou lhe pedir, por favor, para pensar mais um pouco...

— Pensar em quê?

— Pensar se esta é mesmo a melhor solução. Gastar um pouquinho mais de tempo...

— Eu não tenho mais tempo! — gritou Neni. — Meu marido está pronto para voltar para casa imediatamente, e eu não sei mais o que fazer! Estou tão zangada com ele, não consigo comer, não consigo dormir...

— Mas deve haver outro jeito de tirar a sua família desta situação.

— Há outros jeitos, mas o meu marido diz não! — Neni gritou de novo, puxando lenços de papel da caixa e berrando dentro deles. — Ele quer o que quer e eu não posso fazer nada em relação a isso!

Natasha recostou-se na cadeira e durante quase um minuto não disse nada, continuando a olhar enquanto Neni chorava, enxugava os olhos e assoava o nariz. Quando Neni terminou, Natasha levantou-se, recolheu os lenços usados de Neni do chão, e trouxe uma caixa nova.

— Ah, Natasha, o que é que eu vou fazer? — Neni disse enquanto Natasha voltava a sentar-se. — Às vezes eu me sinto como se estivesse num filme sobre uma africana maluca.

— Simplesmente temos de confiar em Deus de que esse filme vai ter um final feliz, não? E Neni e sua família viverão felizes para sempre!

Neni caiu na risada, depois voltou a chorar, depois ficou rindo e chorando ao mesmo tempo. Natasha a observou passar por toda o processo, secar os olhos, depois rir de novo e chorar de novo, incapaz de acreditar que era aqui que a vida a tinha despejado.

— Posso imaginar o quanto é difícil para você, mas precisa olhar as coisas que está disposta a fazer. Você está disposta a se divorciar do seu marido e se casar com um homem que mal conhece. Está disposta a desistir do seu filho em troca de adoção sabendo que talvez não o veja por muitos anos. — Natasha fez uma pausa, olhando intensamente para Neni. — Eu penso que você deveria dar um passinho para trás, e perguntar a si mesma por que está...

— Eu tenho que fazer o que preciso fazer.

— Não estou discordando.

— Eu não gosto de como as pessoas dizem a uma mulher, ah, você quer tantas coisas, por que você quer tantas coisas? Quando eu era jovem o meu pai me dizia, um dia você vai aprender que é mulher e que não deve querer coisas demais; como se eu devesse simplesmente me contentar com a minha vida mesmo que não seja o tipo de vida que eu quero.

— Mmm-mmm — fez Natasha, balançando a cabeça.

— Eu não tenho vergonha de querer muitas coisas na vida. Amanhã quando a minha filha crescer direi a ela para querer tudo que quiser, a mesma coisa que direi ao meu filho.

Alguém bateu à porta do escritório de Natasha e disse que a pessoa do compromisso seguinte havia chegado. Natasha disse que estaria pronta em cinco minutos. Levantou-se, contornou a mesinha de café, sentou-se ao lado de Neni e pegou sua mão.

— Vou apoiar você — disse. — Qualquer que seja a sua decisão, você terá todo o meu apoio.

Neni assentiu e baixou a cabeça.

— E você não precisa nunca se preocupar que eu vá julgá-la.

Por um momento, Neni permaneceu sentada em silêncio, a cabeça ainda baixa.

— Muitas mães no lugar de onde eu venho — ela disse, em voz baixa, erguendo a cabeça —, elas mandam os filhos para viver com outras pessoas. Querem que eles sejam criados por parentes que têm dinheiro.

— Hmm.

— Às vezes essas mães e pais são pobres e outras vezes são casados, moram juntos e têm o suficiente para alimentar seus filhos, mas querem que eles cresçam em casa de pessoas ricas.

— E isso geralmente dá certo?

— Às vezes os parentes tratam as crianças bem; outras vezes tratam mal, mas as mães deixam as crianças lá. Eu não entendia por quê. — Neni respirou fundo e recostou-se no sofá, as mãos cruzadas sobre a barriga, os olhos fixos no chão.

— O que você está pensando? — indagou Natasha.

— Talvez eu esteja me tornando outra pessoa.

— Mmm-hmm. E o que você acha dessa nova pessoa que está se tornando?

— Não sei.

— Deixe-me colocar de outra maneira: Você está feliz com a pessoa que está se tornando?

Os olhos de Neni se encheram de lágrimas, mas ela não chorou. Olhou para a janela e piscou segurando as lágrimas.

Cinquenta e quatro

Longe estavam os dias de meigos abraços na cozinha, minutos de paixão roubados no banheiro enquanto as crianças dormiam. Eles viviam agora em dois universos separados, cada um deles certo de que tinha razão e de que a opinião do outro era absurda. Relutante em abraçar a nova pessoa que estava se tornando — já que parecia tão inútil, uma vez que a decisão final não cabia a ela —, Neni não podia fazer nada a não ser se envolver em conversas tensas sobre o futuro deles, que terminavam em acusações dela e raiva da parte dele. Nós vamos voltar para casa, ele dizia, e ponto final. Como você pode fazer isso conosco?, ela guinchava. Como você pode ser *tão* egoísta? Se ela falasse enquanto ele estava comendo, ele empurrava a comida e disparava numa retórica sobre como ela comprara a estúpida bobagem de que os Estados Unidos eram o melhor país do mundo. Olha só, ele dizia num tom zombeteiro de professor, os Estados Unidos não são tudo isso; este país é cheio de mentiras e de pessoas que gostam de escutar mentiras. Se quer saber a verdade, vou lhe contar a verdade: este país não tem mais lugar para gente como nós. Qualquer pessoa que não tenha bom senso pode acreditar nas mentiras e ficar aqui para sempre, na esperança de que as coisas um dia melhorem para elas e elas sejam felizes. Quanto a mim, não vou viver a minha vida na esperança de que algum dia ficarei feliz num passe de mágica. Eu me recuso a isso!

A pior briga ocorreu quatro dias antes de ele comparecer perante o tribunal, depois que ela lhe disse, enquanto ele gemia de dor no chão da sala, que a melhor chance de ele curar sua dor nas costas era ficar em Nova York, onde os médicos são melhores do que os médicos de Limbe. Ela tinha falado sem pensar, enquanto massageava suas costas, sem pensar sobre como reagiria um homem sofrendo de dor a quatro dias de comparecer perante um juiz de imigração.

— Cale a boca — ele disse entre gemidos.

Um dia depois, ela olhou para trás e percebeu que não devia ter dito nada depois dessa advertência. Mas na hora não considerou isso: sua batalha para fazer o marido reconhecer a loucura de sua convicção ainda não tinha sido ganha.

— Por que você é tão teimoso? — ela disse. — Você sabe que os médicos aqui podem achar uma cura...

Ele a afastou de suas costas com um empurrão e se levantou, fitando-a com raiva enquanto tentava massagear seus próprios ombros.

— Só estou dizendo...

— Você me ouviu dizer para calar a boca?

— Essa dor nunca vai sumir se...

Ela não viu o tapa chegando. Simplesmente viu-se cambaleando para trás e caindo no chão pela força e pelo choque, a bochecha ardendo como se alguém tivesse esfregado alcatrão quente nela. Ele estava parado acima dela, os punhos cerrados, berrando na voz mais horrorosa que ela já tinha ouvido. Chamava-a de inútil, idiota, estúpida, egoísta, que ficaria feliz em ver seu marido morrer de dor para poder viver em Nova York. Ela se levantou de um pulo, a bochecha ainda latejando.

— Você acabou de me bater? — ela soltou um grito agudo, a mão na bochecha esquerda. — Você me bateu?

— Sim — ele disse, os olhos arregalados. — E se você ousar abrir sua boca mais uma vez, bato de novo!

— Então bata de novo!

Ele se virou para sair, mas ela o puxou de volta pela camisa. Ele tentou se desvencilhar, mas ela não o soltou, ficando na sua frente e berrando na sua cara até derramar lágrimas. — Foi para isso que você me trouxe para cá, hein? Para me matar e mandar meu cadáver de volta para Limbe. Vá em frente e bata, Jende... Estou implorando, me bata de novo!

Ela o empurrava com as palmas das mãos, ganindo como um dos porcos de Ma Jonga antes de ser abatido. Por que você não vai em frente e me mata, ela exigia. Por que não? Me bata e me mate agora!

— Não me faça bater em você de novo — ele grunhiu enquanto empurrava suas mãos e cerrava o punho. — Estou lhe avisando!

— Ah, não, por favor, bata! — ela disse. — Levante a mão e me bata de novo! Os Estados Unidos lhe deram uma surra e você não sabe o que fazer e agora acha que me surrar vai melhorar as coisas. Por favor, vá em frente e bata...

E ele bateu. E bateu forte. Um tapa terrível na cara. Depois outro. E mais outro. E um na orelha que a deixou surda. Os tapas acertaram seu rosto mesmo antes de ela ter acabado de pedir por eles. Ela gritou, atordoada e cheia de dor; caiu no chão aos prantos.

— Estou morrendo, oh! Estou morta, oh!

Liomi saiu correndo do quarto. Viu a mãe encolhida num canto e o pai em pé por cima dela, a mão levantada e prestes a descer.

— Volte para o quarto já! — o pai bramiu.

O menino ficou parado, sem fala, imóvel, impotente.

— Estou dizendo para voltar para o quarto agora, antes de eu quebrar sua cara em pedaços! — o pai bramiu de novo.

— Mamãe...

— Se você não...

Liomi explodiu em lágrimas e voltou correndo para o quarto.

Alguém bateu à porta.

— Está tudo bem? — um homem perguntou do lado de fora.

Neni silenciou os soluços.

Jende abriu a porta.

— Sim, senhor — Jende disse ao vizinho idoso, enfiando a face suada através de uma pequena abertura da porta. — Está tudo bem, obrigado, senhor.

— E a mulher? — perguntou o vizinho. — Acho que a ouvi gritando.

— Estou bem — Neni respondeu do chão, o tom de voz falso como uma nota de um dólar em papel xadrez.

O homem se foi.

Jende calçou os sapatos e também se foi, batendo a porta atrás de si. Não veio mais nenhum vizinho. Se ouviram alguma coisa, não fizeram nada. Não veio polícia nenhuma ao apartamento para interrogar Jende sobre abuso doméstico ou encorajar Neni a dar queixa. A ideia de dar queixa contra ele não era cogitada em sua cabeça, mesmo sabendo que era algo que as esposas americanas faziam quando seus maridos batiam nelas. Isso era uma coisa inimaginável para Neni; ela jamais poderia fazer algo assim com seu marido. Se ele batesse nela uma segunda vez, ela pediria a Winston para conversar com ele. Se fizesse uma terceira vez, ligaria para Ma Jonga. Entre seu primo e sua mãe ele voltaria a si. Uma briga conjugal não era algo para envolver a polícia — era uma questão familiar privada.

Depois de vinte minutos chorando no chão, ela levantou-se e foi ao banheiro, enxugando as lágrimas com a barra do vestido. Liomi estava sentado na cama, choramingando. Ela o abraçou e chorou junto com ele, ambos assustados demais para falar. Dormiram juntos na cama grande, Liomi tomando o lugar do pai, Timba no meio. Neni Jonga adormeceu com lágrimas escorrendo sobre o travesseiro, convencida de que o marido batera nela não porque não a amasse, mas porque estava perdido e não conseguia saída para a infelicidade que se tornara sua vida.

Jende dormiu sozinho no chão da sala, em parte pela raiva, em parte pelas costas.

Na manhã seguinte ela acordou antes do marido, como frequentemente acontecia, e fez o café da manhã para ele, que comeu antes de sair para o trabalho.

Ao retornar catorze horas depois, trazia um buquê de rosas vermelhas para ela e um videogame novo para Liomi, que pegou o aparelho e agradeceu sem olhar nos seus olhos, porque ainda estava com medo do pai depois de ver o que ele fizera com a mãe.

— Vou fazer tudo que puder para fazer você feliz em Camarões — Jende prometeu a Neni. — Vamos ter uma vida boa lá.

Neni virou para o outro lado.

Ele tentou puxá-la para seus braços.

Ela resistiu.

Ele se ajoelhou e agarrou os pés dela.

— Por favor — disse, erguendo os olhos para seu rosto —, me perdoe.

Ela o perdoou. O que mais poderia fazer?

Três dias depois, ele se apresentou perante o juiz de imigração.

— Meu cliente gostaria de requisitar partida voluntária, Excelência — Bubakar disse ao juiz.

— O seu cliente compreende de que direitos ele está abrindo mão?

— Sim, Excelência.

O juiz folheou a papelada à sua frente e olhou para Jende.

— Sr. Jonga, o senhor compreende que se eu atender à sua solicitação de partida voluntária, terá que deixar o país antes de cento e vinte dias?

— Compreendo, Excelência — respondeu Jende.

O juiz perguntou à promotora da Imigração se ela tinha alguma objeção a conceder partida voluntária ao réu. Ela disse que não.

— Muito bem — anunciou o juiz. — Vou rever o caso e tomar uma decisão. O meirinho os notificará, e a partir daí o senhor terá de deixar o país antes que seu prazo expire.

Jende assentiu, mas o alívio que julgou que sentiria não veio imediatamente. E não veio quando saiu do tribunal sabendo que, com toda a probabilidade, nunca mais teria de entrar nele novamente. E não veio quando chegou no emprego e trocou o terno por roupas de trabalho, sabendo que provavelmente jamais teria de lavar pratos outra vez para alimentar seus filhos. O alívio veio somente mais tarde naquela noite, quando Neni olhou para ele e, com lágrimas nos olhos, disse o quanto estava contente porque sua provação logo estaria terminada.

Cinquenta e cinco

Era uma chamada internacional, mas ela sabia que não era de Camarões porque os primeiros três dígitos no identificador de chamadas não eram 237. Por um momento considerou atender, mas ela e os filhos estavam atrasados para a festa do septuagésimo aniversário da sogra de Olu em Flatbush, então ignorou a chamada e a mensagem de voz. Jogou o telefone na bolsa, na esperança de que tivesse a oportunidade de ouvir a mensagem a caminho da festa, mas a irmã de Olu, que estava lhes dando carona, não parou de falar sobre o casamento de quinhentos convidados que ela e o noivo estavam planejando em Lagos em dezembro. Vai ser mais que fantástico, oh, a mulher disse ao menos cinco vezes, ao que Neni sentiu-se tentada a dizer sim, aproveite o casamento fantástico porque quando a dança acabar e chegar a hora de entrar no negócio de ser casado, você vai esquecer a definição de fantástico. Mas ela não precisava dizer — a mulher descobriria logo, logo; Neni meramente escutou e assentiu como se estivesse dando importância. Foi só na manhã seguinte, após uma noite aparentemente interminável de danças ao som dos sucessos musicais de Fela a P-Square, numa sala cheia de mulheres iorubás nos mais elaborados estilos *gele* que ela já tinha visto, que ela pensou na mensagem de voz e letargicamente estendeu o braço sobre um esgotado Jende para pegar seu telefone.

Ei, Neni, é o Vince, o autor da chamada disse. Ei, como estão vocês? Espero que todo mundo esteja bem. Eu sei, você provavelmente está surpresa de me ouvir, mas não entre em pânico, está tudo bem. Eu estou me dando bem; aliás, ótimo. Só estou ligando porque tem uma coisa que eu gostaria de falar com você. Não quero ser chato porque sei que é uma imposição importante, mas... você acha que poderia retornar a ligação quando receber esta mensagem? Pode me ligar só um segundinho, para eu saber que você está livre, e eu ligo imediatamente de volta. Não quero que você gaste o seu dinheiro ligando para mim na Índia, mas se puder entrar em contato, eu gostaria muito. O.k., paz e amor para meu chapa Jende, e para Liomi. Obrigado e... bem, espero que possamos falar em breve. Aliás, é Vince Edwards. Há-há-há. Só para o caso de você conhecer alguns Vinces na Índia. Namastê.

Ela salvou a mensagem e deitou-se de volta na cama. Lá fora, dois homens berravam um com o outro com vozes de bêbados; ao seu lado Jende roncava de forma condizente com um homem que acabara de sair de um turno de dezesseis horas de trabalho. Ela fechou os olhos, tentando retomar o sono, mas o ronco de Jende e a pilha de roupa suja no chão e a mensagem de voz de Vince saída do nada se combinaram para apagar a última gota de sono que restava nos seus olhos, então ela passou por cima de Timba e Jende e foi para a sala. Havia apenas uma coisa que Vince podia querer dela, pensou enquanto escutava novamente a mensagem de voz: o que havia transcorrido entre ela e sua mãe. Anna deve ter lhe contado. Ele deve ter ficado perplexo que alguém que ele considerava uma boa pessoa não fosse uma pessoa tão boa afinal. Deve ter dito a si mesmo que precisava saber a verdade, já que tudo para ele era a Verdade. Se não vivemos em Verdade, ele sempre dizia, não vivemos. Era uma coisa boa ela ter um cartão telefônico. Ela lhe telefonaria, e se ele realmente quisesse ouvir seu lado da história, ela lhe contaria.

— Uau, eu não tinha certeza de que você me ligaria de volta — disse Vince deliciado ao atender o telefone.

— Por que eu não ligaria?

— Não sei, todo mundo tem tanta coisa para fazer que não se pode esperar que retornem as ligações só porque você pediu.

— Eu não sou como todo mundo.

— Não, você não é, Neni. Ninguém é como todo mundo, e você não mudou nem um pouco — Vince disse com uma risada. — Como estão vocês? Como está Jende e Liomi? Você teve um bebê, certo?

— Todo mundo está bem. Como estão Mighty e o seu pai?

Eles estão bem, Vince disse, apesar de estar um pouco preocupado com eles agora que só eram os dois em casa. Neni meneava a cabeça enquanto ele falava, mas não disse nada. Estava interessada em saber como a família Edwards estava se virando, mas não às custas de saber imediatamente o motivo da ligação de Vince. Com qualquer outra pessoa, teria perguntado em menos de trinta segundos porque odiava ser mantida em suspense por telefonemas inesperados — especialmente se desconfiasse que a ligação podia ser sobre algum assunto que deixaria a conversa desconfortável —, mas naquela manhã com Vince, tinha de ser mais gentil e delicada. Então começou fazendo uma pergunta depois da outra, e, aparentemente ansioso para contar as coisas, ele acabou lhe contando muito mais do que ela achava necessário saber, tudo isso enquanto ela se perguntava qual seria a razão do telefonema.

Seu pai estava muito bem, Vince contou, mas tinha virado um eterno preocupado desde a morte da esposa. Não conseguia deixar de saber de todo mundo o tempo todo. Telefonava para os pais pelo menos três vezes por semana, muito mais do que os telefonemas semanais aos quais eles haviam se acostumado. Mandava e-mails para Vince pelo menos a cada dois dias, para ficar sabendo sobre os lugares mais recentes visitados pelo filho e se certificar de que seu dinheiro não tinha acabado. Ligava múltiplas vezes ao dia para saber de Mighty, embora Anna e Stacy e o chofer que trabalhava meio período repetidamente lhe garantissem que Mighty estava bem e jurassem que nada de mal lhe aconteceria sob seus cuidados.

— É duro como pai não pensar no filho o tempo todo — disse Neni.

Claro, concordou Vince, mas era realmente estranho como o pai subitamente se transformara num homem que fazia a vida girar em torno da família. Seria até engraçado se não fosse tão triste. Ele parecia não considerar nada mais importante que o bem-estar de Mighty, remarcando horários de reuniões para ir ao treino de hóquei do caçula, recusando convites para festas e jantares para poder ficar em casa e jogar videogames com Mighty, e escrever poemas para Mighty enquanto o menino dormia.

— Liguei para ele outro dia e ele estava voltando de uma aula de culinária — Vince disse com uma risada. — Ele quer aprender a preparar os pratos que a minha mãe costumava fazer para Mighty.

— Fico feliz de ouvir isso, por causa do Mighty — disse Neni. — Tenho certeza de que você sabe mais do que eu, mas aquele menino não queria mais nada além de passar tempo com o pai.

— É, eu fico contente pelo Mighty. Mas é muito triste toda vez que eu falo com o meu pai sobre o dia dele... ele parece que está aprendendo depressa e se virando bem, mas o Universo lançou para ele uma bola difícil de rebater, e ele está lutando para conseguir e continuar seu caminho. Na idade dele, ainda não descobriu que caminho é esse, que é o que acontece quando você sai por aí perseguindo ilusões.

— Não é fácil para um homem criar um filho sozinho. Nós mulheres, está no nosso sangue.

— Decididamente não está no sangue dele, posso lhe garantir. Mas estou orgulhoso dele, do jeito que ele está enfrentando e fazendo o melhor que pode.

— Você deveria dizer isso a ele, Vince. Ele vai ficar feliz. O que deixaria um pai mais feliz do que ouvir seu filho dizer "estou orgulhoso de você"?

— Eu disse o quanto estava grato por Mighty estar bem, e que é tudo graças a ele.

Neni fez um meneio, mas não disse nada.

— A estrada vai ser longa para ele — Vince continuou —, mas ele parece ter aprendido a importância do equilíbrio e de reconhecer que...

— Mas Mighty — interrompeu Neni —, ele deve estar lutando para entender.

— Está. Os dias bons são bons, e de vez em quando ele tem um dia ruim quando não quer fazer nada e o coitado do papai não tem ideia do que fazer. Mas de modo geral, eu diria que ele está muito mais feliz do que achei que estaria, e ele acaba tendo uma coisa que eu nunca tive. Eu estava muito preocupado com ele quando fui embora depois do enterro.

— Você foi embora logo após o enterro?

— Não, fiquei mais de um mês, mas quando voltei para cá pensei muito em voltar para casa.

— Você? Voltar? Você não odeia os Estados Unidos?

Vince riu.

— Eu não amo os Estados Unidos — disse —, mas a minha família está aí, então tenho que achar um jeito de pelo menos ser capaz de engolir.

— Eu ainda não entendo o que é difícil para você de engolir.

— Toda a baboseira para a qual as massas são cegas... tanta ingenuidade. Pessoas sentam no sofá e assistem a lixo interrompido por mensagens para comprar lixo que criará um desejo por mais lixo. Vão ao computador e fazem encomendas para corporações horríveis que escravizam seres humanos e que estão destruindo qualquer chance de as crianças crescerem num mundo onde possam ser realmente livres. Mas espera aí, nós temos os nossos confortos materiais e estamos economizando dinheiro e as corporações estão criando empregos de sessenta horas semanais com licença de doença, então o que importa se somos cúmplices? Vamos simplesmente seguir com a nossa vida enquanto o país continua a cometer atrocidades pelo mundo todo.

— Quer me dar a sua cidadania americana e pegar a minha cidadania camaronesa? — Neni disse, rindo.

Vince não riu.

— Em todo caso — continuou —, agora que Mighty e meu pai estão basicamente o.k., provavelmente não vou mais voltar. Talvez eu vá visitar uma vez por ano, não sei.

— Uma ou duas vezes por ano será bom para todos vocês.

— Talvez. Eu realmente tive dificuldade de me despedir deles depois do enterro.

— Não consigo nem imaginar — disse Neni. — Sinto tanto por tudo que aconteceu, Vince. Sinto realmente. Quis mandar um e-mail para você dizendo que a notícia me deixou muito triste, mas... não conseguia nem...

— Não se preocupe com isso. Sei que não teria sido um e-mail fácil de escrever.

— Não, não foi só isso. Eu sei o quanto você e sua mãe eram próximos; Mighty me contou que uma vez você e ela saíram de férias sem ele.

— É verdade — Vince disse dando uma risada. — Fomos para Fiji no verão antes de eu começar a faculdade.

— Já ouvi falar de Fiji. Foi legal?

— Foi o maior barato, mergulhamos todo dia e nos fartamos com uns banquetes de frutos do mar deliciosos à noite; praticamente vivendo com o pé na areia.

— Parece que foram férias muito gostosas.

— Foi incrível. Lembro de uma manhã, um cara na praia tentou dar em cima da minha mãe e eu cheguei do lado e fingi que ela era minha namorada. Foi hilário. — Vince deu uma risada contida. — Minha mãe era bem bacana.

Por um momento, nenhum dos dois disse nada.

— Mas o que aconteceu realmente entre vocês dois? — Neni indagou.

Vince não respondeu de imediato.

— Ela permaneceu a mesma e eu me tornei uma pessoa diferente — acabou dizendo. — Acho que em resumo foi isso.

— Você sente falta dela.

— Sinto, mas o que podemos fazer na vida a não ser aceitar?

— Não sei, Vince. Você gosta de falar nesse negócio de aceitação, mas só que não é fácil aceitar quando acontecem coisas ruins, não me importa o que digam. Toda essa gente que anda por aí dizendo que aceita a vida como ela é, não sei como eles fazem.

— Não consigo nem acreditar no quanto eu penso na minha casa nos últimos tempos. Obviamente, tem a ver com o fato de mamãe não estar mais aí, mas quando voltei para cá, na primeira semana, liguei para casa muito mais do que tinha prometido a mim mesmo.

— Porque estava com pena do Mighty?

— Sim. Eu não podia imaginar como seria a vida dele, sabe? A minha mãe tendo ido embora, meu pai trabalhando o tempo todo. Mesmo que Mighty tivesse as amigas da minha mãe, e Stacy, e Anna, eu sabia que não seria a mesma coisa.

— Só a sua mãe pode amar você de uma certa maneira.

— Talvez. Mas o Universo nos dá diferentes fontes de Amor para nos unir a todos como Um. Quem somos nós para decidir qual deve ser a fonte do nosso Amor num determinado momento? Amor é Amor, e num determinado ponto nós temos tudo que necessitamos. Ainda que, devo admitir, Mighty não goste de passar tempo com as amigas de mamãe tanto quanto gostava de passar com você e Jende.

— Talvez se elas fizerem bananas-da-terra maduras fritas e *puff-puff*, ele passe a gostar mais delas — disse Neni, e ambos riram.

— Na realidade — disse Vince, o tom de voz ficando sério —, é sobre isso que eu estou ligando.

— Sobre bananas-da-terra maduras fritas e *puff-puff*?

— Não — ele respondeu com uma risadinha. — Sobre o Mighty.

— Você sabe que eu faço qualquer coisa ao meu alcance por vocês dois, então, por favor, peça.

— O que acontece é — Vince disse — que Stacy está se mudando para Portland, e nós precisamos de uma nova babá para o Mighty.

— Certo?

— Falei com o meu pai alguns dias atrás sobre isso. Ele ia ligar para uma agência para encontrar outra pessoa, mas eu pensei em você, e nós dois concordamos que você seria ideal para o emprego.

— Mas eu não estou procurando emprego — Neni respondeu depressa.

— Eu sei, não estamos pedindo que você assuma o emprego em tempo integral. Seria ótimo se você pudesse ficar em período integral, mas eu imagino que com duas crianças, você não esteja querendo neste momento um emprego em tempo integral.

— Não estou.

— Entendo. Perfeitamente legal. Já que você não pode o período integral podemos dar algum outro jeito. Arranjamos uma pessoa em tempo integral para o Mighty e você só precisa passar algumas horas por semana com ele.

— E isso quer dizer quantas horas?

— O que for bom para você, meu pai e Mighty.

— Ainda estou confusa. Você não acha que uma babá é suficiente para o Mighty?

— Não, não é isso. Tudo bem, o negócio é o seguinte. Nós achamos que é bom para ele ter alguma figura materna constante, afetuosa, na sua vida.

Neni não disse nada.

— O terapeuta dele concorda que isso pode ajudá-lo com o luto. Ele é garoto, e precisa disso. Não alguém para substituir a minha mãe — ninguém pode fazer isso, é claro — só uma mulher que ele ame e saiba que também o ama muito.

— Mas e a irmã do seu pai? — perguntou Neni. — Ou as amigas da sua mãe?

— A minha tia está em Seattle, e as amigas da mamãe, não me entenda mal, elas têm suas virtudes, mas não é a mesma coisa. Simplesmente não é. Vocês dois tinham uma ligação especial, e o meu pai e eu... nós realmente não nos importaríamos em lhe pagar mesmo que seja apenas para levar Mighty e Liomi para jantar de vez em quando ou levá-lo até o Harlem e dar a ele uma noite como aquela que tivemos daquela vez.

— Você contou ao seu pai sobre aquela noite?

— Contei. Mas só recentemente.

— E ele não ficou zangado?

— Não. Gozado, mas ele ficou realmente contente por termos tido aquela experiência.

Neni fez um meneio, mas não disse nada.

— Você não precisa resolver agora — disse Vince. — Que tal você pensar nisso por uns dias, falar com o Jende, e eu ligo para você na semana que vem. Você acha que tudo bem?

Neni balançou a cabeça.

Ela não podia dizer a Vince que achava que tudo bem porque não precisava de uns dias para resolver. Mesmo antes de Vince acabar de explicar, ela sabia a resposta que daria: não. Não podia fazer aquilo. A decisão do juiz chegaria a qualquer momento, o que significava que seus dias nos Estados Unidos, na prática, estavam contados. Jende confiava que o juiz atenderia seu pedido — tão confiante, na verdade, que havia começado a procurar passagens aéreas e lhe perguntara duas noites atrás quanto ela achava que a cama deles valeria num site de artigos de segunda mão. Mesmo que o juiz lhes negasse o pedido, ou Jende decidisse retirar a petição por algum motivo, ainda assim ela não aceitaria o emprego, porque não faria uma coisa dessas com uma mulher morta. Mighty era filho de Cindy, e Cindy fora para o túmulo a odiando. Como podia ela, em sã consciência, olhar Mighty no olho depois do que fizera para sua mãe? Como Vince se sentiria se Anna algum dia lhe contasse o que havia presenciado? Neni não matara Cindy, mas talvez sim, e não seria nunca correto entrar de novo na casa de Cindy, não importava o quanto ela gostasse de Mighty.

Neni sabia que quando ela morreu, sua alma jamais encontraria paz se sua inimiga entrasse em sua casa e assumisse seu lugar na vida do filho.

Cinquenta e seis

Ele ficou sabendo numa sexta-feira à tarde. O juiz atendera ao seu pedido de partida voluntária.

— Você precisa ir embora até o fim de setembro — Bubakar lhe disse. — Trinta de setembro, o juiz disse. Ele ia dar cento e vinte dias para ir embora mas...

— Não é problema, sr. Bubakar — disse Jende, abrindo seu largo sorriso. — Eu estou pronto.

— Não sei o que aconteceu. Ele mudou de ideia. Agora você só tem noventa dias.

Jende passou para a ponta do banco no parque para dar lugar a um homem de terno roxo.

— Noventa dias está bom, sr. Bubakar — disse. — De verdade, não preciso de mais tempo que isso.

— Ótimo. Sei que é rápido demais, mas não posso fazer nada por você, irmão. Sinto muito.

— Não, por favor, não se preocupe comigo, sr. Bubakar. Eu vi um anúncio de boas passagens na Air Maroc. O preço estava tão bom que comprei as nossas passagens para o dia que me deram o preço mais barato. Vamos partir em agosto.

— Ah é? Você está realmente pronto para ir, hein?

— Quando o senhor me disse na semana passada que tinha noventa e nove vírgula noventa e nove por cento de certeza de que o juiz aprovaria o meu pedido, simplesmente comecei a procurar passagens. Até comprei uma mala nova ontem. — Jende riu.

— Fico contente em ouvir você com uma voz tão feliz, irmão — disse Bubakar. — Algumas pessoas, quando compram a passagem, choram até o dia de entrar no avião.

— Mas o que eu posso fazer, sr. Bubakar? Meu povo diz que se Deus corta os seus dedos Ele ensinará você a comer com os dedos do pé.

— *Abi*, se eu fosse cristão diria amém a isso. E como está a madame? Está tão feliz quanto você de voltar para casa?

Jende deu uma risada contida.

— Ela não está feliz — respondeu —, mas está fazendo as malas.

— Só se certifique de que ela não gaste todo o dinheiro comprando coisas — advertiu Bubakar. — Porque as mulheres, é preciso ter cuidado com elas e com todas as coisas que dizem que precisam ter antes de voltar para casa. Qualquer coisa que as faça parecer bonitas vira uma necessidade.

— Tarde demais, sr. Bubakar — Jende disse, rindo. — Já é tarde demais.

Ele dera a Neni mais dinheiro para fazer compras do que pretendia; fora a única coisa que a fizera sorrir em dias — ele lhe dizer que podia gastar quinhentos dólares comprando o que bem quisesse. Ela acabara gastando oitocentos, comprando coisas difíceis de encontrar em Limbe: brinquedos em lojas de um dólar para as crianças de modo que elas não precisassem brincar com lama e palitos; comidas em potes e todos os cereais doces aos quais Liomi se acostumara; roupas para tantos anos futuros quanto fossem necessários para preservarem sua aura americana.

Para si mesma, comprou cremes de beleza e hidratantes antienvelhecimento em Chinatown — misturas que ela esperava que preservassem sua beleza e juventude por um longo tempo, e a mantivessem em elevado conceito aos olhos das mulheres da terra. Chegara-lhe a notícia de que agora havia uma profusão de mulheres jovens promíscuas em Limbe, mulheres *wolowose* bonitas e desavergonhadas que deixavam as esposas nervosas. Claro que Jende era um homem de pouca lascívia, não tendo olhado nunca nem para o mais generoso dos decotes (pelo menos na presença dela) em toda sua vida de casados, mas ela também nunca tivera de se preocupar com outra mulher tentando roubá-lo. Por que haveria qualquer mulher de tentar seduzi-lo quando havia milhares de homens em Nova York com mais dinheiro? Mas em Limbe não seria mais assim. Lá as jovens promíscuas estariam ávidas para saltar em cima dele. Ele não seria mais um coitadinho de uma casa simples em New Town, mas um homem que voltara da América com um monte de dólares. Essas moças *wolowose* dariam em cima dele, com seus sorrisinhos expondo seus dentes, dizendo coisas como *sr. Jende, como vai hein? Está bonito, oh!* Ela não poderia lhe dar motivo para olhar de lado, especialmente agora que não tinha os atributos que aquelas jovens tinham. Ela nunca mais teria a aparência delas, porque a maternidade espremera o apelo de seu busto e traçara linhas de exaustão na sua barriga. Seu corpo não era mais uma maravilha, então sua melhor arma na batalha pelo olhar do marido não seria sua nudez, mas sua face reluzente e livre de rugas e as roupas e acessórios que ela poria sobre o corpo, o qual pretendia reduzir em três quilos no próximo mês.

Precisava voltar a Limbe preparada.

— Não deixa pra lá que as moças no seu país, elas também vão esfregar fino creme americano — disse Fatou quando Neni atravessou a rua até seu apartamento para dar-lhe a bolsa que havia comprado para a amiga como presente de aniversário tardio, dizendo-lhe como estava preparada para brigar para manter firme seu casamento. — Elas sabem arranjar creme e esfregar perfume, também, e parecer mulher da América.

— Elas chegam perto dele — disse Neni —, eu mato elas.

Fatou encarou os olhos arregalados e determinados de Neni e riu.

— Eu não vou tenho nunca problema desse jeito — disse ela. — Mulher nenhuma vai tentar pegar meu Ousmane. Quem quer Ousmane, com a perna dele que nem vassoura? Zero mulher. Então eu seguro ele.

Neni riu. Por um minuto, na presença de uma boa amiga, esqueceu o medo que sentia em relação ao seu futuro e riu. Ter um homem desejado por outras mulheres era uma maldição mascarada de benção, ela disse a si mesma. Mas mesmo assim era fonte de orgulho. Jende seria alguém em Limbe quando retornassem. Seria um empresário. Compraria uma bela casa de tijolos para eles em Sokolo ou Batoke ou na Mile Four, e ela teria uma empregada. Durante um jantar no Red Lobster num domingo à noite, enquanto Winston e Maami tomavam conta das crianças, ele lhe dissera tudo isso.

— Eu lhe prometo de todo o meu coração e toda minha alma, *bébé* — dissera ele. — Você vai viver como uma rainha em Limbe.

Ela ficara remexendo sua comida, não disposta a olhá-lo nos olhos.

— O que eu posso fazer agora? — ela disse. — Temos que ir, quer eu queira ou não.

— Sim, *bébé*, mas eu quero que você volte feliz. Não quero que volte chorando como tem chorado. Não gosto de ver você chorar assim, hein? Não gosto nem um pouco. — Ele mordeu os lábios e fez uma cara de criança triste, o que a fez rir.

— Eu amo tanto Nova York, Jends — ela disse. — Sou tão feliz aqui. Eu só não... eu nem sei como...

Ele tomou suas mãos e as beijou como vira fazer os galãs dos filmes. Depois de pagar a conta, foram a pé até a Times Square, um dos seus lugares prediletos na cidade. Antes de Neni vir para os Estados Unidos, Times Square era o segundo melhor amigo substituto de Jende — depois de Columbus Circle —, um lugar que nunca deixava de lembrá-lo do que deixara para trás. Estar ali era como estar no trevo de Half Mile em Limbe, onde outdoors de Ovomaltine e Guinness se impunham sobre as ruas poeirentas; taxistas buzinavam e xingavam pedestres desavergonhados; botecos ficavam abertos praticamente a noite toda; todo fim de semana; prostitutas voluptuosas xingavam alto clientes avarentos; e o barulho não acabava nunca.

No centro da praça, bem na esquina da Broadway com a rua Quarenta e Dois, Jende e Neni se puseram lado a lado fixando o momento. Não haveria mais Times Square em Limbe, pensou Neni. Nem outdoors piscando coisas que ela gostaria de ter dinheiro para comprar. Não haveria McDonald's onde ela pudesse degustar seu adorado McNuggets. Nem gente de muitas cores, falando muitas línguas, correndo de um lado a outro para milhares de lugares divertidos. Não haveria carreira de farmacêutica. Nem condomínio em Yonkers ou Mount Vernon ou New Rochelle.

Ela enterrou a face no ombro dele e implorou a si mesma para ser feliz.

Cinquenta e sete

Em Limbe, os dez mil dólares que Neni tinha tirado de Cindy, mais os oito mil dólares que haviam economizado (cinco mil guardando zelozamente cerca de trezentos e cinquenta dólares todo mês durante os catorze meses que Jende trabalhara para os Edwards; três mil das quatro semanas que Neni trabalhara para Cindy), os tornariam milionários muitas e muitas vezes. Mesmo depois de comprar as passagens aéreas e fazer todas as compras necessárias, teriam dinheiro suficiente para Jende se tornar um dos homens mais ricos de New Town.

Com a nova taxa de câmbio de seiscentos francos camaronenses para um dólar, ele estaria voltando para casa com cerca de dez milhões de francos camaronenses, o suficiente para recomeçar a vida com uma belíssima casa alugada, com garagem para seu carro e uma empregada para que sua esposa se sentisse como uma rainha. Teria o suficiente para começar um negócio, o que lhe daria a possibilidade de algum dia construir uma espaçosa casa de alvenaria e mandar Liomi para a Escola Secundária Batista, a Buea, o internato onde Winston estudara porque seu falecido pai vinha do riquíssimo clã Banso, o colégio que Jende não pôde frequentar porque Pa Jonga não tinha condições financeiras.

Sem nenhum tratamento, suas costas pararam de doer.

Um mês antes da data marcada para partir, Winston ligou com uma ideia nova: Jende estaria disposto a administrar a construção de um novo hotel que Winston e um de seus amigos estavam construindo na Praia de Seme, e depois tornar-se o gerente quando esse hotel estivesse acabado?

— Depois falamos sobre o salário, *bo* — disse Winston. — Nós lhe pagaremos um bom dinheiro, mais do que você ganhava como funcionário do Conselho Urbano de Limbe.

Jende riu e prometeu pensar no assunto. Dois dias depois, quando Winston deu uma passada para uma visita, Jende declinou a oferta. Tinha apreciado a ajuda do primo, mas queria ter seu próprio negócio, saber como era a sensação de não ter de prestar contas a ninguém. Sua vida toda havia sido sim, senhor, sim, senhora. Tinha de chegar uma hora em que ele estivesse acima de outros e ouvisse sim, sr. Jonga.

Ao retornar a Limbe, ele começaria seu próprio negócio: Jonga Empreendimentos. Já tinha até um slogan: "Jonga Empreendimentos: Trazendo a sabedoria de Wall Street para Limbe". Ele iria diversificar, conglomerar e adquirir a maior quantidade possível de concorrentes. Mas teria de começar pequeno. Talvez comprasse alguns táxis ou *benskins*. Ou contratasse pessoas para lavrar os três hectares de terra que seu pai lhe deixara em Bimbia. Poderia vender comida no mercado de Limbe e despachar um pouco para o exterior. Winston o incentivou a ir adiante primeiro com a ideia da agricultura. Havia táxis suficientes em Limbe, e *benskins* — com seu alto índice de acidentes que haviam feito muita gente jurar que motocicletas eram invenção do diabo — tinham a tendência de em pouco tempo perder a preferência do público. Mas comida, disse Winston, sempre seria necessária.

— Comida — concordou Jende — e botecos.

— Será que algum dia as pessoas em Limbe vão se cansar de beber? — disse Winston. — Ouvi dizer que há bares abrindo por toda a cidade. Dizem que há um boteco que vende até Heineken e Budweiser. Heineken e Budweiser? Em Camarões?

Jende inclinou-se para a frente no sofá para balançar o berço de vime onde Timba estava deitada de barriga para cima antes que ela ficasse agitada. Winston levantou-se e deu uma espiada na criança. Sorriu para ela, fez cócegas na sua barriga, arrulhou em resposta ao seu sorriso sem dentes, e retornou ao sofá.

— É assim que a gente sabe que esse domínio americano foi longe demais — disse Winston. — *Paysans* deixaram de querer Guinness e 33 Export e passaram a querer Budweiser e Heineken.

— E Motorola RAZR — disse Jende. — Minha mãe me pediu para trazer para ela um RAZR para poder ter o telefone mais bacana entre suas amigas com quem ela lavra a terra. Não me pergunte para que ela leva o celular à plantação. Não há rede ali. Ela viu um RAZR num filme nigeriano, e agora ela quer um.

— Por que ela haveria de querer ficar para trás no século XX?

— Contei para a Neni — Jende continuou. — Eu disse "Talvez você nem sinta tanta falta de Nova York porque Limbe agora tem tanta coisa de Nova York". Mas, não, ela não escuta. Continua andando pela casa com a cara amarrada, parecendo uma coisa que eu nem lembro que nome dar.

— Ah, *bo*. Por favor, tenha um pouco de compreensão por ela. Não é fácil para ela ser...

— Mas não é verdade? Tudo que ela vê aqui ela vai ver em Limbe. As moças em Limbe agora, ouvi dizer que elas parecem a Beyoncé. E agora ninguém mais quer tomar *country nimbo*. Vinho de palma está saindo de moda. Agora todo mundo é americano ou europeu. Emmanu me contou de uma boate no West End que até vende cerveja Cristal em copo.

— Está falando sério?

— Estou falando sério. O dono da boate é o Victor. Você se lembra do Victor?

— Que Victor? — indagou Winston. — Aquele contra quem a gente jogava futebol na liga interbairros? Aquele que mora atrás da igreja católica e tem aquela bunda que parece de mulher?

— Esse mesmo — respondeu Jende. — Emmanu jura que a boate é *helele*.

— Onde é que ele arranjou o capital?

— Você não ficou sabendo da história? O cara foi para a Bulgária. Bulgária ou Rússia ou Austrália, algum lugar por ali. O cara volta com um *kolo* de respeito. A fofoca na cidade é que ele era dançarino. Quem sabe que tipo de dança ele fazia? Pelo dinheiro que trouxe de volta, deve ter se saído muito bem.

— Um homem negro rebolando para mulheres brancas — disse Winston. — Não é isso que elas querem? E o Victor sabia rebolar, eu posso lhe dizer isso. Nunca vou me esquecer daquela vez em que eu estava dançando na frente daquela bela *ngah* no Black and White. Acho que era dia de Natal. A música estava bombando, cara, e eu me sacudindo todo, pronto para pular em cima e dar o meu bote. — Winston levantou-se e sacudiu os quadris para mostrar os passos da *makossa* dos seus dias de jovem.

Jende o observou, sorrindo.

— Então — Winston continuou, e fez uma pausa, os braços abertos —, do meio do nada, me aparece o Victor e faz aquele passo do Michael Jackson, e a *ngah* começa a rir. Acho que era do "Thriller", porque o rapaz estava numas vibrações muito sérias. A *ngah* fica rindo e rindo, e a próxima coisa que eu percebo, espera aí, cadê ela? O filho da mãe roubou a *ngah* com seus passos de Michael Jackson, bem na minha frente! Fiquei ali parado no meio da boate, com cara de besta.

Jende ria tanto que teve que se inclinar para tomar fôlego.

— Ah, Limbe — disse. — Não posso acreditar que vou estar lá de novo.

— Só não vire um Prodígio Americano quando voltar para lá — disse Winston, rindo enquanto se sentava. — Seja maduro, por favor. É tudo que peço.

Jende balançou a cabeça.

Ele jamais se tornaria um Prodígio Americano, um desses *mbutukus* que iam para os Estados Unidos e quando voltavam falavam com um ridículo sotaque americano, lançando "wannas" e "gonnas" pelas sentenças. Andavam empertigados pela cidade vestindo terno e botas de caubói e bonés de beisebol, fingindo entender muito pouco da cultura camaronesa porque agora eram americanos demais. *Come and see American Wonder*, dizia a canção sobre eles. *Come and see American Wonder. Do you know American Wonder? Come and see American Wonder**.

Ele jamais seria ridículo. Ele seria respeitável.

* "Venha ver o prodígio americano. Você conhece o prodígio americano? Venha ver o prodígio americano", em tradução livre. (N. E.)

Mais tarde, naquela noite, depois que Neni e Liomi voltaram para casa após comprar novos tênis para Liomi, Jende contou a ela a ideia de abrir um negócio de alimentos no atacado. Ela manteve a cabeça baixa, sem dizer nada enquanto desembrulhava os tênis e os colocava dentro da sacola Ghana Must Go*.

— Quem sabe a gente consiga achar um jeito de exportar algum alimento para cá, hein? — disse ele. — Quem sabe vender em lojas africanas aqui?

— Para que você precisa da minha opinião? — ela disse, levantando a cabeça para olhar para ele, como se ele a repugnasse. — Não é você o sabe-tudo? — Os olhos dela pareciam prontos para atravessá-lo como uma faca afiada cortando bucho de porco. Fazia menos de uma semana que tinham tido seu momento na Times Square e ela tinha voltado a desprezá-lo por levá-la junto com as crianças para longe dos Estados Unidos.

— Mas, *bébé* — ele tentou —, eu só achei que você gostaria de saber...

— Por quê? Não, por favor, não me pergunte nada. Só faça o que quiser fazer, está bem? Tudo que você quiser, da maneira que quiser, simplesmente faça. Você não precisa me perguntar.

Felizmente, Liomi tinha voltado a querer ser igual ao pai quando crescesse, então, depois que Neni fechou a porta do quarto dizendo que queria terminar seu serviço em paz e sossego, Jende foi para a sala, onde ele e o filho rolaram no chão fazendo cócegas um no outro a ponto de perder o fôlego.

Jende ligou para seu irmão Moto no dia seguinte e pediu-lhe para começar a procurar homens para lavrar a terra em Bimbia e plantar bananas-da-terra, *egusi* e inhame. Pediu também que buscasse uma casa de alvenaria de três dormitórios com garagem, bem como uma empregada e um carro temporário que ele pudesse usar até o Hyundai usado que ele tinha adqui-

* Grandes sacolas quadriculadas que se tornaram moda nos Estados Unidos. Na década de 1970, imigrantes ganeses foram atraídos para Lagos, na Nigéria, durante o *boom* da descoberta de poços de petróleo na cidade. Em 1983, esses imigrantes foram expulsos de forma violenta e utilizaram esse tipo de sacola para levar seus pertences no êxodo de volta à sua Gana natal. (N. E.).

rido num leilão estatal em Nova Jersey chegasse de navio num contêiner. Três dias depois, seu irmão mandou uma mensagem de texto dizendo que tinha encontrado uma casa para alugar em Coconut Island, assim com um carro, uma Pajero 1998. Ele equiparia a casa com a mobília básica e quando a família chegasse já teria contratado uma doméstica.

— Olha você — disse Fatou quando Neni lhe contou sobre a casa e a empregada. — Vai largar um quarto sala mini e ir ficar numa mansão? Por que Ousmane também não faz assim para mim?

— Então peça a Ousmane para levar você de volta para casa — retorquiu Neni.

— Ousmane não quer ir de volta para casa — disse Fatou. Parou e olhou as malas vazias no chão da sala. — Se fosse eu só, ia. Ia para minha aldeia, subia uma casa perto da minha mãe e do meu pai. Vivia vida tranquila, morria tranquila. Se fosse eu só, voltava para casa *très bientôt*.

Neni observou o perpétuo brilho nos olhos de Fatou fenecer ao dizer isso, e soube que a amiga falava sério; pela primeira vez naquela tarde, o que ela estava dizendo não tinha tom de piada. Fatou sentia falta dos pais, especialmente agora que eles estavam na casa dos oitenta e necessitavam que ela e os irmãos cuidassem deles. Ela e os irmãos se preocupavam com os pais, mas não havia muito que pudessem fazer de longe — um dos irmãos estava na França, o outro em Oklahoma. Seus pais tinham de depender de parentes distantes para cuidar deles usando as transferências de dinheiro que Fatou e os irmãos mandavam a cada tantos meses. Precisavam viver como pessoas que nunca tinham tido filhos, o que envergonhava Fatou sempre que recebia a ligação de um parente dizendo que um dos dois tinha adoecido e que precisava de dinheiro para levá-lo a um hospital. Fatou sempre mandava o dinheiro em dia, mesmo quando tinha uma conta atrasada para pagar: O que mais podia fazer?

Após vinte e seis anos, ela estava pronta para parar de trançar cabelos e voltar para casa, mas a decisão não era só dela. E mesmo se Ousmane quisesse voltar para casa, seus filhos eram americanos que nunca tinham estado na terra natal dos pais. Todos os sete, três na casa dos vinte e quatro adolescentes, não queriam saber de viver na África Ocidental. Alguns deles nem sequer se consideravam africanos. Quando pessoas perguntavam de onde vinham, diziam com frequência, ah, nós somos daqui mesmo, Nova York, Estados Unidos. Diziam isso com orgulho, acreditando. Só quando incitados, admitiam com relutância que bem, na verdade, nossos pais são africanos. Mas nós somos americanos, sempre acrescentavam. O que magoava Fatou e a fazia se perguntar, seria possível que seus filhos pensassem que eram melhores do que ela porque eram americanos e ela africana?

Cinquenta e oito

O povo Bakweri de Limbe acredita que agosto é um mês amaldiçoado. A chuva cai forte demais e durante tempo demais; os rios sobem alto demais e depressa demais. Os dias secos são poucos; as noites geladas são muitas. O mês é longo, assustador e hostil, e é por esse motivo que muitos na tribo não se casam, nem constroem casas, nem começam negócios em agosto. Esperam que o mês vá embora, junto com suas maldições.

Jende Jonga, um homem bakweri, não acreditava em maldições.

Agosto ou não agosto, era hora de ele voltar para casa, e pronto. Caminhando pelas ruas de Nova York durante seus últimos dias na América, não conseguia obrigar-se a sentir tristeza por estar indo embora ou desejar que sua experiência tivesse terminado de forma diferente. O que bastou, bastou. Não queria mais saber de viver num apartamento cheio de baratas num bairro do Harlem com restaurantes de frango frito, igrejas de fachada e casas funerárias diante das quais se postavam perpetuamente rapazes de cabelos trançados e calças largas, chorando a morte de alguém da turma e cuspindo descuidadamente em sua direção. Não queria mais saber de subir cinco lances de escadas para dividir a cama com a filha enquanto o filho dormia num catre a poucos centímetros. Não queria mais saber de sorrir para fazer cara boa enquanto empilhava pratos e polia talheres, e certamente não queria mais saber de pegar o metrô para voltar do trabalho tarde da noite, chegando em casa suado, grudento e esgotado.

Para ele, viver essa vida por mais um ano teria sido uma desgraça. Não reconhecer a hora de voltar para casa teria sido uma desgraça. Não perceber que seria mais feliz dormindo num quarto separado dos filhos, visitando sua mãe e seus irmãos sempre que quisesse, encontrando-se com os amigos num *boucarou* em Down Beach para um peixe assado com cerveja à beira-mar, guiando seu próprio carro e transpirando em janeiro... isso teria sido uma desgraça.

Tem certeza de que não vai sentir falta dos Estados Unidos? Seus colegas de trabalho lhe perguntavam repetidamente. Nem mesmo do futebol americano? Ele ria sempre que perguntavam. Talvez um pouco do futebol, respondia. E de *cheesecake*.

Neni, de sua parte, não conseguia mobilizar alegria à medida que a data da partida se aproximava. Suas lágrimas fluíam sem motivo no metrô, no Pathmark, no Central Park, no apartamento entre seus afazeres corriqueiros. Não sentia empolgação com a ideia de estar reunida à sua família e suas velhas amigas, apenas apreensão com a ideia de que talvez pudesse nunca ser feliz em Limbe como fora em Nova York. Preocupava-se com a possibilidade de ter muito pouco em comum com suas amigas, sendo que agora era tão diferente delas, sendo que tinha provado outro tipo de vida e se transformado positiva e negativamente sob tantos aspectos, sendo que a vida a havia expandido e contraído de maneiras que elas nunca poderiam imaginar.

Embora ansiasse por rever a mãe e os irmãos, tinha pavor de encontrar o pai, com quem falara pela última vez em maio, quando ele lhe telefonara para dizer que seu filho ilegítimo que morava nas Habitações de Portor-Portor estava no hospital e precisava de dinheiro para remédios. Neni disse que não tinham dinheiro para dar e o pai berrara com ela. Como você pode dizer que não tem dinheiro quando o seu irmão está morrendo num hospital?, disse ele. Mas ele não é meu irmão, Neni berrara de volta. Seu pai desligou quando ela disse isso e ela não se dera ao trabalho de ligar novamente para saber como ia o rapaz. O rapaz não era seu irmão e nunca seria. Ela não conseguia obrigar-se a se preocupar se ele viveria ou morreria.

Pelos filhos, Neni oscilava entre alegria e tristeza — alegria pelas coisas bonitas que Camarões podia lhes dar; tristeza pelas coisas que não daria. Cresceriam numa casa espaçosa, aprenderiam a falar francês, dominariam os passos de dança da música *makossa*. Viveriam perto de avós amorosos e de muitos tios, tias e primos. Vestiriam suas melhores roupas no Natal e no Ano-Novo e passeariam pela cidade com seus amigos, rindo e comendo *chin-chin* e bolo. Nunca se perguntariam por que sua mãe preferia comprar na loja de um dólar ou por que seu pai parecia estar sempre trabalhando. Liomi iria para a Escola Secundária Buea junto com os filhos da elite; ainda podia tornar-se advogado como seu tio Winston. Timba passaria a infância dançando sob o luar com as amigas, cantando *Gombe gombe mukele mukele* nas noites em que as nuvens abrissem espaço para o brilho das estrelas. A menina aprenderia a cantar, *Iyo cow oh, njama njama cow oh, your mami go for Ngaoundéré for saka belle cow oh, oh chei!* Iria para um internato no prestigioso Colégio Batista Saker, só de meninas, onde durante oito meses do ano ficaria trancada atrás de portões de ferro, escondida de meninos e obrigada a estudar junto com meninas para se tornarem médicas e engenheiras.

Em Limbe, Liomi e Timba teriam muitas coisas que não poderiam ter nos Estados Unidos, mas também perderiam coisas demais.

Perderiam a oportunidade de crescer numa terra magnífica de desinibidos sonhadores. Perderiam a chance de se maravilhar e de se inspirar pelas assombrosas coisas que aconteciam no país, invenções e realizações incríveis de homens e mulheres que se pareciam com eles. Seriam privados de liberdade, direitos e privilégios que Camarões não podia dar a seus filhos. Perderiam incontáveis benefícios ao deixar Nova York, porque ao mesmo tempo que existiam grandes cidades pelo mundo, havia um certo tipo de prazer, um certo tipo de infância aventurosa e audaciosa, que somente Nova York podia oferecer a uma criança.

Cinquenta e nove

Betty organizou uma festa de despedida para eles no Bronx. A maioria dos amigos que havia estado com eles desde a chegada à cidade passando pelo nascimento de Timba e a morte de Pa Jonga, lá estava. Winston e Maami estavam lá, bem como Olu e Tunde, o instrutor — que dera uma passada com o namorado asiático igualmente simpático a caminho de outra festa, para dar uma abraço de despedida em Neni —, e Fatou e Ousmane, cujas pernas de cabo de vassoura que, assim que passaram pela porta vestindo jeans desbotados, fizeram com que Neni, imaginando como seriam, desse seu primeiro sorriso de verdade nessa noite.

Todo mundo veio com alguma coisa para comer; bananas-da-terra fritas, sopa de folhas amargas, cozido *egusi*, mocotó com feijão, *poulet* DG, tilápia grelhada, *attiéké, moi moi, soya,* arroz *jollof*, galinha ao curry, purê de inhame. Winston trouxe bebidas, junto com seu laptop e alto-falantes.

Na sala esparsamente mobiliada de Betty, comeram e dançaram, ao som de Petit-Pays e Koffi Olomidé, Brenda Fassie e Papa Wemba. Depois "200% Zoblazo", de Meiway, chegou aos alto-falantes. Soaram trompetes e teclados, chamando todos os presentes para a pista. O ritmo — feroz, pulsante, resoluto — exigia que todo mundo se pusesse de pé. Aqueles que estavam comendo puseram os pratos na mesa. Aqueles que estavam bêbados largaram as garrafas. *Ting, ting ting, ding, ding*. Neni foi para o centro da sala — seus quadris não conseguiam deixar de remexer com uma música tão boa. Seus pés não conseguiam ficar parados mesmo que para ela não fosse o dia mais feliz de sua vida. Todo mundo estava de pé, amontoados no espaço de três por quatro no centro da sala. Braços levantados no ar, as mulheres rebolando, chegando mais e mais perto do chão, mais e mais depressa enquanto se levantavam. Atrás delas, com o braço em torno da cintura delas, os homens trabalhavam as virilhas: pra cima, pra baixo, pra esquerda, pra direita. Pra frente, pra trás, de um lado ao outro. Por toda parte, quadris e virilhas se moviam juntos, pressionados uns contra os outros enquanto a música tomava conta. Aí, chegou o coro. Pulavam e saltavam erguendo os punhos no ar, cantando juntos o mais alto que podiam, *Blazo, blazo, zoblazo, on a gagné! On a gagné!* Quando um dos amigos não africanos do trabalho de Jende perguntou o que a canção queria dizer, ele berrou, sem parar para tomar fôlego, significa que nós ganhamos, cara. Significa que nós ganhamos!

A Igreja Memorial Judson também se despediu deles.

Natasha perguntou a Neni se Jende podia ir com ela até a igreja no segundo domingo de agosto. Jende concordou — parecia uma boa hora para visitar uma igreja americana e ver se os americanos interpretavam a Bíblia do mesmo modo que os camaroneses.

A Escritura naquela manhã era do Gênesis, capítulo dezoito, a história dos estrangeiros exaustos que visitaram Abraão, e Abraão, sem saber que eram anjos, os tratou com gentileza. Natasha pregou sobre o tratamento aos estrangeiros exaustos nos Estados Unidos. Criticou a definição americana contemporânea de estrangeiro exausto como forasteiro ilegal. Lembram-se como recebíamos bem os nossos visitantes em Ellis Island com caixas de almoço?, ela perguntou ao som de fortes aplausos. E um check-up médico gratuito!, alguém gritou do fundo. A igreja rugia. Natasha sorriu ao observar os membros de sua congregação sussurrando entre si. Triste, disse ela, balançando a cabeça. Tratar nossos amigos necessitados de auxílio da mesma forma como tratamos nossos inimigos. Esquecendo que algum dia também poderemos nos encontrar em busca de um teto. Isso não se assemelha em nada com o amor do qual fala a Bíblia, o amor pregado por Jesus Cristo quando disse que devemos amar o próximo como a nós mesmos.

Antes de encerrar o sermão, Natasha chamou os Jonga para a frente da igreja. Esta é a família Jonga, disse à congregação. Daqui a cerca de uma semana, estarão regressando para casa, para Camarões, sua terra natal. Eles vieram para cá para ficar, mas nós não estamos deixando. Estão regressando para casa porque não conseguem obter documentos para permanecer no nosso país e criar uma vida melhor para si e para seus filhos. Estão regressando porque nós, como país, esquecemos como receber todos os tipos de estrangeiros em nossa casa. Fez uma pausa e olhou ao redor, dando à congregação tempo para digerir suas palavras. Virou-se então para Neni e Jende, abraçou os dois, e agradeceu-lhes por compartilhar sua história. Pai, mãe, filho e filha voltaram para seus assentos seguidos pelos olhos da congregação.

O pastor-assistente, Amos, levantou-se para falar após o sermão. Vocês ouviram o sermão de Natasha e conheceram os Jonga, disse ele. Eles não são estranhos. São nossos vizinhos, mas não podem fazer seu lar entre nós. Então, incentivo vocês a doar generosamente para ajudá-los a criar um novo lar em seu país. E enquanto doamos, continuou, lembremo-nos de que por aqui há muitos outros como este casal. Pior ainda, há muitos outros que não têm uma terra pacífica e calorosa para onde regressar. Há muitos para os quais a única chance de ter um lar novamente é nos Estados Unidos.

Neni e Jende se entreolharam quando Amos mencionou o dinheiro. Natasha não lhes dissera nada sobre isso, e esse gesto gentil e inesperado rapidamente deixou os olhos de Neni turvos, ao pensar que estaria deixando para trás um país abundante em instituições de tolerância e compaixão.

Após o serviço, uma fila de fieis postou-se diante deles, revezando-se para cumprimentá-los. Uma mulher quis saber onde era Camarões no mapa, e outra quis saber se Jonga precisava de ajuda pra achar um advogado e continuar seu caso de imigração. Ele disse à primeira que Camarões era bem ao lado da Nigéria. Para a segunda, disse que não, não precisava de um advogado, seu caso estava encerrado.

A maioria dos membros da congregação simplesmente queria oferecer um aperto de mãos ou desejar-lhes tudo de bom, ou ainda dizer-lhes como estavam contentes pelo fato de os Jonga terem compartilhado sua história. Uma adolescente engasgou ao contar a Jende a história do pai de uma amiga que tinha sido deportado para a Guatemala, mesmo sem conhecer ninguém lá. Agora sua amiga estava muito triste, disse a jovem. Jende lhe deu um abraço e disse-lhe que, felizmente, ainda tinham uma grande família e muitos amigos em Camarões.

Sessenta

A resposta do e-mail chegou duas horas depois de Jende apertar a tecla de enviar. Bom ouvir notícias de vocês, Jende, escreveu Clark. Estou surpreso de saber que estão voltando para casa, mas entendo. Às vezes um homem simplesmente precisa voltar para casa. Com toda certeza pode dar uma passada para se despedir. Fale com a minha secretária.

Jende foi visitar Clark vestindo o mesmo terno preto que vestira no seu primeiro dia de trabalho como chofer dos Edwards. Neni disse-lhe que o terno era desnecessário, mas ele insistira em usar. Vou estar no meio de gente que usa terno, lembrou ele. Por que devo parecer um zé-ninguém?

Quando entrou na sala, Clark levantou-se de sua mesa para cumprimentá-lo.

— Muito bacana da sua parte vir se despedir, disse ele, sorrindo ao oferecer-lhe a mão.

— Sou eu que tenho de agradecer por arranjar um tempo para mim, senhor — Jende respondeu, tomando a mão de Clark.

Clark parecia mais do que contente em vê-lo, com um sorriso largo, um sorriso que Jende nunca tinha visto em seu rosto, os olhos mais brilhantes do que em todos os meses que Jende o levara de um lado a outro, o rosto com aspecto mais jovem. Jende podia ver que a felicidade do sr. Edwards não era meramente por vê-lo — seu ex-patrão finalmente parecia um homem genuinamente feliz.

— Eu queria dar minhas condolências pelo falecimento da sra. Edwards, senhor — Jende disse depois de se sentarem. — Estive no serviço memorial, senhor, mas não tive oportunidade de chegar perto para lhe dizer o quanto lamentava.

Clark assentiu. Jende deu uma olhada geral no escritório para o qual ele tinha se mudado desde que se viram da última vez. Não tinha nem sofá nem vista para o Central Park, mas a vista para o Queens era especial do seu próprio jeito inferior.

— Como está a sua família? — perguntou Clark. — Estão felizes de voltar para casa?

— Estão bem, senhor, obrigado. A minha mulher está zangada, mas não vai ficar zangada para sempre. Meu filho está feliz porque digo a ele todas as coisas gostosas que vou levá-lo para fazer. A bebê não sabe de nada, então isso me deixa feliz.

— E você, está feliz?

— Estou, mas quanto mais perto chega o dia, mais eu sinto um pouco de tristeza de talvez não ver nunca mais esta cidade. Nova York é uma cidade maravilhosa. Vai ser duro não viver aqui.

— É sim, eu também tenho que aprender a me adaptar. Vou embora no mês que vem.

— É mesmo? Quer dizer que também está se mudando, senhor?

Clark fez que sim.

— Mighty e eu estamos nos mudando para a Virgínia.

— Virgínia?

— Encontrei um novo emprego em Washington, D.C. Na realidade, vamos dar uma olhada em algumas casas neste fim de semana. Tenho esperança de achar alguma coisa perto de Arlington e Falls Church.

— Falls Church? Eu me lembro, senhor... foi de lá que a sra. Edwards veio?

— Você tem boa memória. E a minha família morou em Arlington por algum tempo antes de nos mudarmos para Illinois. Meus pais vão se mudar da Califórnia para ficarem perto de nós.

— Isso vai ser muito bom para o senhor.

— Família é tudo — disse Clark. — Tenho certeza de que você sabe disso.

— É tudo, senhor.

— Tenho alguns primos na área, e a meia-irmã de Cindy ali. Cindy não era próxima dela antes do fim, mas ela veio ao funeral, e Mighty e eu temos estado em contato com ela ultimamente.

— Isso é bom, senhor.

— É sim, passamos momentos muito bons quando a visitamos uns meses atrás. Mighty está realmente ansioso para crescer junto com seus primos. Para ele é importante saber que tem família, agora que... bem, agora que tanta coisa mudou.

— É bem verdade, senhor — disse Jende, assentindo. — Bem verdade. E como está Vince?

— Está bem; falei com ele esta manhã. Ele está pensando em abrir um centro de retiro para executivos americanos visitando Mumbai, para que eles possam ter paz e sossego entre a correria e a busca de oportunidades. — Clark riu. — Pareceu engraçado, mas pode ser que ele esteja bolando alguma coisa.

— Ele é um rapaz muito inteligente, senhor — disse Jende.

O executivo sorriu, sem disfarçar o orgulho.

— É sim, só que é difícil alguém saber onde é que ele vai acabar.

— Talvez ele acabe em Limbe — Jende disse, rindo.

— Talvez — concordou Clark, rindo junto. — Nunca se sabe. Ele poderia ir a Limbe e ensinar o pessoal de lá como serem um com o Universo e se libertarem de seus egos. Ou poderia fazê-los andar por aí falando sobre rejeitar a ilusão.

— Ou talvez, senhor — Jende disse, rindo forte agora —, poderia levá-los para a praia no fim da tarde e eles poderiam assistir ao pôr do sol. Os pescadores estarão retornando com as suas canoas de um lado da praia, e Vince e seus seguidores estarão sentados na areia do outro lado de pernas cruzadas, entoando aqueles cânticos e aquela coisa de meditação.

— Eu quase consigo visualizar isso! — Clark disse, gargalhando e batendo na mesa. — Posso ver isso acontecendo.

— Ele pode ficar comigo e com minha esposa até se cansar de estar num lugar só.

— Ah, tenho certeza de que ele não vai ter dificuldade de achar um lugar novo para ir. Ele me disse que se sua ideia do negócio não der certo na Índia, talvez ele vá para a Bolívia. Não me pergunte o que há na Bolívia.

— Quem sabe uma porção de gente com consciência, senhor?

— Quem sabe uma porção de gente com consciência! — repetiu Clark, e ambos riram juntos.

— O rapaz é uma pessoa muito especial, senhor — disse Jende quando o riso feneceu.

— É sim; especial é uma boa palavra.

— Se neste mundo houvesse mais dez mil jovens como ele, ou mesmo mil, eu juro, senhor, haveria mais felicidade no mundo.

Clark sorriu.

Jende ajeitou-se no assento. Estava curtindo os momentos com seu velho patrão, mas a nova secretária o avisara de que Clark tinha apenas trinta minutos para o encontro. Olhou o relógio. Não restava muito tempo. Precisava dizer logo o que viera dizer.

— Senhor — começou —, eu vim aqui não só para me despedir, mas também para agradecer-lhe pessoalmente pelo emprego que me deu. Talvez o senhor não entenda como ele mudou a minha vida, mas por causa daquele emprego eu pude economizar dinheiro e agora posso voltar para casa e viver bem. Mesmo que eu tivesse gostado de continuar trabalhando para o senhor e ficar nos Estados Unidos mais tempo, estou contente de poder agora voltar para casa e levar uma vida melhor do que a que vivi antes de vir para cá. Então eu apenas sou muito grato, senhor.

Clark se ajeitou no assento e esfregou os olhos com as palmas das mãos.

— Uau — disse ele. Era visível que nunca ninguém tinha percorrido uma distância tão grande para lhe agradecer por não fazer nada além de pagar um serviço. O telefone de sua mesa tocou, mas ele não atendeu.

— Eu ouço todas essas coisa que as pessoas estão falando sobre o pessoal de Wall Street, senhor, sobre como são gente ruim. Mas não concordo com eles. Por que foi o senhor, um homem de Wall Street, que me deu um emprego que me ajudou a cuidar da minha família. E o senhor foi muito bom para mim. Acho que o senhor é um homem bom, sr. Edwards, e é por isso que vim lhe agradecer.

Clark Edwards fitou seu ex-chofer, claramente pensando nas melhores palavras para transmitir sua surpresa pelo que estava ouvindo.

— Estou muito tocado, Jende — disse enfim. — Realmente, e eu lhe agradeço, também. Para mim foi uma grande experiência ter você. Na verdade, bem emocionante muitas vezes. E se eu nunca disse, espero que você saiba o quanto apreciei a sua lealdade e dedicação.

— Obrigado, senhor.

— E eu lamento muito, Jende...

— Não, por favor, sr. Edwards, não lamente. Lamentar o quê?

— Que o nosso tempo juntos teve de acabar. Não sei bem como colocar, mas... É uma pena, sabe?

Jende fez que não com a cabeça.

— Nosso povo diz que nenhuma condição é permanente, sr. Edwards. Bons tempos precisam chegar ao fim, assim como tempos ruins, quer a gente queira ou não.

— De fato — concordou Clark. — Só estou contente que possamos nos separar como amigos.

— Também estou contente, senhor — disse Jende, assentindo enquanto empurrava a cadeira para trás e se levantava.

Clark levantou-se também, e os dois homens apertaram as mãos, com as ruas de Nova York que um dia haviam percorrido juntos de carro visíveis através da janela ao seu lado.

— Mande as minhas lembranças para Neni — disse Clark.

— Eu mando, senhor. Por favor, diga a Mighty que eu e Neni mandamos saudações especiais.

— Digo sim. Ele gosta muito de vocês. Vocês podem não ter percebido, mas a sua presença na vida dele realmente teve um grande impacto. Ele ainda me diz, Jende dizia isso, Neni fazia aquilo.

— Nós também pensamos nele, especialmente depois que a sra. Edwards se foi. Às vezes pensei que talvez devesse ligar para o senhor e tentar ver Mighty, mas... eu e a minha mulher, nós tivemos tantos problemas que eu nem tive tempo de fazer um monte de coisas que queria fazer. Mas nós não nos esquecemos dele. É um bom garoto.

— Ele é. Estou contente que ele esteja ansioso para se mudar para a Virgínia. Se ele não quisesse ir, eu teria dispensado a oportunidade, mesmo sendo uma coisa que eu queria há muito tempo.

— O Barclays está transferindo o senhor para trabalhar em outra agência em Washington, senhor?

— Não. Vou começar num emprego totalmente novo. Dirigindo uma empresa de lobby.

Jende levantou a mão para coçar a cabeça.

— É uma empresa que faz lobby para proteger os interesses das organizações — explicou Clark. — Vou dirigir uma que faz lobby para instituições de crédito. Vai ser um trabalho muito importante neste clima econômico. Uma oportunidade muito empolgante para mim.

— Dá a impressão de um tipo de trabalho muito diferente, senhor.

— E é. Wall Street foi boa para mim, mas não acho que ainda haja lugar para gente do meu tipo. Além disso, com tudo que aconteceu, estou pronto para uma mudança.

— Fico muito contente, senhor — disse Jende, sorrindo. — Espero que tenha sucesso com essa empresa de lobby.

— Obrigado — disse Clark, retribuindo o sorriso. — Também espero.

— Aliás, Jende — Clark falou quando se dirigia para a porta. — Esqueci de lhe perguntar. Por que está voltando para casa?

Jende não precisou de nenhum tempo para pensar na melhor resposta. Imediatamente virou-se, voltou até a mesa, e disse a verdade:

— Minha solicitação de asilo não foi aprovada, senhor.

— Asilo? Eu não tinha ideia de que você estava solicitando asilo.

— Eu nunca mencionei para o senhor. Foi algo que eu mantive entre mim e a minha mulher e o meu advogado. Não pensei que devia incomodar o senhor com algo assim.

— Não, é claro, eu entendo. Só estou surpreso. O que quer dizer que não foi aprovada. Você vai ser deportado?

— Não, senhor, não vou ser deportado. Mas não posso obter um *green card* a menos que me seja concedido asilo, e para que isso aconteça terei de gastar muitos anos e muito dinheiro comparecendo ao tribunal de imigração. E então talvez o juiz ainda assim decida não me dar asilo, o que significa que o governo acabará me deportando no fim das contas. Não é assim que eu quero viver minha vida, senhor, especialmente se adicionarmos o fato de que não é fácil um homem desfrutar sua vida neste país se for pobre.

— Mas não há algum outro meio de você poder tentar obter um *green card*? — Clark indagou depois de pegar o telefone que estava tocando e dizer à pessoa na linha que retornaria a ligação. — Eu sei o quanto você queria criar seus filhos aqui.

— Eu fiz o que pude, senhor, mas...

— Seguramente deve haver um jeito de manter um homem trabalhador decente como você nos Estados Unidos.

Jende fez que não com a cabeça.

— Há leis, senhor — ele disse.

— Escute — disse Clark, aprumando-se no assento. — Tenho um amigo de Stanford que é diretor associado na Imigração. Se você tivesse me dito que estava com problemas, eu teria entrado em contato com ele para você se aconselhar, ou pelo menos pedir uma recomendação para um excelente advogado. Eu não tinha ideia.

Jende olhou para baixo e balançou a cabeça, um sorriso pesaroso no rosto.

— Talvez não seja tarde demais — Clark continuou. — Talvez você possa mudar a data do seu voo, me dar algum tempo para contatar meu amigo e ver se ele ainda pode ajudar você?

— Acho que é tarde demais, senhor.

— Mas não há mal em tentar, não é?

— O juiz não vai permitir, senhor, e mesmo que permitisse...

— Você está pronto para ir embora.

Jende sorriu.

— A verdade, senhor — disse ele —, é que o meu corpo pode ainda estar aqui, mas o meu coração já voltou para casa. É verdade que vim para cá para fugir da vida dura e eu não queria voltar. Mas quando não tive escolha a não ser voltar, me descobri feliz pensando no meu lar, senhor. Vou sentir falta daqui, mas será bom viver de novo na minha terra. Já me vejo indo visitar o túmulo do meu pai para mostrá-lo à minha filha. Já me vejo passeando por Limbe com meus amigos, tomando uma bebida, levando meu filho ao estádio. Não tenho mais medo do meu país como costumava ter.

— Mas e as crianças?

— Elas ficarão bem, senhor. Nós já temos o passaporte americano da minha filha. Ela voltará para cá quando estiver pronta e talvez algum dia faça uma petição para o seu irmão. Se não, meu filho irá para o Canadá e a minha mulher poderá visitar os Estados Unidos e o Canadá a cada tantos anos.

Clark assentiu, sorrindo.

Jende olhou seu relógio e se dirigiu novamente para a porta, mas Clark pediu-lhe que esperasse um segundo. Foi até a sua maleta, que estava sobre uma cadeira à direta da mesa, sentou-se por um minuto enquanto escrevia algo, e voltou com um envelope branco, que entregou a Jende.

— Aceite isto — disse — e cuide bem da sua família.

— Ah, senhor... ah, muito obrigado — Jende disse, pegando o envelope com as duas mãos, cabeça baixa. — Muito, muito obrigado, sr. Edwards.

— Nem fale nisso. Tenha uma viagem segura.

— Ah, eu estava pensando, senhor — Jende disse enquanto Clark dava um passo em direção à porta —, o senhor soube alguma coisa de Leah? Eu e a minha mulher, nós queríamos convidá-la para a nossa festa de despedida, mas o telefone da casa dela estava desligado.

— É sim, eu soube dela alguns meses atrás — respondeu Clark. — Ela me mandou seu currículo para ajudá-la a conseguir um emprego aqui, mas acho que não deu em nada depois que mandei para o RH, já que as contratações estão congeladas e tal.

— Então talvez ela ainda não esteja trabalhando?

— Acho que não está. O mercado de trabalho está duro por aí, especialmente para alguém da idade dela. Meu palpite é que ela provavelmente juntou suas coisas e se mudou daqui para o dinheiro não acabar.

Jende balançou a cabeça, surpreso. Leah não havia mencionado um plano para se mudar da última vez que se falaram, no Natal. Ela parecia bem, mas devia estar desanimada em relação ao futuro — nenhuma perspectiva de emprego, as economias minguando, a renda da aposentadoria ainda a alguns anos de distância. Ela devia ter estado apavorada, embora não tivesse dado essa impressão. Podia ser esse o motivo de ela estar tão contente de ir ver a árvore de Natal no Rockfeller Center? Podia ser porque estava prestes a mergulhar num espírito de esperança e, por algumas horas apenas, esquecer suas circunstâncias?

— Se o senhor algum dia a vir — disse Jende —, por favor, diga a ela que disse adeus e que lamento não ter me despedido dela diretamente, sim? Por favor, diga a ela que voltei para Camarões, mas que talvez algum dia, com a graça de Deus, eu venha visitar os Estados Unidos e nós nos encontraremos de novo.

— Esperemos que eu me lembre de tudo isso.

— Eu me sinto mal, senhor, quando penso nela.

— A economia está melhorando — respondeu Clark, virando-se para a porta.

— É o que dizem, senhor, mas... espero que ela fique bem logo.

— Tenho certeza de que ela ficará bem — Clark disse quando chegaram à porta, onde desejaram um ao outro os melhores votos e apertaram as mãos pela última vez.

Sessenta e um

Ela deu suas panelas e utensílios de cozinha para Betty, seu aparelho de jantar para Fatou. Winston e Maami pegaram os temperos e a comida na despensa: o *garri*, óleo de palma, lagostim, *fufu*, *egusi*, inhames macerados e peixe defumado. Olu veio pegar seus velhos livros didáticos e o computador — um sobrinho do seu marido chegaria em breve da Nigéria para estudar enfermagem na Hunter.

Natasha ficou feliz em receber suas *kabas* não usadas. Não valia a pena o espaço que ocupariam, ela disse à pastora, que ficou animada por acrescentar as coloridas vestimentas ao seu guarda-roupa. A mesa de refeições ela vendeu no site de segunda mão, bem como o armário do quarto, a TV, o micro-ondas e o catre de Liomi. As roupas de inverno, roupas de verão velhas e sapatos gastos ela levou para a Legião da Boa Vontade; o velho sofá, ela fez com que Jende colocasse na calçada para alguém que precisasse de um sofá velho.

Na noite da véspera da partida, o apartamento estava vazio com exceção da bagagem num canto do quarto. O que não tinham dado estava no lixo, exceto a cama, que deixariam para os novos inquilinos.

Os novos inquilinos tinham chegado com o sr. Charles para ver o apartamento e enquanto estavam lá, fizeram a Neni pelo menos uma dúzia de perguntas: quanto era o sofrimento de lidar diariamente com cinco lances de escadas? Havia algum vizinho esquisito? Qual era o melhor lugar para encomendar comida tailandesa ou chinesa para viagem tarde da noite? O Harlem atualmente estava melhor como todo mundo dizia? Era um casal jovem — na primeira metade da casa dos vinte anos, bonitos, relaxados, brancos, ambos de cabelo comprido — vindo de Detroit em busca de uma vida como músicos de sucesso. Quando Neni perguntou que tipo de música cantavam, sorriram e disseram que era difícil de rotular, uma combinação de techno, hip-hop e blues. Eles se autodenominavam os Love Stucks.

Neni estava tentada a ressentir-se deles, mas então se ofereceram para comprar a cama pelo dobro do que outra pessoa estava oferecendo no site de segunda mão. Pagaram imediatamente em dinheiro vivo, depois se beijaram no quarto dela. Quando estavam saindo, ela ouviu o sr. Charles dizendo-lhes para nunca mencionar o acordo a ninguém, porque se ele perdesse o apartamento subsidiado, todo mundo também sairia perdendo. A mulher prometeu que nunca diriam uma palavra; ela não podia acreditar que tinham acabado de encontrar um apartamento acessível em Nova York.

Faltavam menos de dezoito horas para o voo e Neni estava agora sozinha na sala. Timba dormia no quarto; Jende levara Liomi para jantar num restaurante na rua Cento e Dezesseis, para uma última refeição de *attiéké* e carneiro grelhado. Depois do jantar planejavam tomar a última casquinha de sorvete americano na rua Cento e Quinze; talvez um pedaço de *cheesecake*, também.

Com todas as sacolas prontas, todas as roupas de viagem arrumadas, todos os itinerários impressos, restava pouco a fazer. Neni sentou-se no chão, as costas contra a parede, olhando a sala. Ela parecia menor e mais escura. Dava uma sensação estranha, como estar numa gruta distante numa floresta num país onde ela nunca tinha estado. Dava a sensação de estar num sonho de uma casa que nunca tinha sido sua.

Olhou para a janela, pensando em algo que pudesse ter esquecido de fazer. Não tinha esquecido de nada. Talvez um adeus que não tivesse dado? Nenhum. Suas amigas haviam se oferecido para passar esta última noite com ela, relembrar fatos e dar risada, porque quem sabe se/quando elas se veriam novamente? Neni agradecera, mas dissera não. Tinha dito seu último adeus, para Fatou, no dia anterior. Haviam se dado um longo abraço, e Fatou dissera, como é vai me fazer chorar assim que nem neném? Ela não queria saber de outras despedidas. Nem de Fatou, nem Betty, nem Olu nem Winston, nem nenhum outro amigo.

Queria dormir, acordar, tomar uma chuveirada, aprontar os filhos, pegar a bagagem e partir.

Sessenta e dois

Eles disseram adeus a Nova York num dos dias mais quentes do ano. Final de agosto, mais ou menos na mesma época em que Jende havia chegado cinco anos antes. Embarcaram no voo da Air Maroc do JFK para Duala via Casablanca. No táxi para o aeroporto, ela espiava pela janela em silêncio. Estava tudo passando por ela. Nova York passando por ela. Pontes e outdoors mostrando gente sorridente passando por ela. Arranha-céus e casas passavam correndo. Depressa. Depressa demais. Para sempre.

Ele não sentiu nada.

Ele se forçou a não sentir nada.

Ele se sentou no banco da frente com o dinheiro que seria a semente para sua nova vida empacotado na mochila vermelha JanSport, vinte e um pequenos maços de dinheiro presos com elásticos marrons. Cada maço continha mil dólares da sua fortuna: dezoito mil de Cindy Edwards e suas economias; mil e quatrocentos dólares do pessoal da Judson; dois mil de Clark Edwards.

— Por que você não envia simplesmente pela Western Union e pega quando chegar lá? — Winston tinha perguntado.

— Nunca — ele respondera. — Você quer que o governo de Camarões saiba que eu tenho esse dinheiro todo e vá atrás de mim?

— Você e seus medos — Winston dissera, rindo. — O que vão fazer se souberem? Eles não podem cobrar impostos de dinheiro que você transfere.

— É isso que você pensa, hein? Espere até Biya resolver mudar a lei. Então o governo vai começar a pedir dez por cento de todas as transferências feitas pela Western Union.

— Ah, *bo*! O governo nunca pode fazer uma coisa dessas.

— Como você sabe?

— Eu não sei. Mas, agora que você está dizendo, eu não o culpo por ser cauteloso. Nunca se pode confiar no governo — eu não confio no governo americano e decididamente não confio no governo de Camarões.

— Não, mas é o nosso governo e é o nosso país. Podemos amá-lo, podemos odiá-lo, mas mesmo assim é o nosso país. O que se pode fazer?

— É o nosso país — concordou Winston. — Nunca podemos rejeitá-lo.

Às quatro da manhã do dia depois que deixaram Nova York, chagaram em Camarões. E, como tinham sido avisados, o país não estava diferente daquele que tinham deixado.

O Aeroporto Internacional de Duala ainda era fumegante e superlotado. Os funcionários da alfândega ainda exigiam propinas que viajantes exaustos davam por falta de energia para brigar com um sistema desonesto. Homens e mulheres em vistosos tecidos africanos ainda lotavam a saída da alfândega, chamando os nomes de seus amados recém-chegados, berrando em inglês, francês, inglês pidgin, e qualquer uma das duzentas línguas nativas do país, dizendo, estou aqui, estamos todos aqui. Pais radiantes de alegria, e às vezes o que pareciam ser famílias mais distantes inteiras, ainda esperavam fora do terminal de chegada para receber filhos e filhas que haviam viajado para o exterior e retornado para trazer-lhes orgulho, empurrando-se com cotoveladas para dar o tão esperado abraço. Meninos novos vestidos de trapos ainda rondavam pelo estacionamento do aeroporto, procurando recém-chegados ingênuos que acreditariam nas suas queixas de fome e falta de teto, dando-lhes um dólar ou euro. A viagem de Duala a Limbe ainda era árdua, com motoristas e pedestres se xingando, jovens e velhos brigando igualmente por espaço nas poeirentas e congestionadas ruas de Bonaberi.

O irmão de Jende, Moto, recebeu-os no aeroporto com uma picape Ford emprestada para a viagem de duas horas até Limbe. Foi o único veículo que achou capaz de abrigar a família e as sete malas com roupas e sapatos.

O restante das posses chegaria meses depois num contêiner de navio: o velho Hyundai; quatro grandes caixas de roupas e sapatos comprados em lojas de ofertas; três caixas de comida em conserva, tudo comprado em lojas de um dólar; duas malas com brinquedos, jogos e livros de Liomi; uma cadeirinha para carro, um carrinho de bebê e um berço desmontável comprados para Timba no site de segunda mão. Havia também três malas com as roupas que Cindy dera a Neni e as coisas que Neni comprara em Chinatown: bolsas Chanel, Gucci e Versace falsificadas; joias baratas, óculos escuros e sapatos; perucas e apliques de cabelo humano; cremes, perfumes e maquiagem. Essas compras eram o que ela usaria para provar às mulheres promíscuas de Limbe que não estava no nível delas. As coisas de Cindy ela planejava reservar para ocasiões especiais. As vestiria em casamentos e aniversários para mostrar àquelas moças que apesar de ter voltado e estar vivendo entre elas, não era uma delas — era agora uma mulher de classe, com itens de estilistas de verdade e nenhuma delas podia competir com ela.

Logo depois das sete horas, enquanto Neni e as crianças dormiam, a picape passou debaixo da placa vermelha e branca acima da rodovia que dizia "Bem-vindo a Limbe, a Cidade da Amizade". Memórias daquela placa haviam dado a Jende conforto nos seus primeiros dias na América, um conforto misturado com a crença de que algum dia estaria passando por ela em circunstâncias diferentes daquelas em que tinha saído.

— Realmente, bem-vindo — disse ele a si mesmo, enquanto as luzes da sua cidade natal apareciam ao longe. Moto tirou uma mão do volante e lhe deu um tapinha de parabéns no ombro.

— O que você disse, papai? — um Liomi sonolento que despertava perguntou.

Jende virou-se no banco da frente e olhou para o filho.

— Adivinhe onde estamos — sussurrou.

— Onde? — Liomi perguntou, lutando para abrir os olhos.

— Adivinhe — Jende sussurrou novamente.

O menino abriu os olhos e disse:

— Em casa?

Agradecimentos

A autora é grata à sua maravilhosa agente, Susan Golomb, por lhe abrir poderosos portões, e aos antigos e atuais assistentes de Susan (Krista Ingebretson, Scott Cohen, Soumeya Bendimerad Roberts), por todo o trabalho árduo que fizeram, e continuam a fazer por ela. Profunda gratidão a David Ebershoff, por ser não só um editor magnífico, mas também um ser humano gentil; e a Caitlin McKenna, sua zelosa assistente. A autora agradece à sua editora Susan Kamil, por dar-lhe uma oportunidade incrível. E a toda a equipe de Susan na Random House por sua dedicação e entusiasmo. Agradecimentos especiais a Molly Schulman, Hanna Pylväinem e Christopher Cervelloni, por ler as primeiras versões desta história e oferecer sabedoria e incentivo. Finalmente, a autora será eternamente grata por seu (maravilhoso!) marido e (lindos!) filhos; pelo amor incondicional de sua mãe; pelo inabalável apoio de sua irmã e seu cunhado; pela gentileza e benevolência de tanta gente boa em sua família estendida; estranhos e conhecidos cujas histórias e cuja generosidade inspiraram este romance; e por seus absolutamente incríveis amigos, que correram em seu socorro muitas e muitas vezes fazendo com que continuasse rindo durante esta extraordinária jornada.

Este livro, composto na fonte Fairfield, foi impresso
em papel Pólen Soft 70 g/m² na Elyon.
São Paulo, dezembro de 2021.